DIÁLOGO BRASIL

CURSO INTENSIVO DE PORTUGUÊS PARA ESTRANGEIROS

COM NOVA ORTOGRAFIA

gen
Grupo
Editorial
Nacional

DIÁLOGO BRASIL

CURSO INTENSIVO DE PORTUGUÊS PARA ESTRANGEIROS

COM NOVA ORTOGRAFIA

Emma Eberlein O. F. Lima

Samira Abirad Iunes

Marina Ribeiro Leite

gen | E.P.U.

Sobre as autoras:
Emma Eberlein O. F. Lima, Professora de Português para estrangeiros em São Paulo. Coautora de: Avenida Brasil - Curso básico de Português para estrangeiros (E.P.U.); Português Via Brasil - Curso avançado para estrangeiros (E.P.U.); Falar ... Ler ... Escrever ... Português - Um Curso para Estrangeiros (E.P.U.); Inglês - Telecurso de Segundo Grau (Fundação Roberto Marinho).
Diretora da Polyglot - Cursos de Português para estrangeiros em São Paulo.

Samira Abirad Iunes, Doutora em língua e literatura francesa pela Universidade de São Paulo (USP). Professora do Departamento de Letras Modernas da USP - Curso de Francês e do Curso de Especialização em Tradução francês-português/português-francês. Coautora de: Avenida Brasil - Curso básico de Português para estrangeiros (E.P.U.); Português Via Brasil - Curso avançado para estrangeiros (E.P.U.); Falar ... Ler ... Escrever ... Português - Um Curso para Estrangeiros (E.P.U.).

Marina Ribeiro Leite, Professora de Português em São Paulo. Coautora de: Língua Portuguesa - Telecurso Primeiro Grau (FRM/MEC/UnB). Direção e texto final de Língua Portuguesa e Literatura 2º Grau - O Novo Telecurso (Fundação Roberto Marinho/Fundação Bradesco). Tradutora pública: Francês/Português.

Apesar dos melhores esforços das autoras, do editor e dos revisores, é inevitável que surjam erros no texto. Assim, são bem-vindas as comunicações de usuários sobre correções ou sugestões referentes ao conteúdo ou ao nível pedagógico que auxiliem o aprimoramento de edições futuras. Os comentários dos leitores podem ser encaminhados à **LTC — Livros Técnicos e Científicos Editora** pelo e-mail faleconosco@grupogen.com.br.

E.P.U. – Editora Pedagógica e Universitária é um selo editorial do GEN | Grupo Editorial Nacional

Travessa do Ouvidor, 11
Rio de Janeiro, RJ – CEP 20040-040
Tels.: 21-3543-0770 / 11-5080-0770
Fax: 21-3543-0896
faleconosco@grupogen.com.br
www.grupogen.com.br

Capa: Virgínia Fernandes Lima de Assis (Absoluta Criação Visual)
Desenhos e Projeto Gráfico: Fábio Vicente
Mapa do Brasil, páginas 72 e 247. Pergaminno Design

Dados Internacionais de Catalogação na Publicação (CIP)
(Câmara Brasileira do Livro, SP, Brasil)

Lima, Emma Eberlein O. F.
Diálogo Brasil: curso intensivo de português para estrangeiros/ Emma Eberlein O. F. Lima, Samira Abirad Iunes, Marina Ribeiro Leite. — [Reimpr.]. — São Paulo : E.P.U., 2019.

ISBN 978-85-216-2610-7

1. Português - Estudo e ensino - Estudantes estrangeiros 2. Português - Livros-texto para estrangeiros I. Iunes, Samira Abirad. II. Leite, Marina Ribeiro. III. Título. IV Título: Curso intensivo de português para estrangeiros.

03-0648 CDD-469.824

Índices para catálogo sistemático:
1. Português - Livros-texto para estrangeiros 469.824
2. Português para estrangeiros 469.824

Impresso no Brasil

Printed in Brazil

Sumário

Este símbolo indica que o texto gravado em áudio encontra-se nos CD1 e CD2, encartados neste volume.

Créditos

Pág.	Descrição/Fonte
5	Foto: Júlio Bernardes. Linha de montagem, telecomunicações. *Site*: http://www.webfoto.com.br
11	Foto de Belo Horizonte. *Site* da prefeitura de Belo Horizonte/MG.
12	Foto: Walmir Pinheiro. Av Antonio Carlos Magalhães. BA – Bahiatursa.
12	Praça. Foto: Leandro Couri. *Site*: http://www.webfoto.com.br
12	Vista do Masp - São Paulo 08.01.97. Foto: Fabiano Accorsi. Folha Imagem.
12	Periferia de Campinas/SP, 28.04.99. Foto: Eduardo Knapp. Vista aérea da favela Monte Cristo, próxima à rodovia Santos Dumont. Folha Imagem.
13	São Paulo (SP) - 27.04.01 - Foto: Márcio Fernandes. Helicópteros estacionados no Campo de Marte, zona norte de São Paulo. Folha Imagem.
14	Vista do Congresso Nacional/ Brasília. 09.02.01. Foto: Sergio Lima. Folha Imagem.
18	Bom-dia. Foto: Júlio Bernardes. *Site*: http://www.webfoto.com.br
18	Boa-tarde. Foto: Júlio Bernardes. *Site*: http://www.webfoto.com.br
18	Boa-noite. Foto: Júlio Bernardes. *Site*: http://www.webfoto.com.br
23	Praia do Pontal do Coruripe. Litoral Sul. Foto Robson Lima. Secretaria de Comunicação Social do Estado de Alagoas. SECON
27	Sashimi e sushi, do restaurante Kosushi/SP, 29.05.01. Foto: Cleo Velleda. Folha Imagem.
27	Bacalhau à moda árabe, do restaurante Tuareg/SP, 03.04.98. Foto: Lili Martins. Folha Imagem.
28	Gastronomia: comida italiana, São Paulo, 24.08.95. Foto: Rochelle Coti. Folha Imagem.
28	Prato comercial, ou "prato feito", São Paulo, 11.05.01. Foto: Ernesto Rodrigues. Folha Imagem.
29	Baianas do Acarajé – Praia Jardim de Alah - Foto: Aristides Alves. Bahiatursa.
33	Prato brasileiro: comercial com fritas. Foto: Leandro Couri. Site: http://www.webfoto.com.br
33	Desenhos do Corel Draw 9. E.P.U.
33	Frutas regionais. Cácio Murilo. PBTUR. Paraíba.
37	Pico do Jabre/PB – Foto: Cácio Murilo - PBTUR.
37	Barra de Santo Antonio, praia do carro quebrado, Litoral Norte. Foto: Robson Lima. SECON. Alagoas.
39	Restaurante. Foto: Leandro Couri. *Site*: http://www.webfoto.com.br
40	Prato: Feijoada. São Paulo, 31.07.92. Foto: Kiko Coelho. Folha Imagem.
42	Restaurante de comida árabe. Foto: Leandro Couri. *Site*: http://www.webfoto.com.br
42	Restaurante de comida japonesa, DHAIGO/SP, 31.10.00. Foto: Eduardo Knapp. Folha Imagem.
42	Pizzaiollo preparando *pizza*. São Paulo, 15.03.94. Foto: Fernando Santos. Folha Imagem.
42	Comida japonesa: do restaurante Tanaka, na Avenida Juriti, em São Paulo. 14.03.00. Foto: Flávio Florido. Folha Imagem.
42	Comida mineira: leitão à pururuca, do restaurante Feitiço Mineiro, de São Paulo. 19.01.95. Foto: Ana Ottoni. Folha Imagem.
42	*Baby beef* - Restaurante Figueira - Autorizado pelo Restaurante Figueira/SP.
42	Restaurante Figueira - Autorizado pelo Restaurante Figueira/SP.
43	Vista geral da Esplanada dos Ministérios; no centro, o Congresso Nacional. Brasília, 22.12.95. Foto: Sergio Lima. Folha Imagem.
46	Mari de Oliveira/Vila dos Vicentes/Fazenda modelo de Cauassu, em Acaraú (CE), 04.02.00. Foto: Jarbas de Oliveira. Folha Imagem.
46	Fortaleza dos Reis Magos. Foto: SETUR. Natal. RN.
47	Vista geral do Mercado Modelo, em Salvador (BA), 20.12.99. Foto: Chiaki Karen Tada. Folha Imagem.
55	Trânsito. Pernambuco. Filme cedido pela EMPETUR. Secretaria do desenvolvimento econômico, turismo e esportes. Governo de Pernambuco.
56	Ouro Preto – MG. Foto: Júlio Bernardes. *Site*: http://www.webfoto.com.br
56	Ouro Preto – MG. Foto: Júlio Bernardes. *Site*: http://www.webfoto.com.br
58	Mercado Modelo e Elevador Lacerda. Foto: Bahiatursa.
58	Vista do bondinho do Pão de Açúcar (RJ), 22.12.00. Foto: Antônio Gaudério. Folha Imagem.
58	O pôr do sol no Pantanal (MT). 12.06.00. Foto: Marco Ankosqui. Folha Imagem.
58	Cataratas em Foz do Iguaçu/PR, 13.06.00. Foto: Maristela do Valle. Folha Imagem.
58	Ilha de Areia Vermelha (PB) – Foto: Dirceu Tortorello. PBTUR (Paraíba turismo).
67	Plataforma da Petrobrás P-40. RJ - 27.03.01. Foto: Antônio Gaudério. Folha Imagem.
67	Plataforma P-36, baía de Guanabara (RJ). 19.11.99. Foto: Patricia Santos. Folha Imagem.
68	Fachadas de residências. Foto: Leandro Couri. *Site*: http://www.webfoto.com.br
68	Fachada de residência. Foto: Cleodenir. Cleodenir
69	Fotos do Corel Draw 9. E.P.U.
71	Fachada de residência. Foto: Leandro Couri. *Site*: http://www.webfoto.com.br
72	Mapa do Brasil. Pergaminno Design.
74	Vista geral da baía de Parati (RJ), 17.12.99. Foto: Silvio Cioffi. Folha Imagem.
75	*Campus* da UnB - Universidade de Brasília. 10.12.99. Foto: Lula Marques. Folha Imagem.
75	Universidade Federal de Viçosa/ MG - Campus UFV.
77	Fotos do Corel Draw 9. E.P.U.
85	Vista geral da praça da Alfândega, com o prédio do Museu de Artes do Rio Grande do Sul à direita, em Porto Alegre (RS). 05.10.99. Foto: Cleo Velleda. Folha Imagem.
85	Florianopólis, do alto do morro da Cruz. 07.12.00. Foto: Jarbas de Oliveira. Folha Imagem.
85	A baía de Vitória, no Espírito Santo, vista a partir do Convento da Penha.Vitória (ES). 20.12.99. Foto: Chiaki Karen Tada. Folha Imagem.
85	Barcos no mercado Ver o Peso, em Belém/PA. 16.02.98. Foto: Fernando Santos. Folha Imagem.
88	Jd. Pirajussara, Valo Velho - Santo Amaro/SP. 05.06.98. Foto: Zaca Feitosa. Cedida.
88	Fachada de edifício na rua Peixoto Gomide com Alameda Franca, em São Paulo. 28.07.00. Foto: Luiz Carlos Murauskas. Folha Imagem.
88	Fachada do edifício Mirante do Vale, na rua Engenheiro Edgard Egídio de Souza, 80, Higienópolis, São Paulo. 04.09.01. Foto: Willians Valente. Folha Imagem.
91	Vista panorâmica da região central da cidade de Campinas (SP). 20.04.01. Foto: Marcos Peron. Folha Imagem.
92	Máquina Agrícola. Prof. Borsari.
95	Motocicleta, São Paulo, 25.05.01. Foto: Jose Nascimento. Folha Imagem.
101	Fenasoft 2000: visitantes na abertura da feira de informática no Pavilhão de Exposições do Anhembi. São Paulo, 24.07.00. Foto: Caio Guatelli. Folha Imagem.
102	Farol. Pernambuco. Filme cedido pela EMPETUR. Secretaria do desenvolvimento econômico, turismo e esportes. Governo de Pernambuco.
102	Palácio Marechal Floriano Peixoto. (Sede do Governo Estadual). Foto: Paulo Vicente. Secretaria de Comunicação Social do Estado de Alagoas. SECON
103	Congestionamento na Marginal Tietê. São Paulo, 22.12.00. Foto: Eduardo Knapp. Folha Imagem.
104	Av. 23 de maio/SP. Foto: Júlio Bernardes. *Site*: http://www.webfoto.com.br
104	Congestionamento na avenida 23 de Maio/SP. 22.12.98. Foto: Marlene Bergamo. Folha Imagem.
106	Vista noturna de Campinas. *Site* da Prefeitura de Campinas.
108	Caminhões da Granero. *Site* na *Internet*.
110	Pernambuco. Estacionamento de *Shopping*. Filme cedido pela EMPETUR. Secretaria do desenvolvimento econômico, turismo e esportes. Governo de Pernambuco. EMPETUR
110	Casarões coloniais em Parati (RJ). 17.11.95. Foto: Antonio Gaudério. Folha Imagem.
110	Condomínio Alphaville, em Barueri (SP). 16.06.98. Foto: Greg Salibian. Folha Imagem.
110	Favela Pavão-Pavãozinho no bairro de Copacabana/RJ, 21.11.00. Foto: Ana Carolina Fernandes. Folha Imagem.
110	Vista geral da favela da Rocinha, no Rio de Janeiro (RJ). 04.06.00. Foto: Zulmair Rocha. Folha Imagem.
111	Macacos. Zoológico de São Paulo./Tigre. Zoológico de São Paulo. 1992./Gorila. Zoológico de São Paulo. 1992./Elefante. Zoológico de São Paulo. 1992. Foto: Eliene.
126	Pronto Socorro/SP. Foto: Cleodenir.
126	Hospital do Campo Limpo, zona sul de São Paulo (SP). 18.06.01. Foto: Luiz Carlos Muraukas. Folha Imagem.
130	Praça com coreto. Foto: Júlio Bernardes. *Site*: http://www.webfoto.com.br
131	Igreja de São Francisco/ PB – Foto: Dirceu Tortorello. PBTUR. Paraíba.
131	Nascer do Sol no Cabo Branco. Foto: Cácio Murilo. PBTUR. Paraíba.
131	Teatro Santa Rosa – Foto: Gustavo Moura. PBTUR. Paraíba.
131	Centro Histórico. Foto: Gustavo Moura. PBTUR. Paraíba.
131	Parque Solon de Lucena. Foto: Cácio Murilo. PBTUR. Paraíba.
131	Itacoatiara do Ingá. Foto: Dirceu Tortorello. PBTUR. Paraíba.
133	Trânsito na avenida 23 de Maio/SP. 27.01.00. Foto: Evelson de Freitas. Folha Imagem.
135	Jogos Olímpicos de Sydney 2000. Austrália. 15.09.00. Foto: Ormuzd Alves. Folha Imagem.
136	Basquete Masculino - Campeonato Paulista. São Paulo. 16.12.98. Foto: Evelson de Freitas. Folha Imagem.
136	Adriana Behar (costas) disputando jogada na final da quarta etapa do circuito Banco do Brasil Vôlei de Praia, contra Adriana Samuel, na Esplanada dos Ministérios. Brasília. 06.05.01. Foto: Beto Barata. Folha Imagem.
138	A tenista Maria Ester Bueno. São Paulo. 1963. Foto: Folha Imagem.
138	Jogos Olímpicos de Sydney/Austrália, 2000 - Gustavo "Guga" Kuerten. 18.09.00. Foto: Ormuzd Alves. Folha Imagem.
139	Futebol: torcida do Corinthians no estádio do Maracanã/RJ. 14.01.99. Foto: Jorge Araujo. Folha Imagem.
140	Corinthians e Palmeiras no estádio do Morumbi./SP, 20.06.99. Foto: Paulo Giandalia. Folha Imagem.
140	Copa São Paulo de Futebol Júnior 2000 - São Paulo 2 X 1 Juventus: estádio do Pacaembu. São Paulo, 25.01.00. Foto: Evelson de Freitas. Folha Imagem.
150	Vista aérea da corrida de São Silvestre em São Paulo. 31.12.99. Foto: Rogerio Albuquerque. Folha Imagem.
151	Moda: confecção lódice no Morumbi Fashion, SP. 29.06.00. Foto: Eduardo Knapp. Folha Imagem.
151	Moda, Morumbi Fashion 2000: coleção da Zoomp/SP. 30.06.00. Foto: Evelson de Freitas. Folha Imagem.
151	Moda - Morumbi Fashion 2000: coleção do estilista Walter Rodrigues/SP. 02.07.00. Foto: Eduardo Knapp. Folha Imagem.
153	Casal em traje a rigor. Foto: Júlio Bernardes. *Site*: http://www.webfoto.com.br
153	Consumidores no *Shopping* Paulista, em São Paulo. 23.12.99. Foto: Otavio Dias de Oliveira. Folha Imagem.
153	Consumidores no *Shopping* Center Norte/SP, 09.10.99. Foto: Cleo Velleda. Folha Imagem.
154	Camelô das ruas de São Paulo. Foto: Cleodenir.
154	Pedestres atravessam rua na praça Ramos de Azevedo /SP. 18.06.01. Foto: Jorge Araújo. Folha Imagem.
155	Artesanato. Foto: Marisa Vianna. Bahiatursa.
155	Praças de São Paulo. Foto: Cleodenir.
160	Porto da Barra/Salvador/BA. Foto: Walmir Pinheiro.Bahiatursa.
160	Rua 25 de Março/São Paulo. 27.12.99. Foto: Lili Martins. Folha Imagem.
160	Shopping Center Norte/ SP. 07.08.99. Foto: Cleo Velleda. Folha Imagem.
169	Jureia. Foto: Júlio Bernardes. *Site*: http://www.webfoto.com.br
169	Praia da Jureia. Foto: Eliene
169	Pernambuco. Ladeira. Filme cedido pela EMPETUR. Secretaria do desenvolvimento econômico, turismo e esportes. Governo de Pernambuco.
169	Praia do Seco. Alagoas. SECON
169	Praia Pipa. Foto: SETUR. Natal-RN.
169	Foto: SETUR. Natal-RN.
170	Garça Real em Floresta Alta, no Pantanal, em Mato Grosso. 05.06.00. Foto: Luis Carlos Muraukas. Folha Imagem.
170	Amazonas. Vista por satélite. *Internet*
171	Baía de Todos os Santos. Foto: Aristides Alves. Bahiatursa
171	Igreja de São Francisco/PB. Foto: Dirceu Tortorello. PBTUR
172	Hotel. Foto: SETUR. Natal-RN.
172	Pousada. Foto: SETUR. Natal-RN.
173	Outros animais do Software Corel Draw 9. E.P.U.
173	Animal: onça-pintada. Foto: Fernando Torres de Andrade.
173	Animal: cobra. Foto: Fernando Torres de Andrade.
173	Animal: jabuti. Foto: Fernando Torres de Andrade.
173	Tucano. 06.12.00. Foto: Roosevelt Cassio. Folha Imagem.
173	Macaco-prego de peito amarelo (A espécie está em extinção). Rio, 28.10.00. Foto: Ana Carolina Fernandes. Folha Imagem.
173	Capivara toma sol na margem do rio Pinheiros, em São Paulo - SP. 05.09.00. Foto: Vania Vargas. Folha Imagem.
173	Araras, Chapada dos Guimaraes/MT. 02.05.00. Foto: Luiz Carlos Murauskas. Folha Imagem.
173	Animal: formiga. Foto: Fernando Torres de Andrade./Animal: galo. Foto: Fernando Torres de Andrade./Animal: papagaio. Foto: Fernando Torres de Andrade./ Animal: jacaré. Foto: Fernando Torres de Andrade./Formiga Saúva (*site* praonline.com.br). *Internet*/Formiga. (*site* praonline.com.br). *Internet*/Animal: mosca. *Site:* pragasonline.com.br. *Internet*/Animal: mosquito. Site: pragasonline.com.br. *Internet*/Animal: pernilongo. *Site*: pragasonline.com.br. Internet/ Animal: borboleta Foto: SETUR. Natal. RN.
181	Raio cai no centro da cidade de São Paulo. 21.03.01. Foto: Moacyr Lopes Junior. Folha Imagem.
181	Alameda Nothman/SP. 13.12.00. Foto: Jorge Araujo. Folha Imagem.
181	Farol: Natal. SETUR - Natal
182	Jegue na estrada: Natal. SETUR - Natal
186	Fotos do filme *Central do Brasil*. Videofilmes.
192	Farol. Bahiatursa.
195	Pelourinho. BA. Foto: Marisa Vianna. Bahiatursa. Autorizado
195	Carnaval no Rio de Janeiro (RJ) 2001: carro alegórico da escola de samba Beija-Flor de Nilópolis. 25.02.01. Foto: Antonio Gaudério. Folha Imagem.
196	Festa de Iemanjá. BA. Foto: Artur Ikishima. Bahiatursa.
196	Carnaval. Foto cedida por Valdir Santos Pires.
196	Procissão do Divino, na Festa do Divino de São Luis do Paraitinga. 29.05.01. Foto: Eduardo Lazzarini. Folha Imagem.
196	Festa do bumba meu boi no largo São Pedro, em São Luis (MA). 30.06.00. Foto: Ed. Viggiani. Folha Imagem.
196	Festa de São João. Foto: Robert Ostrowski. Paraíba (PBTUR)
197	Folclore: Crianças brincam de bumba meu boi em São Luís, no Maranhão. 25.10.00. Foto: Albani Ramos. Folha Imagem.
197	Reisado (Dança Folclórica). Secretaria de Turismo de Natal.
197	Folclore: Alagoas. SECON
197	Festa do Bonfim/BA. Foto: Artur Ikishina. Bahiatursa
199	Portinari. Foto: Júlio Bernardes. *Site*: http://www.webfoto.com.br.
199	Obras de Volpi. São Paulo,1999. Foto: Jorge Araujo. Folha Imagem.
199	Bienal: obra "Abaporu", de Tarsila do Amaral. São Paulo, 13.10.98. Foto: Leonardo Colosso. Folha Imagem.
203	Festa do Peão de Boiadeiro, em Barretos (SP). 19.08.91. Foto: Antonio Gauderio. Folha Imagem.
204	Cartões da Bienal
207	Artesanato: Natal. Autorizado – SETUR - Natal
239	Metalúrgica em São Paulo.

Prefácio

Diálogo Brasil – Curso intensivo de português para estrangeiros é um método que abrange o ensino da língua desde suas primeiras noções, chegando ao final do nível intermediário.

Destinado a um público adulto, a profissionais de todas as áreas que necessitem de um aprendizado seguro e relativamente rápido, ele também se aplica a um público jovem por sua estrutura clara e maleável. Essa estrutura permite, igualmente, o uso do método independentemente da rotina da sala de aula, facilitando ao aluno uma utilização mais pessoal.

O método visa transmitir ao aluno competências linguísticas que correspondam à sua necessidade de comunicar-se corretamente em linguagem coloquial, em situações cotidianas, tanto profissionais quanto sociais, no campo oral – compreensão e expressão – e no da escrita – leitura e redação.

Diálogo Brasil é um curso intensivo e ao mesmo tempo prático. Ele permite a aquisição sistemática e progressiva de conhecimentos, preparando o aluno **a falar** quase de imediato, a partir de reflexões iniciais sobre o tema, levando-o a situar-se antes do desenvolvimento do assunto da unidade, construída de forma crescente. Assim, após a reflexão, ele estará apto à leitura do texto e compreensão do vocabulário e das estruturas linguísticas para, no final da unidade, através de situações interativas, trocar ideias e expor suas experiências e opiniões. A ponte entre a reflexão, as aquisições linguísticas e a competência de fala é feita pela aprendizagem da gramática e de sua aplicação em numerosos exercícios. Quer dizer, cada unidade desenvolve o aspecto linguístico, comunicativo, cultural e intercultural, abrindo-se, ao mesmo tempo, para a unidade seguinte.

Sua grande contribuição à aprendizagem consiste, pois, em fazer o aluno passar, de forma prática e precisa, do contato com a estrutura da língua, através de textos, de diálogos dirigidos e ampliação de vocabulário, ao conhecimento gramatical e desse, à etapa de expressão pessoal.

A praticidade do método advém do fato de dar ao aluno a possibilidade de acessar facilmente os itens da unidade, ajudando-o, visualmente, a situar-se dentro de cada um deles. Assim, as unidades compõem-se de três partes fundamentais, que garantem as características do livro:

— **A (A1, A2, A3, A4, A5)** – apresenta textos de cunho jornalístico, em linguagem clara, direta e ágil por sua natureza, de complexidade crescente, cujo objetivo é a imersão instantânea do aluno no assunto e sua imediata percepção e compreensão das formas linguísticas do português. É a partir desse texto-chave, seguido de outros menores, de comunicação direta (minidiálogos) e de ampliação de vocabulário que se constrói cada unidade.

— **B (B1, B2)** – é a ponte entre percepção e compreensão e expressão pessoal. O estudo sistemático da gramática inicia-se com os tempos verbais, uma das colunas dorsais dessa parte. A sequência verbal parte dos tempos do indicativo, chegando aos do subjuntivo. Reunidos assim, os itens gramaticais são facilmente localizados e rapidamente consultados.

— **C (C1, C2)** – contém pequenos textos e propostas situacionais ligados aos temas dos textos iniciais (parte A), estimulando o aluno a se expressar de forma pessoal, auxiliado pelo vocabulário e conhecimentos gramaticais (parte B).

Diálogo Brasil contém ainda *três etapas de avaliação,* que controlam e orientam a aprendizagem.

— **Avaliação** – A fim de permitir um autocontrole de suas aquisições, o aluno encontra, após cada cinco unidades, uma série de exercícios, de acordo com o esquema das mesmas.
Para as primeiras cinco unidades, a avaliação é feita unidade por unidade, considerando-se o grau inicial do estudante e o objetivo de lhe assegurar um controle mais fácil e preciso. Para as demais, a avaliação leva em consideração o conjunto dos itens estudados (da 6ª à 10ª e da 11ª à 15ª)

Diálogo Brasil – Curso intensivo de português para estrangeiros propicia o conhecimento de comportamentos sociais e culturais brasileiros, facilitando, dessa maneira, através do aprendizado da língua, uma adaptação profissional mais rápida e segura no país.

Composição da obra

— **Livro-texto** – livro do aluno, contendo 15 unidades e 3 avaliações.

— **Áudio (CD1 e CD2)** – Para o Livro-Texto: Áudio dos textos iniciais e dos diálogos, bem como a gravação do capítulo Fonética, que auxiliará o aluno a reconhecer e a produzir corretamente os sons mais característicos do português.
– Para uso complementar, com o objetivo de fixar o conteúdo do Livro-Texto e expandir a competência oral do aluno (ouvir e falar): Áudio com 15 unidades paralelas às do Livro-Texto, com diálogos e exercícios novos, além de material interativo.

— **Glossários (Inglês, Alemão e Francês)** – vocabulário na sequência em que aparece nas lições, com tradução e informações para ampliar e aprofundar a compreensão de diferenças semânticas. (Vendidos separadamente.)

— **Manual do Professor** – orientação didática para desenvolvimento das aulas e sugestões concretas para o trabalho com cada unidade. (Vendido separadamente.)

As Autoras

Telecomunicações no Brasil

faixa 01 CD 1

A VOZ DO BRASIL

CADERNO DE ECONOMIA

TELECOMSAT vai expandir suas atividades no País

Unidade vai ser construída no interior do Estado de São Paulo com grandes investimentos

SAMIRA IUNES

A TELECOMSAT— Telecomunicação Via Satélite - do Canadá, vai instalar, no próximo ano, uma fábrica de aparelhos de telefone em uma grande área industrial no país. O senhor Robert Wiener, o novo diretor de vendas da empresa no Brasil, comunica que a primeira fábrica vai ser em

Campinas, cidade do interior do Estado de São Paulo. A TELECOMSAT trabalha com aparelhos de última geração. Hoje, a empresa tem várias fábricas nos Estados Unidos, na América Latina e na Europa.

1. Qual é o nome da nova empresa?

____

2. Onde a TELECOMSAT vai ser instalada?

____

3. Por que a TELECOMSAT vai construir uma fábrica?

____

4. Como são os aparelhos?

____

Cumprimentos

Muito prazer!

faixa 02 CD 1

Jorge de Lima: (Diretor)
— Bom-dia, Dr. Vieira. Como vai o senhor?

Doutor Vieira: (Presidente)
— Bem, obrigado. E o senhor?

Jorge de Lima: — Bem, obrigado. Doutor Vieira, este é o nosso novo diretor de Vendas, Robert Wiener.

Doutor Vieira: — Muito prazer!

Robert Wiener: — Muito prazer!

Oi!

faixa 03 CD 1

André: (Departamento Pessoal)
— Oi, Helena, como vai? Tudo bem?

Helena: (secretária de Robert Wiener)
— Tudo bem. E você?

André: — Tudo bem.

Helena: — Você já conhece Robert Wiener? É o nosso novo diretor de Vendas.

André: — Prazer!

Robert Wiener: — Prazer!

Robert Wiener se apresenta

faixa 04 CD 1

Meu nome é Robert Wiener. Meu apelido é Bob. Eu sou canadense. Eu sou engenheiro. Eu trabalho na Telecomsat do Canadá há oito anos. Eu trabalho em vendas. Vou para Campinas para trabalhar lá. Já tenho meu visto de trabalho.
Tenho trinta e cinco anos. Sou casado e tenho dois filhos: um filho de oito anos e uma filha, de cinco. Minha família vai chegar em dezembro. Vamos morar aqui alguns anos. Estamos contentes.
Eu gosto do Brasil.

Preencha a ficha de Robert Wiener.

Nome: ....

Sobrenome: ....

Nacionalidade: ....

Profissão: ....

Empresa: ....

Cargo: ....

Idade: ....

Estado civil: ....

Filhos: ....

A5 ampliando o vocabulário

— Como? Desculpe. Não entendi. Você (o senhor) pode repetir?

— Como se pronuncia?
— Como se escreve? Soletre, por favor.

— Como se diz em português "Sales Department"?

— Sinto muito. Eu não sei.

Organograma da Telecomsat

Presente do Indicativo

Eu **sou** engenheiro.

Ser	
Eu	sou
Você / Ele / Ela	é
Nós	somos
Vocês / Eles / Elas	são

Eu **tenho** 35 anos.

Ter	
Eu	tenho
Você / Ele / Ela	tem
Nós	temos
Vocês / Eles / Elas	têm

Eu **vou** para Campinas.

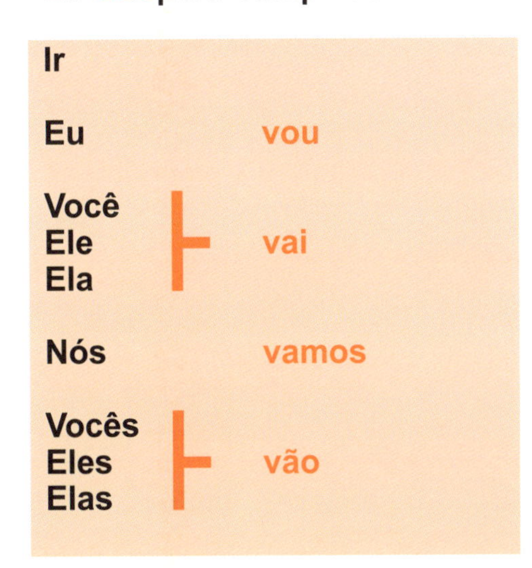

Ir	
Eu	vou
Você / Ele / Ela	vai
Nós	vamos
Vocês / Eles / Elas	vão

Eu **trabalho** na Telecomsat.

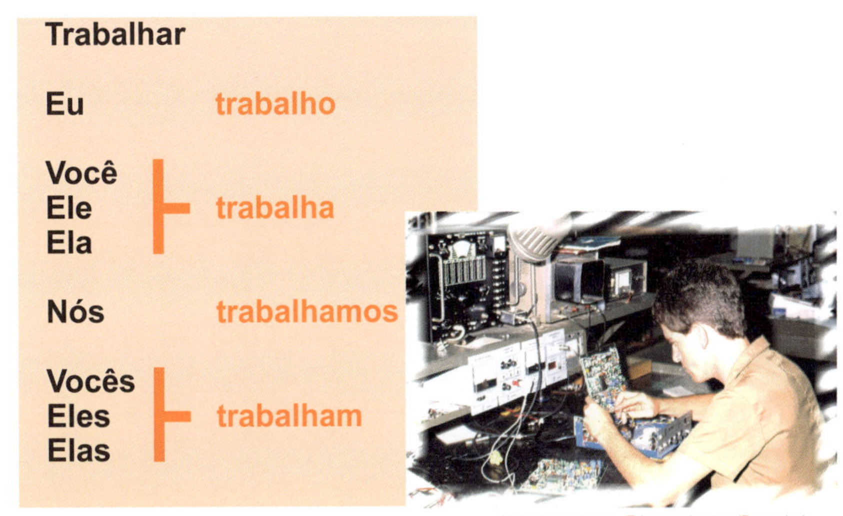

Trabalhar	
Eu	trabalho
Você / Ele / Ela	trabalha
Nós	trabalhamos
Vocês / Eles / Elas	trabalham

Linha de montagem - Telecomunicações (Bernardes)

Futuro imediato

Minha família **vai chegar** em dezembro.

Ir + Infinitivo

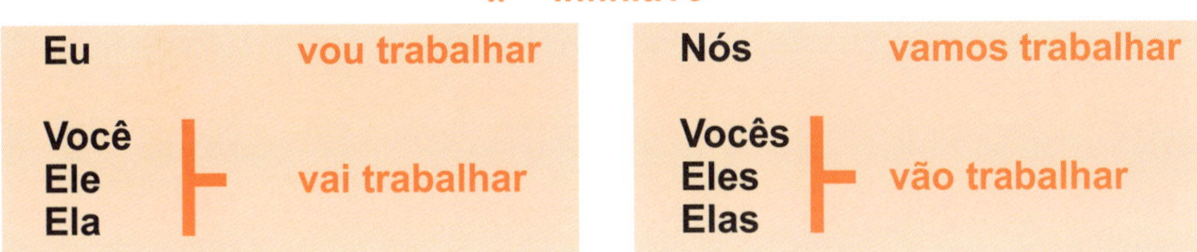

Eu	vou trabalhar
Você / Ele / Ela	vai trabalhar
Nós	vamos trabalhar
Vocês / Eles / Elas	vão trabalhar

Formas interrogativas

Qual é o nome da empresa?	TELECOMSAT.
O que a TELECOMSAT fabrica?	Aparelhos de telefonia.
Quem é o diretor de vendas?	É Robert Wiener.
Onde ele vai trabalhar?	Em Campinas.
Quando a família vai chegar?	Em dezembro.
Quantos filhos ele tem?	Ele tem dois filhos.
Por que a família vai morar no Brasil?	Porque ele vai trabalhar aqui.
Como eles estão?	Eles estão contentes.

Preposições e contrações

Em

Eu trabalho **em** vendas.
Eu moro **no** Canadá.
Ele mora **nos** Estados Unidos.
Eu trabalho **na** Telecomsat.
A Telecomsat tem fábricas **nas** grandes cidades.

Em + o = no
Em + a = na
Em + os = nos
Em + as = nas

De

Eu sou diretor **de** vendas **da** empresa Telecomsat.
Eu sou **do** Canadá.
A produção **dos** novos aparelhos é grande.
O resultado **das** vendas é muito bom.

De + o = do
De + a = da
De + os = dos
De + as = das

Masculino - Feminino

O filho	A filha
Um filho	Uma filha
Meu trabalho	Minha família
O novo projeto	A nova empresa
Seu chefe	Sua secretária

Singular - Plural

Um filho - dois filhos

Formas de tratamento: você, o senhor, a senhora

— Como vai **o senhor**, Dr. Vieira?
— Como vai **a senhora**, dona Marina?
— Como vai **você**, Helena?

Números

Eu tenho **trinta e cinco (35)** anos.
Eu tenho **dois (2)** filhos.

0 - zero	13 - treze	30 - trinta
1 - um, uma	14 - quatorze ou cartoze	31 - trinta e um (uma)
2 - dois, duas	15 - quinze	32 - trinta e dois (duas)
3 - três	16 - dezesseis	33 - trinta e três
4 - quatro	17 - dezessete	34 - trinta e quatro
5 - cinco	18 - dezoito	....
6 - seis	19 - dezenove	40 - quarenta
7 - sete	20 - vinte	41 - quarenta e um (uma)
8 - oito	21 - vinte e um (uma)	42 - quarenta e dois (duas)
9 - nove	22 - vinte e dois (duas)	43 - quarenta e três
10 - dez	23 - vinte e três	44 - quarenta e quatro
11 - onze	24 - vinte e quatro	....
12 - doze	....	50 - cinquenta

Presente do Indicativo - Ser

B2 aplicando o que aprendeu

a) Eu sou engenheiro.

1. Ela ______ professora.
2. Eles _________advogados.
3. Nós _________ engenheiros.
4. Elas _________ jornalistas?
5. Ele não _______ dentista.
6. Você _______ economista?
7. Vocês _______ secretárias?
8. Eu _________ médico.

b) Relacione.

Eu Vocês Nós Meus filhos Meu chefe Você Minha amiga Elas	sou é somos são	brasileira inglesas holandês americanos canadenses brasileiro franceses italiano

Ter

a) Eu **tenho** vinte e oito anos.

1. Eu __________ dois filhos.
2. Você __________ problemas na firma?
3. Minha secretária ___________ muito trabalho.
4. Meu amigo ______________ um cargo importante.
5. Nós _____________ muitas reuniões na firma.
6. Eles ___________ uma profissão interessante.
7. Vocês _________ tempo?
8. Elas _________ muitos amigos.

b) Eu não **tenho** tempo. Eu **tenho** muito trabalho.

1. Eles não _________ tempo, mas nós ____________.
2. Vocês não ________ problemas, mas elas ________.
3. Você __________ dinheiro, mas eu não __________.
4. Ele __________ pouco tempo e ela também. Eles __________ muito trabalho.

Eu vou para Campinas.

1. Eles __________ para o Rio, mas eu ______ para Salvador.

2. Ela _________para o escritório, mas nós __________ para o Consulado.

3. Você __________ para a fábrica mas eles _________ para casa.

4. Vocês _________ para lá? Ele também _________.

Trabalhar

Como trabalhar: morar
chegar
falar
gostar

Eu trabalho em São Paulo.

1. (morar) Onde você __________?

2. (chegar) Eu sempre __________ em casa às 7.

3. (falar) Vocês __________ inglês?

4. (falar) No Brasil, nós ___________ português. Na Argentina, eles ___________ espanhol.

5. (trabalhar) Elas ___________ muito, mas ele não. Ele ________ pouco.

6. (gostar de) Vocês ______________ trabalhar na fábrica, mas nós não. Nós _________________ trabalhar no escritório.

Futuro imediato

Amanhã
Na semana que vem
No mês que vem
No ano que vem

a) Eu trabalho muito. Amanhã, eu vou trabalhar muito.

1. Você joga tênis?

   No sábado que vem, você _______________ tênis?

2. Eles têm problemas.
   Amanhã, eles ________________________ problemas.

3. Nós chegamos na firma às 8 horas.
   Na semana que vem, nós _______________ na firma às 8 horas.

4. Vocês estudam Português?
   No mês que vem, vocês __________________ Português?

5. Ele é diretor da empresa.
   No ano que vem, ele ________________ o diretor da empresa.

6. Eu tenho reuniões importantes.
   Amanhã, eu __________________ reuniões importantes.

Formas interrogativas

a) Relacione.

1. Quando seu amigo vai chegar?	( ) A nova secretária.
2. Onde você mora?	( ) Vinte e cinco dólares.
3. Quem é ela?	( ) Bem e rápido.
4. Por que você mora no Brasil?	( ) Em setembro.
5. O que você vai fazer no sábado?	( ) Eu sou diretor de produção.
6. Como ele trabalha?	( ) Na Rua das Estrelas, 70.
7. Quanto custa este livro?	( ) Porque trabalho aqui.
8. Qual é seu cargo?	( ) Três.
9. Quantos filhos você tem?	( ) Vou visitar um amigo.

b) Faça a pergunta.

Siga o exemplo: Quem é ele?
Ele é o vice-presidente da companhia.

1. ____?

   Ele e a esposa moram em Belo Horizonte.

2. ____?

   A casa deles é grande e confortável.

3. ____?

   A companhia tem 10 mil funcionários.

4. ____?

   O principal produto da companhia é o telefone celular.

5. ____?

Aos sábados, ele e a esposa vão ao clube.

6. ____?

No clube, eles jogam tênis, nadam e encontram amigos.

7. ____?

Porque a empresa é em Belo Horizonte.

Contrações

Siga o exemplo.

a) Ele é o Presidente da companhia.

1. A secretária _____ presidente é competente.
2. Os diretores _____ companhia são brasileiros.
3. O trabalho ______ engenheiro é complicado.
4. Os computadores _______ escritório são novos.
5. O salário ______ secretárias é bom.

b) Ele vai trabalhar na fábrica.

1. Meus filhos vão estudar ____ Escola Princesa Isabel.
2. Eles vão jogar tênis _____ clube.
3. Eu vou morar _____ Avenida Tiradentes.
4. Você vai trabalhar _____ Departamento Pessoal?
5. Vocês gostam de jantar _____ restaurantes do centro?

O que você pensa ? Leia a pergunta e responda.

Para instalar novas unidades em outro país, uma empresa considera:

* um país de grande população ou um país pequeno, mas de grandes oportunidades?

* uma grande cidade, com infraestrutura industrial ou uma região nova, em desenvolvimento?

* a construção de pequenas fábricas, em vários lugares de um grande país?

MASP (Agência Folha)

Praça (Bernardes)

Periferia de Campinas (Folha Imagem)

Foto: Walmir Pinheiro, Av. Antonio Carlos Magalhães, BA - Bahiatursa

O que você sabe sobre o mercado brasileiro?
Como é o mercado no seu país? Quais são as dificuldades, os problemas, as vantagens?

Fale de você.

Quem é você?
Onde você trabalha?
De onde você é?
Fale de sua família, de seus planos para o futuro.

Unidade 2: Agendando a semana

A agenda do empresário

Quarta-feira / Miércoles / Wednesday / Mittwoch / Mercredi **5** Agosto / Agosto / August / August / Août

8:00 - Aula de Português
10:00 - Reunião com o diretor de Produção
11:30 - Telefonar para o Canadá. Falar com o Presidente da Telecomsat
Assunto: Reunião em Brasília, no Ministério das Telecomunicações
12:00 - Almoço
14:00 - Ler a correspondência.
16:00 - Encontro com o diretor da Telebrás
19:00 - Jantar com o diretor de Recursos Humanos

Quinta-feira / Jueves / Thursday / Donnerstag / Jeudi **6** Agosto / Agosto / August / August / Août

8:00 - Aula de Português
9:00 - Despachar com a Secretária: confirmar a reunião em Brasília
10:00 - Reunião com o Diretor Financeiro
11:30 - Reunião com o gerente de Marketing
13:00 - Almoço
15:30 - Reunião: discussão com os Diretores sobre o projeto de Brasília
17:00 - Ler a correspondência

faixa 05 CD 1

Diário Mercantil

Campinas, 4ª feira, 12 de agosto

TELECOMUNICAÇÕES: novo satélite

Brasília vai apresentar novo projeto
Empresários participam da reunião

Do nosso correspondente em Brasília

Amanhã, 5ª feira, o ministro das Telecomunicações vai ter uma reunião com empresários do comércio e da indústria. Ele vai apresentar o projeto para a construção de um novo satélite. O governo quer ampliar o sistema de telecomunicações do país. O interesse dos empresários é grande. No Brasil, a venda dos produtos de telecomunicações é um bom negócio.

Brasília/DF (Folha Imagem)

a) Certo ou errado?

	Certo	Errado
1. Ministro vai se reunir em Brasília com empresários.	[ ]	[ ]
2. Empresários de todos os ramos de atividades vão estar presentes.	[ ]	[ ]
3. O governo quer construir um novo satélite.	[ ]	[ ]
4. Os empresários estão interessados, porque vão participar da construção do satélite.	[ ]	[ ]
5. Os empresários estão interessados, porque a venda dos produtos de telecomunicações é um bom negócio.	[ ]	[ ]

b) Consulte a agenda e responda.

1. O jornal publica a notícia antes ou depois da reunião em Brasília?

____

2. Em que dia vai ser a reunião?

____

3. Quando o senhor Wiener prepara a reunião com os diretores da empresa?

____

4. A notícia do jornal é de Campinas ou de Brasília?

____

Que horas são?

faixa 06 CD 1

Robert: — Helena, que horas são?
Helena: — São onze horas.
Robert: — Você está muito ocupada?
Helena: — Não muito. O escritório está calmo hoje.
Robert: — E amanhã? Como vai ser a agenda?
Helena: — Vamos ver. Amanhã, é quinta-feira. De manhã, a agenda está completa, mas à tarde, o senhor só vai ter uma reunião.
Robert: — Bom.
Helena: — De manhã, o senhor vai ter aula de Português das oito às nove. Às dez, uma reunião com o Otávio, o diretor de Finanças. Às onze e meia, outra, com Celso, o gerente de *Marketing*. O senhor vai almoçar com ele à uma hora. À tarde, às três e meia, uma reunião rápida na sala do Dr. Vieira. Depois, mais nada.
Robert: — Ótimo. Assim, posso ler a correspondência. Eu sempre recebo muitas cartas. À noite, vou ficar no hotel. Vou telefonar para minha esposa. Quero notícias. Também vou ler um pouco. Eu sempre me deito tarde.

Pedindo informações

faixa 07 CD 1

— Uma informação, por favor.
— Pois não.
— A que horas o Sr. Soares vai voltar?
— Às duas.

— Onde vai ser o Seminário de Qualidade Total?
— No Rio.
— Quando?
— Em janeiro. No verão, claro.

Dando opinião

faixa 08 CD 1

— Você acha que a reunião vai ser rápida?
— Acho que sim.

Agenda agendar = marcar
- uma reunião
- um compromisso
- uma viagem

desmarcar/cancelar

antecipar

adiar

fazer hora extra

Telefone
- dar um telefonema
- fazer ou receber uma chamada
- telefonar a cobrar

a secretária eletrônica   o recado   o código das cidades

Material de escritório

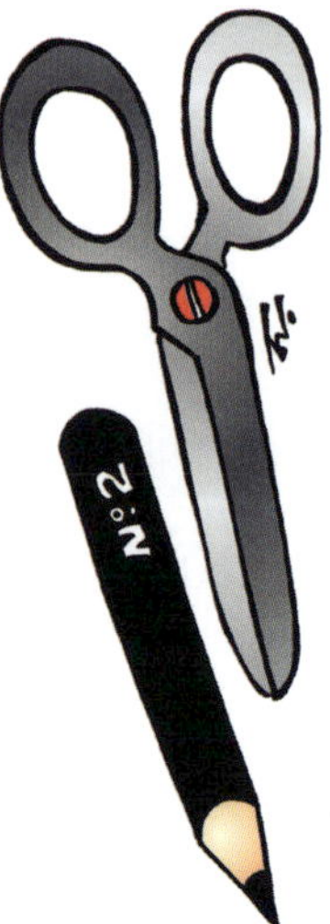

o lápis

a lapiseira

a borracha

a caneta esferográfica

o clipe

o computador

o grampeador

a tesoura

a cola

Presente do Indicativo

Você está ocupada?

Estar	
Eu	estou
Você / Ele / Ela	está
Nós	estamos
Vocês / Eles / Elas	estão

Eu recebo cartas.

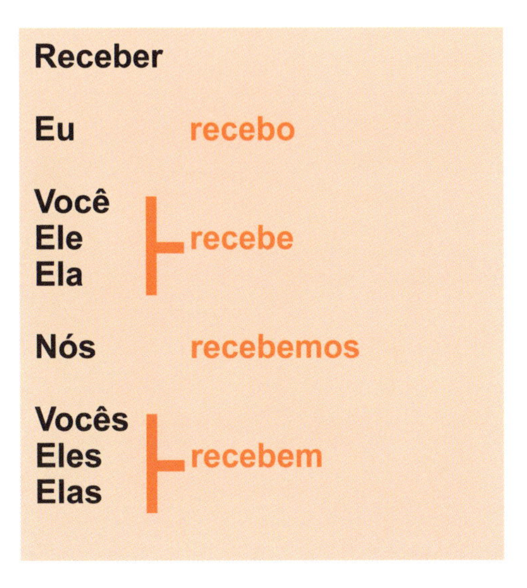

Receber	
Eu	recebo
Você / Ele / Ela	recebe
Nós	recebemos
Vocês / Eles / Elas	recebem

Ele quer notícias.

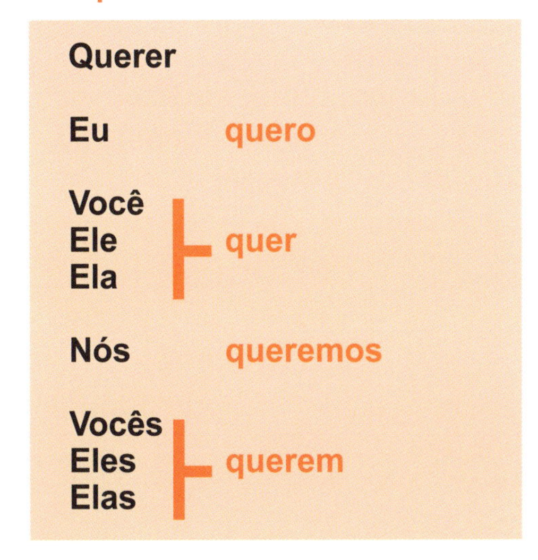

Querer	
Eu	quero
Você / Ele / Ela	quer
Nós	queremos
Vocês / Eles / Elas	querem

Eu posso preparar um relatório.

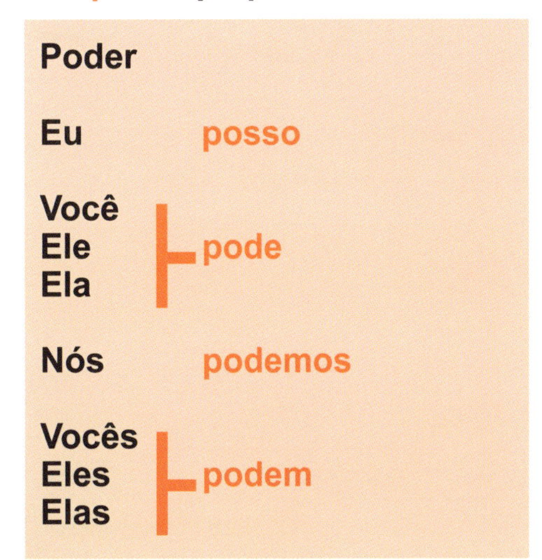

Poder	
Eu	posso
Você / Ele / Ela	pode
Nós	podemos
Vocês / Eles / Elas	podem

Emprego de ser e estar: diferenças

Robert **é** canadense.

Ele **está** no Brasil.

Ser:
qualidade permanente
Estar:
qualidade temporária

Já **são** oito horas.
Hoje, **é** quinta-feira.

É janeiro.
É verão.

Ser com:
horas, dias, meses, estações do ano

Estações do ano

o verão
no verão

Meses:
dezembro, janeiro, fevereiro
em dezembro, em janeiro, em fevereiro

"Uma andorinha não faz verão."

a primavera
na primavera

Meses:
setembro, outubro, novembro
em setembro, em outubro, em novembro

o outono
no outono

Meses:
março, abril, maio
em março, em abril, em maio

o inverno
no inverno

Meses:
junho, julho, agosto
em junho, em julho, em agosto

Dias da semana

segunda-feira
na segunda-feira
terça-feira
na terça-feira
quarta-feira
na quarta-feira
quinta-feira
na quinta-feira
sexta-feira
na sexta-feira
sábado
no sábado
domingo
no domingo

Períodos do dia

Bom-dia (Bernardes)

a manhã
de manhã

Boa-tarde (Bernardes)

a tarde
de tarde
à tarde

Boa-noite (Bernardes)

a noite
de noite
à noite

Horas

1. Que horas são?

É uma hora.
São duas horas.
São três e quinze.
É meio-dia.
É meia-noite.
São dez para a uma.
São quinze para as duas.
São vinte para o meio-dia.
São cinco para a meia-noite.

2. A que horas?

À uma.
Às duas.
Às três e meia.
Ao meio-dia.
À meia-noite.

3. Eu trabalho das duas às quatro.

Da uma às duas.
Das duas às quatro.
Do meio-dia à uma.
Das oito da manhã às oito da noite.
Das oito às dez.
Das onze da noite à uma da manhã.
Da meia-noite às três da madrugada.

Faço hora extra.

O que você acha?

Eu acho que ...
Eu não acho que ...
Acho que sim.
Acho que não.

— Você acha que a reunião vai ser rápida?
— Acho que sim.

Possessivos

(Eu)	**Meu, meus**	**Meu** chefe quer um relatório.
	Minha, minhas	Vou telefonar para **minha** esposa.
(Nós)	**Nosso, nossos**	**Nosso** diretor está em São Paulo.
	Nossa, nossas	**Nossa** empresa tem fábrica em Campinas.

Números

Na fábrica de Campinas, trabalham cento e vinte e cinco (125) operários.

Um trimestre tem noventa (90) dias.

51 - cinquenta e um (uma)	101 - cento e um (uma)
52 - cinquenta e dois (duas)	102 - cento e dois (duas)
60 - sessenta	110 - cento e dez
61 - sessenta e um (uma)	111 - cento e onze
62 - sessenta e dois (duas)	112 - cento e doze
70 - setenta	120 - cento e vinte
71 - setenta e um (uma)	121 - cento e vinte e um (uma)
72 - setenta e dois (duas)	122 - cento e vinte e dois (duas)
80 - oitenta	130 - cento e trinta
81 - oitenta e um (uma)	140 - cento e quarenta
82 - oitenta e dois (duas)	150 - cento e cinquenta
	160 - cento e sessenta
90 - noventa	170 - cento e setenta
91 - noventa e um (uma)	180 - cento e oitenta
92 - noventa e dois (duas)	190 - cento e noventa
100 - cem	199 - cento e noventa e nove

Receber

Como receber: **escrever**, **comer**, **beber**, **responder**, **vender**, **atender**, **agradecer**

a) Eu recebo cartas.

1. (escrever) Eu _______________ cartas para ela.
2. (responder) Ela _____________ minhas cartas.
3. (vender) Nós ______________equipamentos modernos.
4. (atender) Eles _____________ o telefone.
5. (comer) Nós __________________ *pizza*.
6. (receber) Vocês ________ muitos telefonemas?

7. (agradecer) Nós ______________ o convite.
8. (escrever) Você _____________ muito?
9. (responder) Elas nunca __________ minhas cartas.
10. (atender) Nós não ____________ clientes depois das 8.

b) Eu escrevo cartas. Por que você não escreve?
Eu bebo cerveja. O que elas bebem?

1. (escrever) Eu ________________ para você. Quem ____________ para ele?
2. (comer) Eles ___________sanduíches. O que vocês ___________?
3. (beber) Nós____________ vinho. O que vocês ____________?
4. (atender) Elas _______________ o telefone. Quem _____________ a porta?
5. (receber) Você _______________ um bom salário? Quanto eles_______________?
6. (vender) Nós _____________ equipamentos eletrônicos. O que ela____________ ?

c) Eu estou no escritório.
Amanhã, eu vou estar no escritório.

1. Ele atende clientes das 8 ao meio-dia.
   Na semana que vem, ele ___________________________ .
2. Hoje, nós vendemos carros para o Japão.
   No ano que vem, nós ___________________________ para a China.
3. Nós conhecemos Manaus.
   No ano que vem, nós _________________________ Belém.
4. Vocês recebem muitas cartas.
   Amanhã, vocês __________________________ .

d) Eu pergunto, mas você não responde.

1. (vender/comprar) Eles _________ livros antigos, mas vocês não_________ .
2. (beber/gostar) Nós não _____________ vinho porque não ____________ .
3. (perguntar/responder) Ela sempre _____________ mas ele nunca ____________ .
   Por quê?
4. (vender/trabalhar) Eu______________ casas e apartamentos.
   Eu ______________ em uma imobiliária.

Estar

a) Relacione.

Você	estou	nervoso
Eu	está	nervosa
Meus amigos	estamos	nervosos
Minhas amigas	estão	nervosas
Nós		
Minha colega		
Meu colega		

Poder

a) Ele não pode trabalhar no sábado.
Eu também não posso.

1. Eu não ____________ esperar. Você ________________________ ?
2. Eles não ___________ viajar hoje, mas nós ____________________ .
3. Eu ________________ fazer a reunião, mas vocês não ___________ .
4. Quem _____________ me ajudar? Ninguém ____________________ ?
5. Ela _______________ ir ao clube, mas ele não _________________ .

Querer

a) Você quer falar com ele?

1. Eu ____________ falar com ele, mas ele não ____________ falar comigo.
2. Vocês ______________ chá ou café?
3. Nós _______________ chá, por favor.
4. Elas ___________ trabalhar no Rio, mas nós não ________. O Rio é muito quente.
5. Você ____________ comer um sanduíche? O que você __________beber?

Poder/querer

a) Faça frases.

Ele		poder	**comprar esta casa porque é muito cara.**
Eu	(não)		**falar com você porque eu estou muito ocupado.**
Nós		querer	**trabalhar aqui porque o trabalho não é interessante.**
Vocês			**marcar uma reunião porque o projeto é urgente.**

____________________________ ____________________________

____________________________ ____________________________

____________________________ ____________________________

Ser ≠ Estar

a) Você é estrangeiro.
Você está no Brasil.

1. Ele _______ brasileiro.
   Eu ________ aqui agora.
2. Eles _________ professores.
   Eles ___________ na escola.
3. ____________ verão.
   Hoje, _____________ quente.
4. Hoje, ________ dia 10.
   Hoje, __________ domingo.
5. Agora, ________ julho.
   Hoje, __________ frio.
6. Ele não __________ no escritório hoje, porque hoje _________ sábado.

Praia do Pontal do Coruípe /AL SECON

b) Relacione.

Aqui no escritório,	nós somos	**engenheiros**
		contentes
	nós estamos	**competentes**
		muito ocupados hoje
Hoje,	é	**um dia bonito**
		quente
	está	**sexta-feira**
		dia 2

Meu(s) Minha(s) Nosso(s) Nossa(s)

a) Robert explica:

Minha família é pequena. Somos quatro pessoas: _________ esposa, ____________ filhos e eu. _________ filho tem 8 anos e __________ filha tem 5 anos.

Tenho, também, duas irmãs. ___________ irmãs moram no Canadá.

b) O Dr. Vieira explica:

Nossa empresa é grande. __________ fábrica é em Campinas, mas também temos um escritório de vendas em São Paulo.

___________ diretor de vendas chama-se Robert Wiener, um canadense.

____________ secretárias falam inglês e espanhol.

É necessário porque ____________ clientes são do Mercosul.

Horas

a) Que horas são?
(13:15) É uma e quinze.

(13:20) ____________________

(13:45) ____

(14:00) ____

(17:20) ____

(18:50) ____

(12:00) ____

(12:25) ____

(24:00) ____

b) A que horas?

Examine a agenda de Robert Wiener, na 4ª feira, e responda (ver página 13):

1. A que horas é o encontro com o diretor da Telebrás?

   .

2. A que horas Robert Wiener vai falar com o Canadá?

   .

3. O Sr. Wiener vai ler a correspondência. A que horas?

   .

4. A que horas vai ser o jantar com o diretor de Recursos Humanos?

   .

5. E a reunião com o diretor de Produção?

   .

c) Das oito às dez.

Examine, agora, a agenda de 5ª feira e responda:

1. A aula de Português é das ________________________________ .
2. A discussão do projeto de Brasília vai ser das ___________________ .
3. Das ______________________, Robert vai despachar com a sua secretária.
4. Das ______________________, Robert vai ler a correspondência.
5. A reunião com o gerente financeiro vai ser _____________________ .

Números

a) Relacione.

Um semestre		trezentos e sessenta e seis dias
O ano comercial	funciona	cinquenta e duas semanas
A fábrica		cento e oitenta dias
A África	tem	trezentos e sessenta dias
O ano bissexto		cinquenta e três países

b) Complete.

Dois dias têm ____(48) horas.

O ano tem ____(52) semanas.

Três meses têm ____(90) dias.

De janeiro a abril, no ano bissexto, temos ______________________(121) dias.

C1 trocando ideias

Sua agenda de trabalho é sempre completa, de segunda a sexta-feira?
Você pode almoçar com tranquilidade, todos os dias? Por quê?
Você tem tempo para fazer ginástica durante a semana? Explique.

Hoje, as empresas fazem muitas reuniões: de manhã, de tarde e, às vezes, à noite.
O que você acha de tantas reuniões?
É possível racionalizar o número de reuniões, numa empresa?
Como são programadas as reuniões no seu país?

Comida Japonesa (Folha)

O Diário

faixa 09 CD 1

CADERNO DE TURISMO E LAZER

Nossos bons restaurantes

BRENO MENA

As pessoas que precisam almoçar fora de casa todos os dias já podem escolher aonde ir. Em horários comerciais, muitos restaurantes fazem cardápios especiais, simples mas bem elaborados, para todos os gostos.

Há todo tipo de cozinha: brasileira, italiana, francesa. Pensando nos executivos, vários restaurantes já apresentam serviços específicos. Comentamos, nesta coluna, dois restaurantes onde há refeições especiais para executivos.

Comida árabe (Folha)

COZINHA ITALIANA

Restaurante de Nápoles

Gastronomia: Comida Italiana (Folha)

Aberto para almoço executivo - Preço fixo de 2ª a 6ª feira, das 11h30 às 14h00

Massas em geral: macarrão com almôndegas ao molho de tomate, ravioli ao molho branco

Carne ou peixe

Saladas

Sobremesa: sorvete de frutas, creme ou chocolate, frutas frescas

Cafezinho

Bebidas à parte

Aos sábados: cardápio *à la carte*

Com serviço de manobristas

Nosso comentário:

A cozinha e o serviço do restaurante são perfeitos.

Já o serviço de manobristas precisa melhorar. Os manobristas não são bons e o estacionamento fica longe do restaurante.

COZINHA BRASILEIRA

Restaurante Trópico de Capricórnio

Comercial - Prato feito (Folha)

De 2ª a 6ª feira - Almoço executivo

Saladas variadas: alface, tomate, palmito, cenoura, couve-flor

Peixe na brasa

Carne na brasa: picanha ou filé *mignon*.

Acompanhamentos: arroz, farofa ou batatas fritas

Sobremesas: sorvete de coco, maracujá, manga, limão, abacaxi, doce de mamão, de abóbora, goiabada

Cafezinho

Serviço incluído

Às 4ªs e aos sábados: feijoada completa

Possui estacionamento próprio

Nossa opinião:

Nota dez para a cozinha e para o serviço de estacionamento. Trabalho rápido e benfeito.

A3 voltando ao texto

a) Escolha, no "Pensando sobre o assunto", a ideia correspondente a:

1. cardápio fixo ______________________________
2. não comer em casa, mas comer bem _____________________
3. pratos variados __________________________
4. almoços especiais para gerentes, diretores ou empresários

____

b) Responda.

1. Se você precisa almoçar fora todos os dias, é fácil escolher um bom restaurante? Por quê?

___

___

2. Os cardápios para almoços executivos são sempre muito refinados? Por que, aos sábados, não há almoços comerciais?

___

___

3. Em geral, como são os preços dos almoços comerciais?

___

___

4. Você almoça todos os dias? Ou você prefere comer um sanduíche e tomar um refrigerante ou uma cerveja?

___

___

Baiana do Acarajé - Praia Jardim de Alah - Foto: Aristides Alves/ Bahiatursa.

Um convite para jantar

faixa 10 CD 1

Jorge:	Robert, quero convidar você para jantar comigo.
Robert:	— Ótimo! Quando?
Jorge:	— Na 5ª feira.
Robert:	— Na 5ª feira? Está bem.

Fazendo uma reserva

Regina **telefona para o restaurante:**

faixa 11 CD 1

— Por favor, quero fazer uma reserva.

— Pois não. Para o almoço ou para o jantar?

— Para o jantar.

— Para quantas pessoas?

— Duas. Não fumantes, por favor.

— A que horas?

— Às oito.

— Em nome de quem?

— Do senhor Jorge de Lima Pereira.

— Tudo bem. Está reservado.

— Obrigada.

No restaurante

faixa 12/13 CD 1

O aperitivo

Jorge: — Aceita um aperitivo? Uma caipirinha?

Robert: — Aceito. Gosto muito de caipirinha. Do gosto e do cheiro da pinga.

O que vamos pedir?

Jorge: — O que você vai pedir?

Robert: — Ainda não sei.

Jorge: — Aqui fazem um peixe excelente.

Robert: — Gosto muito de peixe. Você pode me dizer como é o peixe à brasileira? É muito temperado?

Cardápio

ENTRADAS
Canja---------------------------- $
Creme de aspargos ---------- $
Sopa de legumes ------------ $
Salada mista ------------------ $

MASSAS
Macarrão ao alho e óleo
com brócolis------------------- $
Macarrão à bolonhesa ------ $
Lasanha ao molho branco-- $

CARNES E AVES
Contrafilé acebolado--------- $
Escalope ao molho madeira $
Churrasco à gaúcha --------- $
Bife à milanesa --------------- $
Bife à parmegiana ----------- $
Lombo assado com farofa-- $
Frango à passarinho --------- $

PEIXES E FRUTOS DO MAR
Peixe à brasileira ------------ $
Filé de peixe grelhado ------- $
Moqueca de camarão ------- $
Bacalhau à espanhola ------- $
Peixe ensopado com
molho de camarão----------- $

ACOMPANHAMENTOS
Arroz ---------------------------- $
Arroz à grega ----------------- $
Batatas fritas ------------------ $
Jardineira de legumes ------- $

SOBREMESAS
Sorvetes----------------------- $
Musse de chocolate---------- $
Musse de maracujá ---------- $
Pudim de caramelo----------- $
Quindim ----------------------- $
Frutas da estação ----------- $

BEBIDAS
Caipirinha de cachaça------- $
Batidas de frutas ------------- $
Vinho --------------------------- $
Cerveja ------------------------- $
Chope--------------------------- $
Refrigerantes
(soda limonada, guaraná,
coca-cola, água tônica) ----- $
Água mineral com gás
e sem gás---------------------- $
Sucos --------------------------- $

FEIJOADA COMPLETA
(às quartas e aos sábados,
no almoço)-------------------- $

Já escolheram?

faixa 14 CD 1

Maître: — Já escolheram?
Jorge: — Já. Primeiro, a gente quer duas saladas mistas.
Depois, um peixe à brasileira
e um churrasco à gaúcha.

Maître: — Como o senhor quer a carne? Ao ponto?
Jorge: — Não. Prefiro malpassada, com pouco sal.
Maître: — Está bem. E para beber?
Jorge: — Vinho.
Maître: — Esta é a carta de vinhos.
Bom apetite!

Carta de Vinhos

	Brancos	Tintos
Nacionais	Forestier - Riesling Juán Carrau Marcus James Château Duvalier	Almadén Juán Carrau Marcus James Château Duvalier
Franceses	Pinot Blanc - Riesling Sancerre Pouilly Fumé	Beaujolais Côtes du Rhône Médoc la Baronat
Italianos	Orvieto	Corvo di Salaparuta Bolla Valpolicella Chianti
Portugueses	Casal Garcia Monsaráz	Dão Monsaráz
Chilenos	Concha y Toro Santa Helena	Concha y Toro Santa Helena
Alemães	Liebfraumilch	

Está uma delícia!

faixa 15 CD 1

Jorge: — Seu peixe está gostoso?
Robert: — Está. E a sua carne?
Jorge: — Uma delícia.
Robert: — Este vinho também está uma delícia! Deixe-me ver a garrafa.

A hora da sobremesa

faixa 16 CD 1

Jorge: — Uma sobremesa, Robert?
Robert: — Não, obrigado.
Jorge: — Nem uma fruta? É época de morango, caqui ...
Robert: — Obrigado, estou satisfeito.
Jorge: — A conta, por favor. Mas, antes, dois cafés.

Pagando a conta

faixa 17 CD 1

Jorge: — Desculpe, mas há um engano aqui na conta.
Maître: — ?
Jorge: — Nós não pedimos isto.
Maître: — O senhor tem razão. Desculpe.
Jorge: — Não foi nada. Preciso de uma nota fiscal, por favor.
Maître: — Pois não.

Robert diz obrigado!

faixa 18 CD 1

Robert: — Muito obrigado pelo seu convite.
Jorge: — Foi um prazer, Robert.

A5 ampliando o vocabulário

a) Relacione.

1. — Você gosta de abacaxi?	[ ] — Só madura.
2. — Estou com sede.	[ ] — Não, amargo, por favor.
3. — Vai demorar muito?	[ ] — Uma fatia, por favor.
4. — Sirva-se, por favor.	[ ] — Contas separadas, por favor.
5. — Estou com fome.	[ ] — Não, obrigado. Não tomo álcool.
6. — Vinho?	[ ] — Não, obrigado. Sou vegetariano.
7. — Vamos a uma churrascaria?	[ ] — Vamos pedir uma água mineral.
8. — À sua saúde!	[ ] — À sua!
9. — Posso trazer a conta?	[ ] — Uns dez minutos.
10. — Este prato dá para duas pessoas?	[ ] — Dá. Os pratos aqui são grandes.
	[ ] — Não, senhor. Está reservada.
11. — Esta mesa está livre?	[ ] — Não, sem gelo, por favor.
12. — O serviço está incluído?	[ ] — Obrigado.
13. — Cerveja gelada?	[ ] — A gorjeta? Não, senhor.
14. — Bom apetite!	[ ] — Bom apetite!
15. — Café com açúcar?	[ ] — Acho um pouco ácido.
16. — Queijo?	[ ] — Eu também. Quero um sanduíche bem grande.
17. — Banana?	
18. — Leite puro?	[ ] — Não, com chocolate.

b) Marque o que é diferente.

À mesa

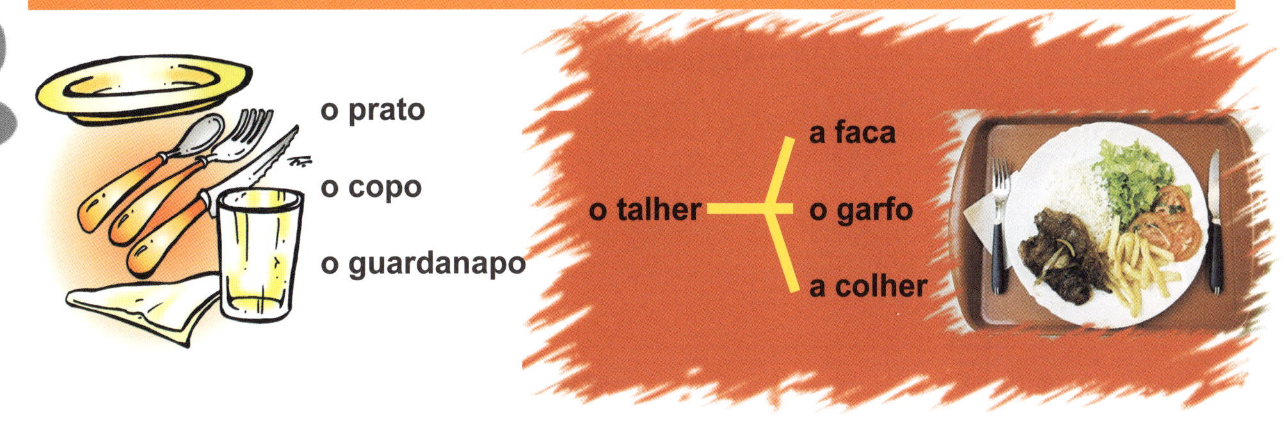

Frutas

Presente do Indicativo

Aqui, fazem um peixe excelente. **Robert diz obrigado.**

Fazer

Eu	faço
Você / Ele / Ela	faz
Nós	fazemos
Vocês / Eles / Elas	fazem

Dizer

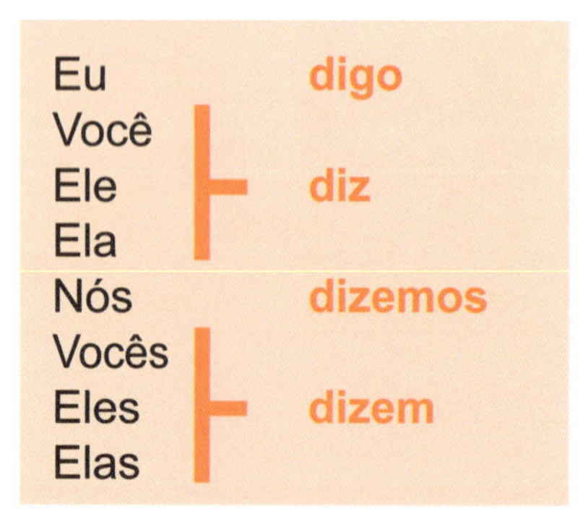

Eu	digo
Você / Ele / Ela	diz
Nós	dizemos
Vocês / Eles / Elas	dizem

Eu prefiro filé malpassado.

Preferir

Eu	prefiro
Você / Ele / Ela	prefere
Nós	preferimos
Vocês / Eles / Elas	preferem

Desculpe, mas há um engano na conta.

Haver

Há uma mesa livre.

Há muitas mesas livres.

Estar com

estar com fome
estar com sede
estar com apetite
estar com frio
estar com calor
estar com pressa
estar com sono

A gente

a gente = nós

Primeiro, **a gente** quer duas saladas mistas.
Primeiro, **nós** queremos duas saladas mistas.

Demonstrativos

Este, estes
Esta, estas
Isto

Este vinho também está uma delícia!
Esta mesa aqui está livre?
Nós não pedimos **isto**.

Aquele, aqueles
Aquela, aquelas
Aquilo

Aquele vinho é bom,
Aquela mesa lá está livre?
O que é **aquilo**?

Possessivos

Seu, seus
Sua, suas
(de você, de vocês)

Robert, **seu** peixe está gostoso?
Está. E a **sua** carne, Jorge?

Antes (de), depois (de)

Antes, depois
Antes de, depois de

A conta, por favor. Mas, **antes**, dois cafés.
Antes de pagar a conta, vamos tomar café.

Depois, um peixe à brasileira e um churrasco à gaúcha.
Depois da salada, Robert vai comer peixe à brasileira.

Números

200 - duzentos (duzentas)
201 - duzentos e um
(duzentas e uma)
300 - trezentos (trezentas)
301 - trezentos e um
(trezentas e uma)
317 - trezentos e dezessete
(trezentas e dezessete)
400 - quatrocentos (quatrocentas)
422 - quatrocentos e vinte e dois
(quatrocentas e vinte e duas)
500 - quinhentos (quinhentas)
536 - quinhentos e trinta e seis
(quinhentas e trinta e seis)
600 - seiscentos (seiscentas)
645 - seiscentos e quarenta e cinco
(seiscentas e quarenta e cinco)
700 - setecentos (setecentas)
759 - setecentos e cinquenta e nove
(setecentas e cinquenta e nove)

800 - oitocentos (oitocentas)
863 - oitocentos e sessenta e três
(oitocentas e sessenta e três)
900 - novecentos (novecentas)
971 - novecentos e setenta e um
(novecentas e setenta e uma)
1000 - mil
1010 - mil e dez
1819 - mil oitocentos e dezenove
2000 - dois mil (duas mil)
100.000 - cem mil

135.000 - cento e trinta e cinco mil
515.000 - quinhentos e quinze mil
(quinhentas e quinze mil)
1.000.000- um milhão
2.000.000 - dois milhões
2.140.802 - dois milhões, cento e
quarenta mil, oitocentos e dois
10.000.000 - dez milhões

Fazer

Ele faz bem o trabalho. Eu vou fazer meu relatório amanhã.

1. Eu __________ meu trabalho. Você ____________ o seu?
2. Elas _____________ isto rápido, mas ela ______________ devagar.
3. Nós não _______________ viagens longas.
4. Ronaldo gosta de cozinhar. Ele _____________ pratos diferentes.
5. Elas _______________ compras na hora do almoço.
6. Meu chefe gosta de ___________________ reuniões.
7. Quem ________________ isto amanhã?
8. Eles não querem ________________ o relatório.
9. Vocês ______________ o seu trabalho e eu ______________ o meu.
10. Vocês podem me _________________ um favor?

Dizer

Ele sempre diz boa-noite.

1. Eu sempre _____________sim, mas amanhã eu ____________ não.
2. Nós sempre _________________ bom-dia quando chegamos.
3. Vocês ______________ até logo quando vão para casa?
4. Você não quer ______________ seu nome?
5. Ele sempre ____________ bom-dia, mas elas não ______________ .
6. Meus colegas __________________ que trabalham muito.
7. Helena ______________ que gosta muito de dançar.
8. Por que eles não __________________ logo o que querem?
9. Ele é um homem difícil. Ele só ________________ não.
10. Mas ela é diferente. Quando ela pode __________ sim, ela _____ .

Pico do Jabre/PB - Foto: Cácio Murilo - PBTUR

Barra de Santo Antônio - AL (SECON)

Preferir

a) Eu prefiro trabalhar aqui.

1. Eu ____________ montanha. E você? O que você ____________ ?
2. Nós ____________ ir ao clube, mas eles não. Eles ____________ ir à praia.
3. Ele tem tempo. Ele ____________ esperar.
4. O que eles ________________ ? Chá ou café?
5. Eu sei que ele ______________ chá, mas elas _________________ café.

b) Faça a pergunta.

1. ____?

   Eu prefiro peixe.

2. ____?

   Eles preferem mandar um *e-mail*.

3. ____?

   Nós preferimos fazer a reunião amanhã.

Haver

a) Responda com uma frase completa.

1. Quantos dias há em uma semana?

   ____

2. Quantas semanas há em um mês?

   ____

3. Quantos meses há no ano?

   ____

4. Quantos dias há no ano?

   ____

5. Quantas semanas há no verão?

   ____

b) Complete com haver.
Amanhã, vai haver uma reunião importante.
Sempre, há reunião às sextas-feiras.

1. Sempre ______________ problemas em nossa firma.
2. No sábado que vem, _________________ um jantar de nossa diretoria.
3. Agora, ____________ grandes investimentos na área de energia.
4. No ano que vem, _________________ uma feira de Informática no Rio.
5. Helena, onde _________________ uma sala livre?

Estar com

Eu quero jantar agora porque eu estou com fome.

1. Por favor, um copo de água. Eu ____ .
2. O jantar já está pronto? Nós ____ .
3. Brr!! Preciso tomar um chocolate quente. Eu ______________________________ .
4. Um sorvete e um copo de água gelada, por favor. Eu _______________________ .
5. Eles trabalham muito e dormem pouco. Eles sempre _______________________ .
6. Desculpe, mas agora nós não temos tempo para conversar.
   Nós ____ .

A gente

Substitua nós por a gente.

1. Nós podemos almoçar agora?

   ____

2. Nós não queremos trabalhar no sábado. Nós queremos ir à praia.

   ____

3. Nós achamos que a reunião é importante.

   ____

4. Você e eu vamos jantar juntos amanhã?

   ____

5. Vocês e eu sempre fazemos hora extra.

   ____

Demonstrativos

Este(s), esta(s), isto - Aquele(s), aquela(s), aquilo

Esta casa é boa, mas aquele apartamento no Morumbi é mais confortável.

1. ____________ vinho não está gelado, mas ____________ cerveja está.
2. Não gosto (de) ____________ professor. Ele é muito chato. Prefiro ____________ professora.
3. Ele mora (em) ____________ rua, (em) ____________ edifício.
4. Quem vai fazer ________________ ?
5. ____________área do restaurante é para não fumantes.
6. Só vou comer ____________ salada. Não estou com muita fome.
7. A gente não pode dizer ____________ para ele.
8. ____________ recibo não serve. Eu preciso de uma nota fiscal.
9. Eu vou pedir ____________ .
10. — Eu quero comer aquilo.
    — Aquilo o quê?
    — ____________sobremesa. ____________ sorvete.

Restaurante

Possessivos

Seu(s), sua(s)

Você gosta de seu chefe?

Complete.

1. Júlio, __________ café já tem açúcar e __________ coca-cola está gelada.
2. Alberto, __________ chefe é simpático, mas __________ secretária não é.
3. Luísa, vou convidar você e __________ marido para jantar.
4. Marina, não tenho __________ endereço nem __________ número de telefone.
5. Ronaldo, onde está __________ agenda?
6. Robert, onde __________ filhos estudam?

Antes - depois/antes de - depois de

Ela vai chegar às três, mas a reunião vai começar antes.
Na reunião, eu vou falar antes de você.

Complete o texto, de acordo com a sequência do jantar.

_______________ jantar, tomamos um aperitivo.

___________ aperitivo, temos uma entrada, geralmente uma sopa ou uma salada.

____________ entrada, temos o prato principal e, _____________ , a sobremesa.

_________________ pagar a conta, tomamos um cafezinho.

Se você convida seus amigos para jantar, você telefona ________________ para o restaurante para fazer uma reserva.

Números

a) Leia o texto em voz alta.

A feijoada

A feijoada é o prato típico brasileiro. Uma feijoada completa tem feijão-preto com pedaços diferentes de carne de porco, paio e outros 2 ou 3 tipos de linguiça, acompanhados de arroz branco, couve e laranja. Para fazer uma feijoada para 5 pessoas, a gente precisa comprar 800 gramas de feijão-preto, 750 gramas de carne de porco, 500 gramas de linguiça e 1/2 dúzia de laranjas.

Os restaurantes fazem feijoada 2 vezes por semana, às quartas e aos sábados, na hora do almoço. O Brasil é um país muito grande, com 8.511.996,3 km^2 e uma população de mais de 160.000.000 de habitantes. Cada região tem seus pratos típicos, mas a feijoada é o prato nacional.

b) Leia e escreva os números por extenso.

232 livros ______

252 casas ______

515 dólares ______

621 cidades ______

443 pessoas ______

1300 páginas ______

1700 anos ______

1752 quilos ______

2000 fábricas ______

1001 noites ______

1932 horas ______

1.897.000 habitantes ______

2.550.000 reais ______

5.142 telefones ______

São Paulo é considerada a capital brasileira da gastronomia.
Em seus mais de 4.000 restaurantes, você pode encontrar pratos típicos do mundo inteiro, da cozinha africana à tailandesa, passando pela cozinha francesa, italiana, portuguesa, árabe, espanhola, japonesa, chinesa e, naturalmente, brasileira!

O que você acha dos restaurantes brasileiros que conhece?

DHAIGO Restaurante Japonês (Folha)

Restaurante de comida árabe (Bernardes)

Pizzaiollo preparando Pizza (Folha)

Prato Japonês do Restaurante Tanaka (Folha)

Leitão à Pururuca Restaurante Feitiço Mineiro (Folha)

Na sua cidade, há muitos restaurantes? De que tipo?
Fale de seu restaurante preferido.
Fale também dos pratos típicos de seu país.

Baby Beef. Restaurante Figueira

Restaurante Figueira

A1 pensando sobre o assunto

Caderno de Negócios

faixa 19 CD 1

A2 lendo o texto

Brasília discute novos projetos para a área industrial

As empresas instaladas no país querem expandir seus negócios

Brasília (Folha)

ARMANDO DOS SANTOS

Brasília está cada vez mais preocupada com o desenvolvimento das empresas no país. O Governo quer discutir com os empresários a qualidade e o preço dos produtos, dos serviços bancários e das telecomunicações.
Presidentes de grandes empresas, por outro lado, querem ter melhores condições de produção e de comercialização de seus produtos. Eles estão pedindo ao Governo novos programas para criar indústrias longe dos grandes centros. O importante é expandir o mercado, para vender mais. Mas, ao Governo, interessa investir nas áreas mais pobres.

A3 voltando ao texto

Responda.

1. Por que o Governo quer discutir com os empresários a qualidade e o preço de seus produtos?

____

____

2. Por que, para o Governo, é importante criar indústrias longe dos grandes centros?

____

____

3. Por que, para as empresas, é importante expandir seu mercado?

____

____

4. Quais são as metas de uma empresa moderna?

____

____

A4 dialogando

Você vai fazer uma grande viagem

faixa 20 CD 1

Dr. Vieira: - Robert, no mês que vem você vai fazer uma grande viagem por todo o Brasil. Como diretor de vendas, você precisa conhecer todo o país. Você precisa de mais informações. O Ronaldo está organizando sua viagem. Ainda não fixamos a data.

Robert: - Viagem de quantos dias?

Dr. Vieira: - Mais ou menos três semanas ... Seu visto de trabalho está em ordem?

Você vai primeiro para a Região Norte

Ronaldo: — Estou fazendo o roteiro de sua viagem agora. Eu já preparei a primeira parte. Você quer ver no mapa?

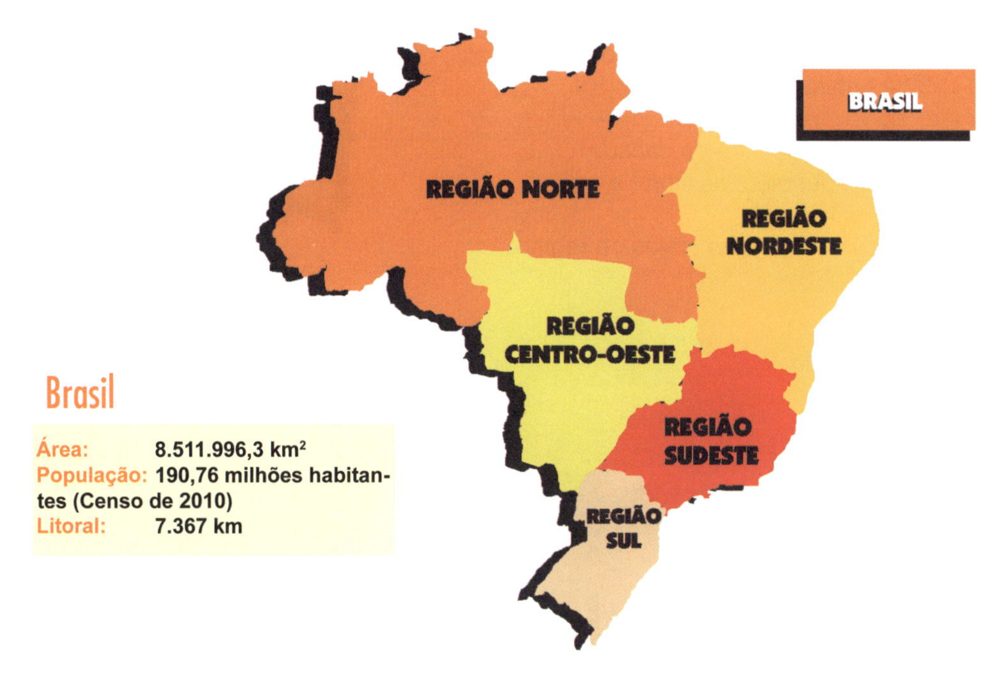

Brasil

Área: 8.511.996,3 km²
População: 190,76 milhões habitantes (Censo de 2010)
Litoral: 7.367 km

— Veja! Você vai primeiro para a Região Norte. Uma estada de 4 dias. Vai visitar Manaus, sua cidade mais importante. Cuidado! Lá a temperatura é sempre alta e o calor é terrível!

Robert: — Temos negócios lá?

Ronaldo: — Ainda não, mas em breve sim. É uma de nossas prioridades. Temos planos muito especiais para essa região e nossos contatos lá são fáceis. Discutimos o assunto na semana passada. Ontem, recebemos um *e-mail* de Manaus. O convite é oficial. Você já leu?

Robert: — Não, ainda não li. Quando viajo?

Ronaldo: — Na primeira quinzena do próximo mês.

Região Norte

Estados: Acre, Amazonas, Amapá, Pará, Rondônia, Roraima e Tocantins
Área: 3.869.637,9 km² - 45,25% do território nacional
População: 3,7 habitantes/km² (PIB 5,0%)
Atividades econômicas:
Extrativismo vegetal: látex, madeiras, castanha, açaí
Extrativismo mineral: ouro, diamantes, cassiterita, estanho, ferro, manganês
Indústria: parque industrial baseado em montadoras de produtos eletrônicos

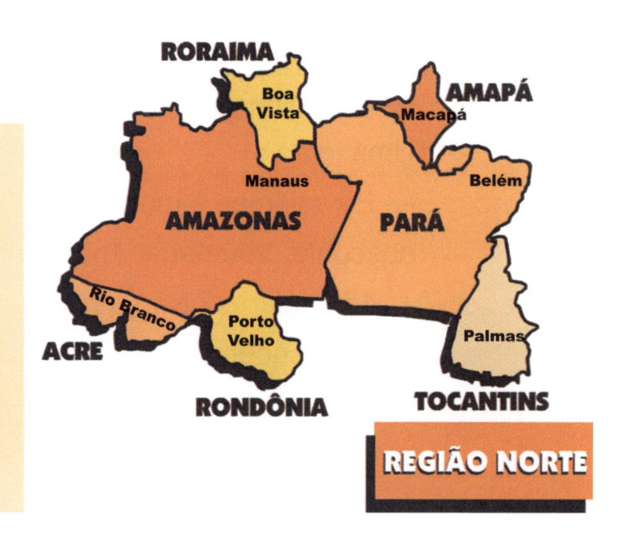

Região Nordeste

Estados: Alagoas, Bahia, Ceará, Maranhão, Piauí, Paraíba, Pernambuco, Rio Grande do Norte e Sergipe.
Território: Fernando de Noronha
Área: 1.561.177,8 km² - 18,28% do território nacional
População: 32,4 habitantes/km² (PIB 13,5%)
Atividades econômicas:
Agroindústria do açúcar e do cacau.
Exploração de petróleo, no litoral e na plataforma continental.
Turismo intenso nas belas praias da região.

Fortaleza dos Reis Magos - Natal - RN (SETUR - RN)

Em Fortaleza, no Ceará. Na Feira Noturna - Av. Beira-Mar

É muito cara. Quero um desconto

faixa 22 CD 1

Robert: — Quanto custa esta toalha de renda?
Vendedor: — 200 dólares.
Robert: — Nossa! É muito cara! É uma quantia muito alta!
Vendedor: — Mas, olhe, é uma toalha muito bonita. Toda feita à mão. Uma joia.
Robert: — Eu sei, mas é muito cara. Quero um desconto. Vou pagar 150 dólares.
Vendedor: — 150 dólares? Não é possível. Posso vender por 190.
Robert: — Então 180.
Vendedor: — Tudo bem. 180.
Robert: — Vou levar.

Rendeira - Acaraú - CE (Folha)

Em Salvador, na Bahia. No Mercado Modelo

Quero trocar dinheiro

Mercado Modelo Salvador - BA (Folha)

faixa 23 CD 1

Robert: — Gostei dessa rede. O senhor aceita cartão de crédito?

Vendedor: — Qual?

Robert: — American Express.

Vendedor: — Não, sinto muito. Só trabalhamos com o Visa ou com cheque.

Robert: — Não tenho talão de cheque. Então, onde há um banco por aqui? Quero trocar dinheiro.

Vendedor: — Os bancos fecham às 4 horas. Agora são 5. Mas há uma casa de câmbio ali na esquina.

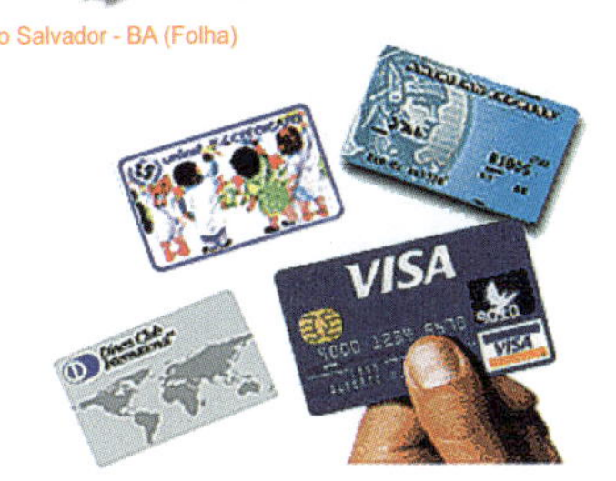

Os bancos abrem às 10 da manhã e fecham às 4 da tarde.

A senhora aceita cheque de viagem?

Quanto está o câmbio?

- Só tenho uma nota de 100.
- Não tenho troco.

Onde é o correio? Quero comprar selos.

- Vocês aceitam moeda estrangeira?
- Só dólar.

Região Sudeste

Estados: Espírito Santo, Minas Gerais, Rio de Janeiro, São Paulo.
Área: 927.286,2 km² - 10,85% do território nacional
População: 83,7 habitantes/km² (PIB 56,3%)
Atividades econômicas:
Indústria: grande parque industrial. Concentra 49,8% dos estabelecimentos industriais.
Agropecuária: cana-de-açúcar, laranja e café. Grandes rebanhos bovinos.
Exploração de petróleo. Grandes reservas de ferro e manganês.

Região Sul

Estados: Paraná, Santa Catarina, Rio Grande do Sul
Área: 577.214,0 km² - 6,76% do território nacional
População: 46,2 habitantes/km² (PIB 17,8%)
Atividades econômicas:
Indústria: parque industrial muito ativo.
Agropecuária: agricultura moderna de trigo, soja, arroz, milho, feijão e tabaco. Rebanhos bovinos e suínos.
Extrativismo: madeira de pinho e carvão mineral.

Em Porto Alegre, no Rio Grande do Sul.

No balcão de recepção do hotel

Não posso esperar mais

faixa 24 CD 1

Robert: — Por favor, meu recibo ainda não está pronto?
Funcionário: — Ainda não. Só mais um momentinho, por favor.
Robert: — Não vou esperar mais. Estou aqui há 20 minutos para acertar minha conta.
Funcionário: — É que estamos com problema no computador e nosso gerente está atrasado. Ele está sempre na hora. Ele é pontual. Às vezes, está até adiantado. Mas hoje ... Um instante, por favor.
Robert: — Assim não dá. Não posso esperar mais. Eu desisto!

Região Centro-Oeste

Estados: Distrito Federal, Goiás, Mato Grosso e Mato Grosso do Sul
Área: 1.612.077,2 km² - 18,86% do território nacional
População: 7,9 habitantes/km² (PIB 7,4%)
6,8% da população nacional
Atividades econômicas:
Pecuária: extensiva, em grandes latifúndios.
Agricultura extensiva, em escala comercial
Grandes reservas de manganês, ainda pouco exploradas.

No hotel

Fazer uma reserva: Flat ou Hotel?

Apartamento simples ou duplo?

Para quantos dias?

Diária simples: só com café da manhã

Diária completa: café da manhã, almoço e jantar

Meia pensão: café da manhã e uma refeição

No banco

A Conta

a conta-corrente
a poupança
o talão de cheque
o cheque
- o cheque especial
- o cheque cruzado
- o cheque pré-datado
- o cheque sem fundos

O Banco 24 horas
a senha
- sacar/tirar dinheiro
- tirar o extrato
- ver o saldo

Presente do Indicativo

Brasília discute novos projetos para a área industrial.

Discutir

Eu	discuto	Nós	discutimos
Você / Ele / Ela	discute	Vocês / Eles / Elas	discutem

Presente Contínuo

Eu estou fazendo o roteiro de sua viagem agora.

Eu estou trabalhando.	(trabalhar - trabalhando)
Eu estou recebendo.	(receber - recebendo)
Eu estou discutindo.	(discutir - discutindo)

Eu falo inglês, mas agora eu estou falando português.

Pretérito Perfeito do Indicativo

Eu já preparei a primeira parte.

Ontem, recebemos um *e-mail* de Manaus.

Discutimos o assunto na semana passada.

Trabalhar

Eu	trabalhei
Você / Ele / Ela	trabalhou
Nós	trabalhamos
Vocês / Eles / Elas	trabalharam

Receber

Eu	recebi
Você / Ele / Ela	recebeu
Nós	recebemos
Vocês / Eles / Elas	receberam

Discutir

Eu	discuti
Você / Ele / Ela	discutiu
Nós	discutimos
Vocês / Eles / Elas	discutiram

Estar atrasado Estar na hora Estar adiantado

Nosso gerente está atrasado.
Ele está sempre na hora.
Às vezes, está até adiantado.

A reunião está marcada para as 8 horas.

São 7h30. A secretária já chegou. Ela está adiantada.

São 8h00. O chefe está chegando. Ele está na hora.

São 8h30. O representante do banco ainda não chegou.

Ele está atrasado.

Possessivos

Você vai primeiro para a região Norte.
Vai visitar sua cidade mais importante.

Ele está na sala dele.

ele, ela → seu, sua, seus, suas
ou
o, a, os, as ... dele, dela

eles, elas → seu, sua, seus, suas
ou
o, a, os, as ... deles, delas

Luís viaja muito. Suas viagens são sempre interessantes.
ou
Luís viaja muito. As viagens dele são sempre interessantes.

Helena vai viajar amanhã. Seu chefe também vai.
ou
Helena vai viajar amanhã. O chefe dela também vai.

A viagem vai ser logo. Seu programa já está pronto.
ou
A viagem vai ser logo. O programa dela já está pronto.

Luís vai para a Europa. Seus documentos estão em ordem.
ou
Luís vai para a Europa. Os documentos dele estão em ordem.

Os documentos estão em ordem. Suas cópias estão com a secretária.
ou
Os documentos estão em ordem. As cópias deles estão com a secretária.

Indefinidos

Você precisa conhecer todo o país.
ou
Você precisa conhecer o país todo.
Você precisa conhecer tudo.

todo o, toda a
todos os, todas as
tudo

Veja mais estes exemplos:

Ele fica fora toda a semana.
ou
Ele fica fora a semana toda.

Ele vai conhecer todas as pessoas do escritório de Manaus.
Todos os documentos estão em ordem.
Ele já preparou tudo.

Neste supermercado, você encontra tudo, todo dia, o dia todo, todos os dias da semana.

Plural

Temos planos muito especiais para essa região.

Regra geral: o plano — os planos
o voto — os votos

Palavras em - m: a viagem — as viagens

Palavras em - r: o diretor — os diretores

- z: o rapaz — os rapazes

Palavras em - s:
a) o produto inglês (última sílaba tônica)
os produtos ingleses
b) o lápis (última sílaba átona)
os lápis

Palavras em - l:
a) - al — especial — especiais
- el — papel — papéis
- ol — farol — faróis
- ul — azul — azuis
b) - il
gentil (última sílaba tônica)
gentil - homens gentis
Infantil - escolas infantis
fácil (última sílaba átona)
fácil - contatos fáceis
útil - dias úteis

Palavras em - ão
a) a mão — as mãos
b) a região — as regiões
c) o pão — os pães

Discutir

Brasília discute novos projetos para a área industrial. Como discutir:

abrir, partir, decidir, insistir, desistir, assistir, dividir, permitir ...

1. (abrir) Os bancos __________ às 10, mas as escolas _________ antes.
2. (insistir - desistir) Ele sempre __________. Ele nunca _________. E você?
3. (insistir - desistir) Eu? Eu sempre ____________. Eu também nunca ____________.
4. (discutir - corrigir) Em nossas reuniões, nós _______________ os problemas da empresa e ______________ os erros.
5. (partir) Todo dia, às 10 horas, ___________ um avião para Belém.
6. (assistir) Vocês _____________ à televisão aos domingos?
7. (dividir - discutir) Marcos trabalha muito. Ele precisa __________ o trabalho com um colega. Amanhã, eu vou __________ isso na reunião.

Presente Contínuo

Agora eu estou trabalhando.
a) Complete.

1. (morar) Agora ela _______________ no Chile, mas os pais dela _____________ na Argentina.
2. (ler - escrever) Agora eu não _______________. Eu _______________.
3. (discutir) Por que você _________________ comigo?
4. (assistir - conversar) Agora, elas não ________________ à televisão. Elas __________
5. (abrir - ter) Agora, nós ________________ um escritório em Curitiba e _______________ muitos problemas.
6. (esfriar) Tome seu café. Ele _________________.

b) Presente Simples ou Presente Contínuo?

Complete, como no exemplo.

Ele sempre trabalha rápido, mas hoje está trabalhando devagar. Ele está com sono.

1. (fazer) O que você ______________ agora?
2. (funcionar) A fábrica sempre ______________ 24 horas por dia, mas este mês não.

   Este mês ela ________________ das 6 da manhã às 10 da noite.
3. (ter, discutir) Desculpe, mas nosso diretor não pode falar com você agora.

   Ele ___________________ uma reunião com os gerentes.

   Eles ___________________ coisas importantes.
4. (viajar) Ele não está em casa agora. Ele __________________.

   Ele sempre _________________ nos fins de semana.

Pretérito Perfeito do Indicativo

a) Complete, como no exemplo.

(falar) — O que você falou?
— Eu? Eu não falei nada!

1. (perguntar)
— O que você _______________?
— Eu? Eu não _____________ nada.

2. (responder)
— O que você _______________?
— Eu? Eu não _____________ nada.

3. (discutir)
— Você _______________ com ele?
— Eu não. Eu não ______________.

4. (preparar)
— Você já ____________________ a apresentação?
— Eu? Não. Eu ainda não __________.

5. (traduzir)
— Você já ______________________ o contrato de vendas?
— Eu? Não. Eu ainda não ________ __________.

b) Complete.

1. (trabalhar) Ontem, ele ____________, mas eu não ______________.
2. (esperar) Ontem, eles _____________, mas nós não _______________.
3. (pagar) A gente ___________ a conta, mas vocês não _____________.
4. (escrever) Eles _____________, mas ela não _______________.
5. (entender) Todo mundo ____________, só eu não ___________.
6. (receber) Você ____________ o salário, mas nós não ____________.
7. (abrir) A gente _________ a janela, mas eles não _____________.
8. (permitir) Ela ____________, mas nós não __________________.
9. (oferecer-aceitar) Anteontem, eu ________ ajuda, mas você não __________.
10. (abrir-entrar) Ela _________ a porta e eles _______________.

Estar atrasado - Estar na hora - Estar adiantado

Complete, de acordo com o sentido.

1. Já são nove horas da noite. Marcamos o jantar para as 8h00.

   Ela ____ .
2. O avião sai às 11h30. Robert chegou às 9h00. Ele ______________________ .
3. João é pontual. Ele _____________ sempre __________________ .
4. Ronaldo chegou às 11h00, para o almoço do meio-dia.

   Ele ____ .

Possessivos

a) Complete com seu, seus, sua, suas.

1. A cidade é grande. ________ ruas têm muito trânsito.
2. A firma vai bem. ___________ diretores são competentes.
3. Carlos está feliz. ________ viagem vai ser um sucesso.
4. Fernanda precisa esperar. _______ passaporte não está pronto.
5. Hoje mesmo ele vai descontar o cheque. _________ escritório é ao lado do banco.

Trânsito - PE (EMPETUR)

b) Substitua seu, sua, seus, suas por o, a, os, as ... dele, dela, deles, delas.

1. A viagem é longa e **seu preço** é alto.

   ____

   ____

2. Rodrigo e Amélia vão levar a família para passar as férias em Natal, no Rio Grande do Norte. **Seus filhos** estão contentes.

   ____

   ____

3. Não ficamos no hotel da praia porque **sua diária** é muito cara.

   ____

   ____

Indefinidos

Complete com **todo o, toda a, todos os, todas as, tudo**

1. Ele conhece __________ mundo porque ele viaja muito.
   Ele conhece _________ países da Europa e da Ásia.
   Ele conhece __________.
2. Em Minas, vamos aprender coisas novas o tempo ________.
   Vamos observar ________.
3. Você juntou _________ documentos?

   __________ reuniões estão confirmadas?

   Você organizou _________ ?
4. A secretária ainda não depositou _________ cheques do mês.

Ouro Preto - MG - (Bernardes)

Ouro Preto - MG - (Bernardes)

a) Passe para o plural.

1. este mapa moderno

____

2. nosso professor brasileiro

____

3. este rapaz feliz

____

4. o homem bom

____

5. o papel especial

____

6. o pão alemão

____

7. o farol do ônibus

____

b) Passe para o singular.

1. os hotéis franceses

____

2. as palavras fáceis

____

3. os dias úteis

____

4. as mãos frias

____

5. as regiões quentes

____

6. os lápis azuis

____

7. estes amigos gentis

____

Atualmente, países como o Brasil têm um grande problema:
criar mais empregos e aumentar a renda da população.
Neste sentido, uma atividade econômica de grande potencial
é o turismo.
Todas as regiões brasileiras são ricas em atrações turísticas:
praias, selva, reservas ecológicas, grandes rios, cidades históricas ...
Mas, para desenvolver o turismo, é preciso investir em transportes,
telecomunicações e, naturalmente, em hotelaria.

Ilha de Areia Vermelha-PB - Foto: Dirceu Tortorello - PBTUR

Pão de Açúcar-RJ (Folha)

Pantanal-MT (Folha)

Elevador Lacerda-BA (Bahiatursa)

Foz do Iguaçu-PR (Folha)

Você já viajou pelo Brasil?
Sua viagem apresentou problemas? Quais?
Como é a economia de seu país? Quais são suas principais riquezas?

O que é mais importante:
a indústria, o comércio, a agricultura ou a área de serviços?

Como é o turismo no seu país?

Caderno Imobiliário

faixa 25 CD 1

Imóveis: a melhor escolha

O mercado imobiliário, hoje, exige novas tecnologias de construção e novas técnicas de venda

FERNANDO RIBEIRO

Hoje, vender imóveis é quase uma arte. As ofertas de imóveis de luxo estão cada vez mais tentadoras e os anúncios cada vez mais sofisticados.
O comprador exigente tem escolha entre apartamentos com área de lazer, segurança na portaria ou grandes casas com piscina, em bairros elegantes.

Naturalmente, o valor também está cada vez mais alto. Para adquirir um imóvel mais barato, o comprador tem de escolher bairros mais populares, na periferia. Lá, os preços são mais baixos do que os preços da cidade, praticamente a metade, e o pagamento é mais facilitado.

a) Responda.

1. Como são, hoje, os anúncios de imóveis?

___

2. As ofertas para um comprador exigente aumentaram?

___

3. O que um comprador com pouco dinheiro tem de fazer para comprar um imóvel? Por quê?

___

4. Para comprar um bom apartamento, num bom bairro, por um bom preço, o que você precisa ter?

___

a) Dê sua opinião.

1. Como são os imóveis na periferia de uma grande cidade brasileira?

___

2. Anúncio sofisticado é sinônimo de imóvel sofisticado?

___

3. Um prédio residencial "inteligente" é aquele que tem (escolha entre as alternativas abaixo):

( ) sistema automatizado de segurança
( ) luminosidade
( ) funcionamento econômico
( ) distribuição racional do espaço
( ) área social
( ) grandes áreas vazias
( ) muitos empregados
( ) portaria informatizada
( ) área de lazer
( ) interfone nos elevadores

A4 dialogando

Na imobiliária:

faixa 26 CD 1

Preciso alugar uma casa

Robert: — Minha família vai chegar em dezembro, por isso preciso alugar uma casa.

Corretora: — O senhor não prefere apartamento? Temos apartamentos excelentes para alugar. Alguns, em condomínios fechados, com quadras de esporte, piscina, área verde e segurança total.

Robert: — Não, nós preferimos uma casa. Não gostamos de apartamento. Casa é mais confortável que apartamento. E temos um cachorro.

Corretora: — Claro, eu entendo.

Quero uma casa grande, com jardim

faixa 27 CD 1

Corretora: — O senhor quer uma casa grande?

Robert: — Quero. Quero uma casa grande, com quatro dormitórios, banheiro com banheira, em um terreno grande, com varanda, um belo jardim e piscina. A casa pode ser antiga. Gostamos de casas antigas. O bairro tem de ser bem residencial, e a casa tem que ser perto da escola de nossos filhos. Ambos vão estudar na Escola Carlos Gomes.

Corretora: — Certo. Vou conferir os dados e selecionar algumas fichas.

Esta casa não dá!

faixa 28 CD 1

Não, não dá! A casa é muito velha.
Está muito feia. Ela precisa de uma grande reforma. E o telhado ...
Não dá! Ela está um lixo! Que decepção!

A casa é bonita. O jardim também.
Mas não gostei da sala de estar
e da sala de jantar. São pequenas demais.
Os corredores são muito estreitos.
E os quartos não têm armários embutidos.
Não, não dá!

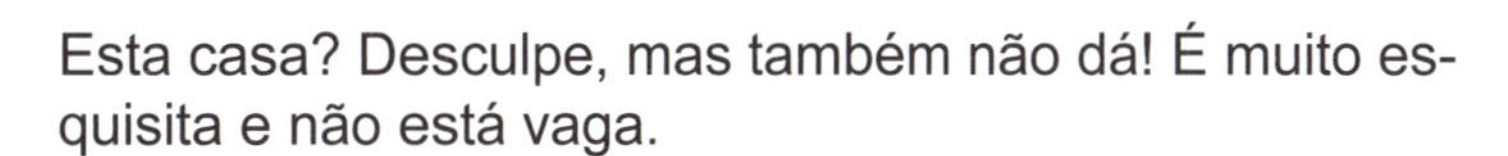

Esta casa? Desculpe, mas também não dá! É muito esquisita e não está vaga.

Esta casa também não dá. A rua tem muito trânsito ...
Caminhões passam por aqui o dia todo, ambulâncias ...
Não dá para respirar. E há uma pizzaria em frente da casa ... E um posto de gasolina atrás. Tudo isso desvaloriza a casa.
Não dá, não dá.

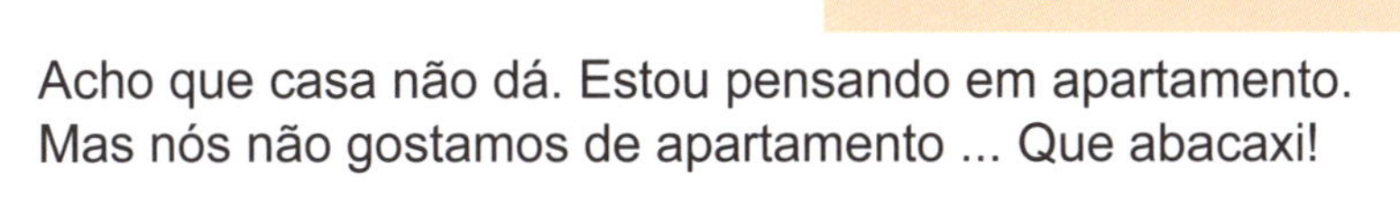

Acho que casa não dá. Estou pensando em apartamento.
Mas nós não gostamos de apartamento ... Que abacaxi!

Achei!

faixa 29 CD 1

Robert: — Alô, Mônica? Achei uma casa maravilhosa. Fica numa alameda, cheia de árvores. Fui lá com a corretora e tive uma surpresa. É ótima. Estive lá duas vezes. Fiz uma proposta e o proprietário aceitou.
Você vai gostar! Confie em mim!

Mais tarde, com Helena

Helena: — O Dr. Ronaldo examinou o contrato de locação.
O contrato vai ser por dois anos. Ele achou o aluguel razoável.
É difícil alugar uma casa assim por este preço. Que sorte!
Mas o senhor precisa pagar os impostos. A Telecomsat é fiadora. Aqui está a planta da casa.

Planta da casa

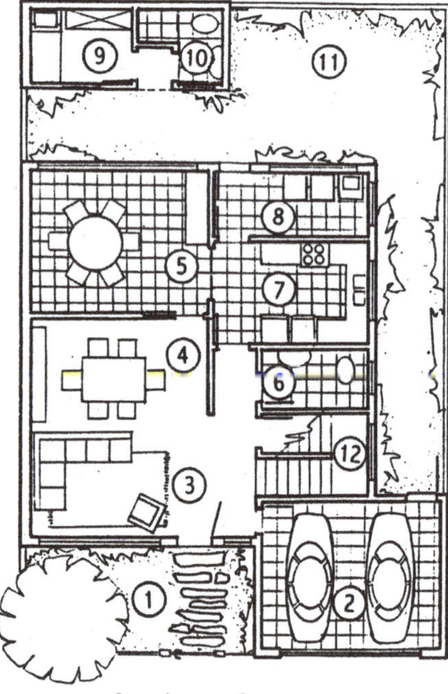

Andar térreo

1. jardim
2. garagem
3. sala de estar
4. sala de jantar
5. copa
6. lavabo
7. cozinha
8. área de serviço
9. quarto de empregada
10. w. c. de empregada
11. quintal
12. escada

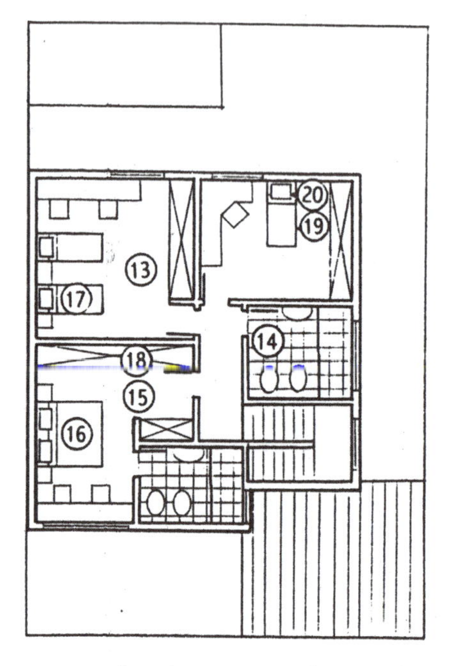

Andar superior

13. dormitório
14. banheiro
15. suíte

Nos dormitórios

16. cama de casal
17. cama de solteiro
18. armário
19. colchão
20. travesseiro

Negócio fechado

Robert: — Alô, Mônica? Negócio fechado!
Acabei de assinar o contrato.
Foi difícil, mas ... Vou receber
as chaves daqui a dois dias.

Leia este anúncio.

Ipanema - Vista para o mar

Ap. - 3º and. - Sala gde., lav., terr., 2 suítes, 1 qto. c/ arm. emb., banh., copa-cozinha, área de serv., qto. de empreg. e w. c. c/ chuveiro, 2 vagas na gar. Ch. c/ o zelador.

Relacione.

a) Num prédio de apartamento

1. Você paga	( ) a campainha
2. As visitas usam	( ) pelo interfone
3. As mudanças entram	( ) pelo elevador de serviço
4. Você fala com o porteiro	( ) a taxa de condomínio
5. O inquilino paga	( ) o elevador social
6. O proprietário exige	( ) um fiador
7. As visitas tocam	( ) o aluguel

b) Numa casa

1. Muros altos	( ) está queimada
2. Área de serviço	( ) é externa
3. As paredes	( ) geralmente é fechada
4. A garagem	( ) cercam o jardim e o quintal
5. A lâmpada do abajur	( ) são sólidas

Pretérito Perfeito do Indicativo

Foi difícil. Estive lá duas vezes e tive uma surpresa.

Ser		Estar		Ter	
Eu	fui*	Eu	estive	Eu	tive
Você / Ele / Ela	foi	Você / Ele / Ela	esteve	Você / Ele / Ela	teve
Nós	fomos	Nós	estivemos	Nós	tivemos
Vocês / Eles / Elas	foram	Vocês / Eles / Elas	estiveram	Vocês / Eles / Elas	tiveram

Fui lá com a corretora. Fiz uma proposta.

Ir		Fazer	
Eu	fui*	Eu	fiz
Você / Ele / Ela	foi	Você / Ele / Ela	fez
Nós	fomos	Nós	fizemos
Vocês / Eles / Elas	foram	Vocês / Eles / Elas	fizeram

* Ser e Ir têm as mesmas formas no Pretérito Perfeito do Indicativo:

(ir) Ele foi ao Rio.
(ser) A viagem foi boa.

Comparativo

a) de superioridade

Casa é mais confortável (do) que apartamento.

b) de inferioridade

A copa é menos bonita (do) que a sala de jantar.

c) de igualdade

Esta casa é tão grande quanto a outra.
(como)

↑ mais..................... (do) que

↓ menos.................. (do) que

= tão........................ quanto/como

(bom) - melhor (do) que

(mau, ruim) - pior (do) que

(grande) - maior (do) que

(pequeno) - menor (do) que

"Mais vale um pássaro na mão do que dois voando."

Preposições de lugar

Há uma pizzaria em frente da casa.

A casa tem de ser perto da escola de nossos filhos.

perto de - longe de

em frente de - atrás de

dentro de - fora de

em cima de - embaixo de

ao lado de - através de

entre

A casa é perto da escola, mas longe do escritório.
Em frente da casa, há uma pizzaria. Atrás da casa, há um posto de gasolina.
Dentro do condomínio, há uma piscina. Fora do condomínio, o trânsito é um problema.
O contrato de locação está em cima da mesa do advogado. Embaixo do contrato, há outros papéis.
A copa fica entre a cozinha e a sala de jantar. Ao lado da sala de jantar fica a sala de estar.
Através da janela do quarto, vemos a piscina do prédio.

Preposição por

por

por + o = pelo
por + a = pela
por + os = pelos
por + as = pelas

Caminhões passam por aqui o dia todo.

O contrato vai ser por dois anos. (duração)
É difícil alugar uma casa assim por este preço. (preço)

Você fala com o porteiro pelo interfone. (meio)

Ter de = Ter que (= precisar)

O bairro tem de ser residencial.
A casa tem que ser perto da escola de nossos filhos.

Expressões de tempo

Há - daqui a

Eu trabalho aqui há 8 anos. (até agora)

Eu fiz uma proposta há uma semana. (passado)

Eu vou receber as chaves daqui a dois dias. (futuro)

Ele chegou há três meses. A família dele vai chegar em dezembro, daqui a dois meses.

Ele trabalha na firma há muito tempo.

Há séculos que não vejo você.

Acabar de

Acabei de assinar o contrato.

– O Mateus está?
– Não. Ele acabou de sair.

Pretérito Perfeito do Indicativo ser, estar, ter, ir, fazer

a) Complete.

Ir

1. Vocês _______________ lá?
   Não, nós não ___________, mas Míriam _______. Luísa e Marcelo também _______________.
2. Por que você não __________ à reunião?
   Eu não _________ porque meu colega _________. O senhor ________ ?
3. Elas _________ ver a casa. A gente também ________.
   Todo mundo _________, exceto você.

Ter

1. Eu não ___________ problemas com ele ontem, mas você _________. Por quê?
2. — Vocês ___________ tempo para acabar o trabalho?
   — Não, nós não _____________. A gente _________ problemas com o computador.
3. Elas _____________ uma surpresa ontem e não gostaram.
4. Quem ________esta ideia? Foi você, Fábio?

Foto: Antônio Gaudério/Folha Imagem/ Plataforma da Petrobras P-40 / RJ

Foto: Patrícia Santos /Folha Imagem/Plataforma P-36 na baía de Guanabara (RJ).

Ser

1. Você ___________ colega dele?
   Não, eu não ______. Eu ________ colega da irmã dele.
2. Eles _________ honestos com você. Ela também _______ ?
   Quem? Ela? Claro! Ela também ___________.
3. O trabalho da corretora _______ bom, mas as condições do contrato não _____________ boas. Por isso desistimos.
4. Vocês _________ colegas?
   A gente ______. Nós _________ colegas na Petrobras.

Estar

1. Onde você _________ ontem? Eu ___________ em Guararema.
   Vocês já _____________ lá? Já. Nós __________lá há alguns anos.
2. Ele nunca _______ em São Paulo. E ela? Ela __________?
   Não, ela também nunca ________ em São Paulo.
   Mas a gente já ________. Nós ___________ lá várias vezes.
3. Eles ____________ aqui, mas não falaram comigo. Por quê?

Fazer

1. O que você _______? Eu? Eu não ________ nada. E você?
2. Por que vocês não _________ a mudança para a casa nova?
   Porque ainda não ___________ o contrato.
3. Vou falar com nosso chefe. Na semana passada, só a gente _______ o trabalho. Eles não _________ nada.
   Ninguém _______ nada. Aqui só a gente trabalha.
4. O senhor _________ reserva?
   Não, eu não __________. Minha secretária __________.

b) Complete o texto.

(ter) Ontem nós ____________ uma reunião importante. **(ir)** A gente ____________ para a sala de reuniões às 10 horas e a reunião começou imediatamente.
(estar) O presidente não __________________ na reunião.
(fazer) Ele está _____________ uma longa viagem pela América do Sul e só vai voltar na semana que vem. **(fazer)** Na reunião, eu _______ uma apresentação de nosso novo produto.
(fazer) Nossos colegas de outros departamentos ___________ muitas perguntas. **(ser)** A reunião _________________ muito produtiva. **(fazer)** Daqui a dez dias, vamos ___________ outra.

Comparativo

a) Complete o texto.

Achei esta casa muito boa.
Ela é ___________ as casas que visitamos ontem. **(moderna)**
Ela também é ________________ as outras. **(grande)**
Mas o aluguel é muito alto.
As outras casas são ___________ esta. **(caro)**
E as condições do contrato de locação são _________. **(bom)**
Não sei o que fazer. Acho que vou desistir desta casa.
Vou procurar outra tão ____________ **(moderna)** esta e
com aluguel ______________ **(razoável)** quanto o aluguel das outras casas.

Fachadas de residência (Bernardes)

b) Faça frases, usando o comparativo, como no exemplo.

Rio **Brasília** **bonito** ↑
O Rio é mais bonito do que Brasília.

Fachada de residência (Cleodanir)

1. Morar no centro morar num bairro residencial (bom) ↑
2. O inverno no Brasil o inverno na Europa (frio) ↓
3. Janeiro fevereiro (longo) ↑
4. Julho agosto (comprido) =
5. Novembro dezembro (comprido) ↓
6. A sala de jantar a sala de estar (pequeno) ↓
7. Este contrato o outro contrato (ruim) ↑
8. O trânsito em São Paulo o trânsito no Rio (ruim) =

Preposições de lugar

Observe a figura e responda.

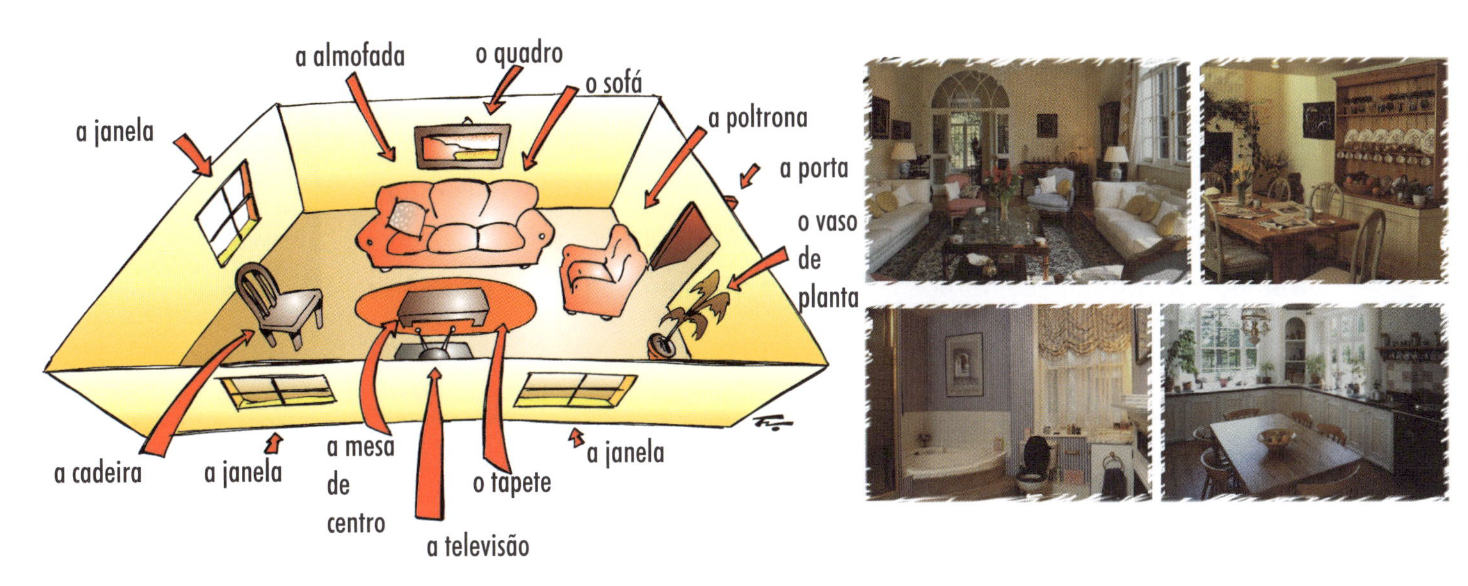

1. Onde está o sofá?

   ____

2. E a cadeira, onde está?

   ____

3. E o vaso de planta? E a planta?

   ____

4. Onde está a televisão?

   ____

5. Onde está o quadro?

   ____

6. Onde está o tapete?

   ____

7. A poltrona está perto ou longe da porta?

   ____

8. Onde está a almofada?

   ____

Preposição por

Complete com por ou pelo, pela, pelos, pelas.

1. Vamos alugar a casa _______ 18 meses.
2. Recebi o convite __________ correio.
3. Quanto você pagou _________ carro?
4. Para chegar aqui, você precisa passar _________uma ponte, ___________ um supermercado, ____________ Banco do Estado, __________ Imobiliária Teto de Ouro, _____________ bancas de frutas e de flores do Parque Castelo e _______Hospital Geral.
5. O corretor de imóveis recebe uma comissão ___________seu trabalho.

Ter de (= precisar)

Complete com ter de ou precisar.

Ontem, foi um dia difícil. Fomos ao escritório de um advogado, para assinar o contrato de locação.

Nós ___________ esperar quarenta minutos. O advogado se atrasou porque ______________ atender outro cliente.
O proprietário da casa que alugamos _______________ mostrar vários documentos e o advogado examinou todos eles, um por um.

Duas horas depois, assinamos o contrato e voltamos para o escritório.

Há - daqui a

Complete, de acordo com o sentido.

Meu nome é José Luís.
Eu entrei na Telecomsat ________ 15 anos, como *office boy*.
__________ 10 anos comecei a trabalhar no Departamento Jurídico, como assistente geral. Fiz o curso de Direito à noite e __________ 5 anos sou advogado. Sou especializado em empresas e trabalho com o Dr. Ronaldo. É bom trabalhar com ele.
__________ duas semanas vamos viajar para o Canadá. Vamos ter muitas reuniões lá. Eu acho que ________________ dois ou três anos a Telecomsat vai ter uma grande participação no mercado brasileiro. Estamos trabalhando muito para isto.

Acabar de

Responda, como no exemplo.
Por que você não quer jantar agora?
(comer um sanduíche) Porque acabei de comer um sanduíche.

1. O Guilherme está? **(sair)**
Não, ele ____
2. Você quer um guaraná? **(tomar uma coca)**
Não, obrigado. Eu ______________________________________
3. Você ainda está procurando casa? **(assinar um contrato de locação)**
Não, eu ____
4. O Rodrigo está? **(chegar)**
Está, sim. Ele ____
5. A casa está em ordem? **(fazer uma grande reforma)**
Está, sim. O dono _______________________________________
6. Por que você está tão contente? **(achar uma casa excelente para alugar)**
Porque eu ____

As pessoas têm cada vez mais dificuldade de encontrar um bom lugar para morar. Viver numa casa confortável é o sonho de muitos. Por problemas de segurança, os condomínios fechados, em bairros mais distantes, são hoje muito procurados. Mas, são muito caros. Poucas pessoas têm o privilégio de fazer essa escolha.

Você já esteve num condomínio fechado ? O que você achou?

Você prefere morar numa casa confortável, num bairro distante ou num apartamento de luxo, mais perto do centro?

Qual a moradia de seus sonhos?

Fachada de residência (Bernardes)

Que tipo de moradia é mais comum em sua cidade: casa, apartamento?

Como é o mercado imobiliário? Há algum projeto de moradia popular?

É fácil para a classe média comprar um imóvel para morar?

E os ricos? Como moram as pessoas mais ricas?

CRIAÇÕES
Bovinos
Suínos
Aves
Equinos
Caprinos
Bubalinos
USO DA TERRA
Florestas
Criação extensiva
Cultura de grãos e criação
Criação extensiva e policultura
Criação melhorada
Policultura e criação
Cultura diversificada e criação
Policultura
Monocultura
Cultura de grãos
AGRICULTURA
1. Abacaxi
2. Algodão/Café
3. Alho
4. Arroz/Milho/Soja
Mandioca
5. Banana/Tomate
6. Batata
7. Batata-doce
8. Cacau
9. Café
10. Cana-de-açúcar/Feijão
11. Castanha de caju
12. Cebola
13. Cítricas
14. Coco
15. Dendê
16. Fumo
17. Inhame
18. Maçã
19. Mamona
20. Manga
21. Maracujá
22. Melancia
23. Melão
24. Sisal
25. Tabaco
26. Trigo
27. Laranja
AGRICULTURA
(Distrito Federal)
- Arroz, milho, soja
- Mandioca, batata, feijão
- Cítricas
INDÚSTRIA/ECONOMIA
Transporte
Mecânica
Alimentícia
Eletro/Eletrônica
Vestuário/Têxtil
Química
Minerais não metálicos
Couro e calçados
Madeireira
Móveis
Metalúrgica
Agroindústria
Papel e celulose
Cimento
Siderúgica
Editorial e gráfica
Turismo
Naval
Petróleo
Gás Natural
Mineração
Informática
Ouro
Ferro
Petroquímica
OCEANO ATLÂNTICO
OCEANO PACÍFICO
VENEZUELA
GUIANA
SURINAME
GUIANA FRANCESA
COLÔMBIA
EQUADOR
PERU
BOLÍVIA
CHILE
PARAGUAI
ARGENTINA
URUGUAI
RORAIMA
Boa Vista
AMAPÁ
Macapá
AMAZONAS
Manaus
PARÁ
Belém
ACRE
Rio Branco
RONDÔNIA
Porto Velho
MATO GROSSO
Cuiabá
MARANHÃO
São Luís
PIAUÍ
Teresina
CEARÁ
Fortaleza
RIO GRANDE DO NORTE
Natal
PARAÍBA
João Pessoa
PERNAMBUCO
Recife
ALAGOAS
Maceió
SERGIPE
Aracaju
BAHIA
Salvador
TOCANTINS
Palmas
GOIÁS
Goiânia
Brasília
MINAS GERAIS
Belo Horizonte
ESPÍRITO SANTO
Vitória
RIO DE JANEIRO
Rio de Janeiro
MATO GROSSO DO SUL
Campo Grande
SÃO PAULO
São Paulo
PARANÁ
Curitiba
SANTA CATARINA
Florianópolis
RIO GRANDE DO SUL
Porto Alegre
N

PRIMEIRA AVALIAÇÃO - Unidades 1 a 5

Unidade 1 - Chegando

Compreensão de texto - Frases interrogativas

a) Leia o texto.

Meu amigo Daniel vai para os Estados Unidos com a esposa. Eles vão de avião. Depois, eles vão às Bahamas, de navio.

Ele vai fazer um estágio de três semanas na empresa Infor-American, em Miami. Depois, ele vai descansar uma semana nas Bahamas. Eles voltam para o Brasil em maio.

b) Usando as interrogativas - *por que, com quem, como, qual, quanto, o que* -, faça as perguntas, de acordo com as respostas.

1. com a esposa.

   ____

2. de avião.

   ____

3. de navio.

   ____

4. três semanas.

   ____

5. um estágio.

   ____

6. nas Bahamas.

   ____

7. em maio.

   ____

Verbos

a) Complete com os verbos *ser, ter ou ir,* no presente do indicativo.
Carolina e Bernardo ____________ os novos funcionários da firma.

Eles ___________ italianos, mas a firma onde trabalham ________

brasileira. Eles não _________ trabalhar na matriz, mas na filial de

Campinas. Eles ________ jovens e __________muita vontade de

conhecer o Brasil. A firma __________ muitas filiais em todo o país.

b) Complete com os verbos *ir, gostar de, viajar*, de acordo com o sentido.
No fim de semana, eu ________ para Teresópolis, uma cidade

histórica, no Estado do Rio de Janeiro. Eu ___________ muito

_____ cidades históricas. Meu filho não __________ muito ______

cidades antigas. Ele _________ muito, mas, em geral, ele ________

para o litoral, onde a vida é mais agitada.

Parati - RJ (Folha)

Gênero e Número

Complete com as palavras necessárias e faça a concordância.

O pai de Marcos é advogado. A ________ também é ___________ .

Eles têm um carro novo e _________ casa _________ também.

O pai de Marcos é muito competente. _______ mãe também é _________.

Os dois falam _________ línguas: inglês e português.

Universidade Federal de Brasília - DF (Folha)

Universidade Federal de Viçosa/ MG - Campus UFV

Complete estes diálogos.

1. Natália e Frederico se encontram na porta da universidade.

— ______________________________

— Oi, Frederico. Tudo bem.

— ______________________________

— Ao curso de Ciências? Não, vou ao curso de Matemática.

— ______________________________

— Gosto, sim, gosto muito de cálculos.

— ______________________________

— Ao cinema, hoje à noite? Hoje não dá.

— ______________________________

— Amanhã, então.

— ______________________________

— Tchau. Até mais.

2. A enfermeira de um consultório médico, ao telefone, marca uma consulta para o senhor Braga.

— ______________________________

— É, sim, é do consultório do Dr. Reis.

— ______________________________

— Tem, sim, o senhor tem uma consulta para as 4 horas.

— ______________________________

— Tenho, sim. Tenho outro horário para o senhor.

3. No departamento de Recursos Humanos.

— ______________________________

— João Paulo Cardoso Neto.

— ______________________________

— Moro na Avenida Marechal Deodoro, nº 48, ap. 26.

— ______________________________

— Sou técnico de eletrônica.

— ______________________________

— Tenho três: dois filhos e uma filha.

— ______________________________

— Tenho sim, tenho muita experiência.

— ______________________________

— Porque procuro uma empresa grande para aplicar meus conhecimentos.

Compreensão de texto

a) Leia o texto.

Na nossa empresa, tudo funciona bem, menos o serviço interno de distribuição de correspondência. De segunda-feira a sexta-feira, durante o dia todo, chegam à portaria envelopes com informações ou documentos. Um *office boy* pega esse material na portaria e o leva para os departamentos. Ele faz isso duas vezes por dia: às 11h15 da manhã e às 4h15 da tarde. O problema é que a correspondência que chega depois das 4h15 só vai estar na minha mesa quase ao meio-dia do dia seguinte. Todo mundo acha isso normal, mas eu acho que é um grande problema.

b) Escolha a alternativa correta.
De acordo com o texto, O problema é que

	certo	errado
1. envelopes chegam o dia todo à portaria.	☐	☐
2. o *office boy* não leva os envelopes para os departamentos.	☐	☐
3. os envelopes ficam muitas horas na portaria, antes de chegar aos departamentos.	☐	☐
4. todo mundo na empresa acha que o serviço de distribuição de correspondência não funciona bem.	☐	☐

a) Certo ou errado?
O funcionário diz que

	certo	errado
1. tudo na empresa é bem organizado.	☐	☐
2. um funcionário da portaria leva a correspondência para os departamentos.	☐	☐
3. o serviço de distribuição interna de correspondência não funciona aos sábados e domingos.	☐	☐
4. a correspondência fica na portaria em períodos de 5 horas e de 7 horas.	☐	☐

O tempo

a) Complete as sequências.

1. Segunda-feira
____
____
Quinta-feira
____
____
____
____

2. Primavera
____
____
____

3. Janeiro
____
____
____
Maio
____
____
Setembro
____
____
____

a) Responda em frases completas.

1. Que horas são?

a) (14:20) ____________________

b) (12:00) ____________________

c) (17:30) ____________________

d) (19:45) ____________________

e) (21:50) ____________________

f) (01:00) ____________________

a) Examine esta agenda e responda em frases completas.

1. A que horas é a reunião?

____

2. A que horas é a visita à fábrica?

____

3. A que horas é o almoço na fábrica?

____

4. A que horas é a entrevista aos jornais?

____

5. A que horas é a volta a São Paulo?

____

6. A que horas é o coquetel no Clube Brasil?

____

a) Examine esta agenda e complete as frases.

1. A reunião geral vai ser das oito

____

2. A reunião dos departamentos vai ser

____

3. A partida de futebol
   solteiros x casados vai ser

____

4. O churrasco vai ser

____

Verbos

Ser ≠ estar

a) Complete com o verbo adequado.

1. A segunda-feira __________ um dia difícil.
2. No domingo, eu nunca ____________ em casa.
3. Você ________________ em casa no sábado que vem?
4. Hoje _________ dia 20. Hoje, __________ 3ª feira.
5. Meus amigos ____________ ingleses. Eles ___________ no Brasil para trabalhar.

b) Complete com os verbos na forma adequada.

1. (receber) Vocês sempre ________________ presentes.
2. (escrever) Nós sempre _____________ para ela, mas ela nunca ___________ para nós. Por quê?
3. (vender) Eles ______________ a casa, no ano que vem.
4. (querer) O que você ____________ fazer? Eu _________ ir ao cinema.
5. (querer) Nós ___________ trabalhar, mas acho que vocês não_________ .
6. (poder) Quem ____________ me ajudar? Vocês ____________ ?
7. (poder) Nós _____________ viajar, mas eles não __________. Eles não têm tempo.

Possessivos

Complete com *meu, meus, minha, minhas, nosso, nossos, nossa, nossas*, de acordo com o sentido.

1. Eu gosto de __________ cidade e de _________ bairro.
2. Ana e eu vamos viajar, mas _________ filhos vão ficar em casa para estudar.
3. Nós trabalhamos em uma firma grande. ___________ firma tem muitos funcionários. ___________ chefe trabalha aqui há muitos anos. Ele é um bom chefe e geralmente resolve ______________ problemas.
4. ___________ amigos e ___________ amigas, atenção!

Compreensão de texto

a) Leia o texto.

No Brasil, os hábitos de alimentação são muito variados, porque o país é muito grande e cada região recebeu um determinado tipo de influência. No Norte, onde se concentra a maior parte dos índios brasileiros, é grande a influência indígena sobre a comida. Por isso, os nortistas comem muito peixe, muito milho e mandioca.
No Nordeste, a influência africana é enorme. A comida da Bahia, com muita pimenta e técnicas de preparo muito especiais, é o melhor exemplo.
A comida típica da região Centro-Oeste é o peixe. Nessa região, há grandes rios e a pescaria é a principal atividade de lazer.
Em São Paulo, no Sudeste, a comida tem influência europeia, principalmente italiana, por causa da grande quantidade de imigrantes que a cidade recebeu nos séculos XIX e XX.
Nos pampas do Rio Grande do Sul, há muitas fazendas de criação de gado. O churrasco é parte fundamental da alimentação dos gaúchos.

a) Certo ou errado?
De acordo com o texto,

	certo	errado
1. a influência africana na comida brasileira, em geral, é muito grande.	☐	☐
2. os índios comem muito milho, muita mandioca e muito peixe.	☐	☐
3. a influência italiana na comida é muito grande, em todo o Sudeste.	☐	☐
4. a extensão do território e o tipo de população de cada região determinam os vários tipos de comida brasileira.	☐	☐
5. o churrasco é comida típica dos pampas.	☐	☐
6. nos rios da região Centro-Oeste a pesca é farta. O peixe é o alimento típico da região.	☐	☐

a) Relacione.

Local	Influência	Comida
Centro-Oeste	indígena	massas, tomate
Sul	africana	milho, mandioca
Norte	europeia	carne
São Paulo	regional	peixe
Nordeste	regional	pimenta

Diálogos

Complete os diálogos.

1. Convidando para almoçar

— ______________________________________

— Ótimo. Quando?

— ______________________________________

— No sábado? Está bem.

2. Fazendo o pedido no restaurante

Garçom — Aceita uma caipirinha?

• ______________________________

Garçom — O senhor já escolheu a entrada?

• ______________________________

Garçom — O que mais, por favor?

• ______________________________

Garçom — Bem passado, ao ponto ou malpassado?

• ______________________________

Garçom — E como acompanhamento?

• ______________________________

Garçom — E como sobremesa?

• ______________________________

Verbos

Complete com os verbos na forma adequada.

1. (fazer, dizer, fazer) Eu nunca __________ o que eu ___________.
Você ___________ ?

2. (fazer, dizer, fazer) Eles nunca __________ o que eles __________,
mas nós _____________ .

3. (fazer) Amanhã é domingo. O que nós _____________ ?

4. (dizer) Ele quer uma explicação. O que você _____________para ele?

5. (preferir) - Vinho ou cerveja? O que vocês _____________ ?

• Eu __________ vinho, mas ele __________ cerveja.

6. (haver) Hoje não _____________ aula. Amanhã também não ___________

Estar com

Complete com *estar com pressa, com sono, com fome, com sede.*

1. Por favor, um copo de água. Eu ______________. E um sanduíche bem grande. Eu ___________________.

2. Desculpe, mas nós não podemos esperar. Nós _________________ .

3. Desculpe, eu preciso ir para casa. Levantei muito cedo e agora eu ____________ . Quero dormir.

Demonstrativos

Complete com *este, estes, esta, estas, isto.*

__________ peixe não está bom. _________ salada também

não. Eu não vou comer ____________ .

___________ chaves são suas? E _________ livros, também?

Você vai fazer __________ outra vez? __________ trabalho é muito difícil.

Possessivos

Pergunte à Camila onde está ou estão

1. os pais dela Camila, onde ______________________ ?
2. o carro dela Camila, onde _______________________?
3. os colegas dela Camila, onde _______________________?
4. as amigas dela Camila, onde _______________________?
5. a filha dela Camila, onde _______________________?

Antes (de), depois (de)

Complete com *antes, antes de, depois, depois de*.

Aos domingos, nosso almoço é assim: __________ ir para a mesa, tomamos um aperitivo e conversamos. À mesa, _________ (a) salada temos o prato principal. O cafezinho vem ______________, mas _________ tem a sobremesa.

Números

Brasil [1]- Distância [2] entre cidades (em km, por estradas asfaltadas)

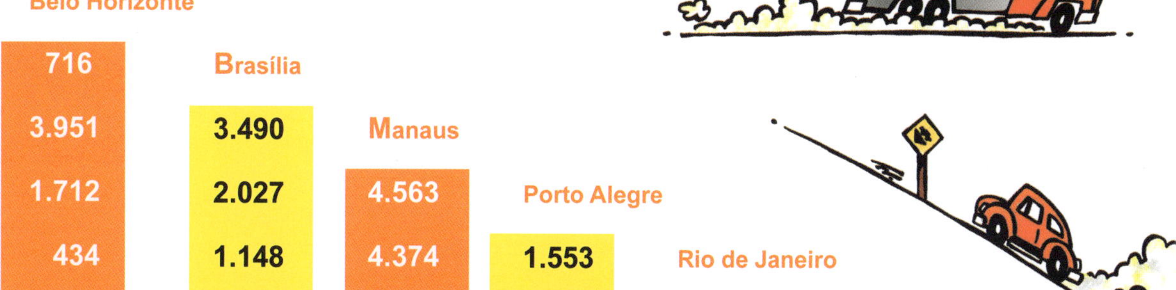

	Belo Horizonte	Brasília	Manaus	Porto Alegre	Rio de Janeiro	Salvador
Brasília	716					
Manaus	3.951	3.490				
Porto Alegre	1.712	2.027	4.563			
Rio de Janeiro	434	1.148	4.374	1.553		
Salvador	1.372	1.531	5.009	3.090	1.649	
São Paulo	586	1.015	3.971	1.109	429	1.486

[1] Estradas asfaltadas e não asfaltadas: 1.700.000 km, aproximadamente.
[2] A distância entre duas cidades é medida de centro a centro.

Consulte o quadro e dê a informação. Escreva os números *por extenso*.

a) A distância entre

Porto Alegre e Manaus é de ______________________________________ km.

São Paulo e Salvador é de ______________________________________ km.

Rio de Janeiro e Porto Alegre é de ______________________________________ km.

Belo Horizonte e Brasília é de ______________________________________ km.

Rio de Janeiro e Manaus é de ______________________________________ km.

b) O Brasil tem aproximadamente ______________________________________ km de estradas asfaltadas e não asfaltadas.

Compreensão de texto

a) Leia o texto.

É fácil viajar?

Viajar pelo Brasil, país grande como um continente, nem sempre é fácil e pode até ser complicado.
As distâncias são enormes e os meios de transporte são insuficientes e pouco diversificados. Não oferecem nem rapidez, nem comodidade. Para viajar de ônibus ou de carro, você precisa ter espírito esportivo e tempo. Para ir de um Estado a outro, você percorre centenas ou milhares de quilômetros de estradas. Muitas delas não são asfaltadas. Um transporte eficiente, como o trem, praticamente não existe no Brasil. Para os homens de negócios, o transporte ideal é o avião. As principais capitais do país contam com um bom serviço. Mesmo assim, não podemos tomar um avião a qualquer hora, para qualquer lugar, do norte ou mesmo do sul.
As empresas aéreas não têm horários diversificados para atender às necessidades dos homens de negócios. Mas, gradativamente, elas estão aumentando suas linhas. Estamos quase chegando lá.

b) Certo ou errado? De acordo com o texto,

	certo	errado
1. viajar a negócios pelo Brasil é muito fácil.	☐	☐
2. mesmo nas grandes capitais, não é possível tomar um avião para qualquer parte do país, a qualquer hora.	☐	☐
3. viajar de ônibus exige espírito esportivo.	☐	☐
4. o trem é o meio de transporte mais eficiente.	☐	☐
5. as empresas aéreas estão ampliando seus serviços no Brasil.	☐	☐

c) Dê sua opinião.

1. Você já conhece alguns aeroportos do Brasil? Quais? Dê sua opinião sobre eles. ____

____

2. O que você acha dos voos interestaduais do Brasil?

____

____

a) Passe o texto para o perfeito.

De 5 a 10 de maio, vou participar de um Congresso sobre economia, em Brasília. Vou enviar um resumo de meu trabalho sobre o "Jogo das Bolsas de Valores". Vou decidir o dia da minha viagem depois de falar com meu chefe.

____

____

____

____

b) Passe o texto da questão anterior novamente para o perfeito. Mas agora, comece assim.

De 5 a 10 de maio, Valter ...

____

____

____

____

De cima para baixo:

Porto Alegre - RS / (Folha)

Vitória - ES / (folha)

Florianópolis - SC / (Folha)

Belém - PA / (Folha)

c) Redija um pequeno texto, de acordo com as informações abaixo, empregando: hoje, ontem, anteontem, amanhã, depois de amanhã.

Gabriel Soares, diretor de *Marketing*, prepara uma viagem.

Hoje - 22/2 - 4ª feira - ir a Curitiba - tomar o avião às 19h00.
Agora, às 10h00 da manhã, ler o relatório da produção.
20/2 - 2ª feira - conhecer o presidente do grupo "Tele Star", em São Paulo
21/2 - 3ª feira - decidir quais os pontos mais importantes para apresentar na reunião.
23/2 e 24/2 - 5ª feira e 6ª feira - dizer quais as vantagens dos produtos
da Telecomsat e insistir no bom preço das peças.
24/2 - 6ª feira - retornar a São Paulo, pelo voo das 16h00.

____

____

____

____

____

Complete as frases com todo, todos, toda, todas, tudo.

1. Eu sou uma pessoa muito ocupada. Eu trabalho de segunda a sábado. Eu trabalho a semana ____________________ .
2. Paulo é advogado e lê muito. Ele conhece _________ os livros e _______ as leis do Direito Trabalhista. Ele sabe ________ o que um bom advogado deve saber sobre o assunto.
3. ___________ a região Sul possui um parque industrial muito ativo.
4. Ontem, véspera de feriado, __________ os bancos abriram às 8h00 e fecharam ao meio-dia.
5. Quero tomar um cafezinho, mas não posso. Hoje é feriado e ___________ está fechado.

Passe para o plural.

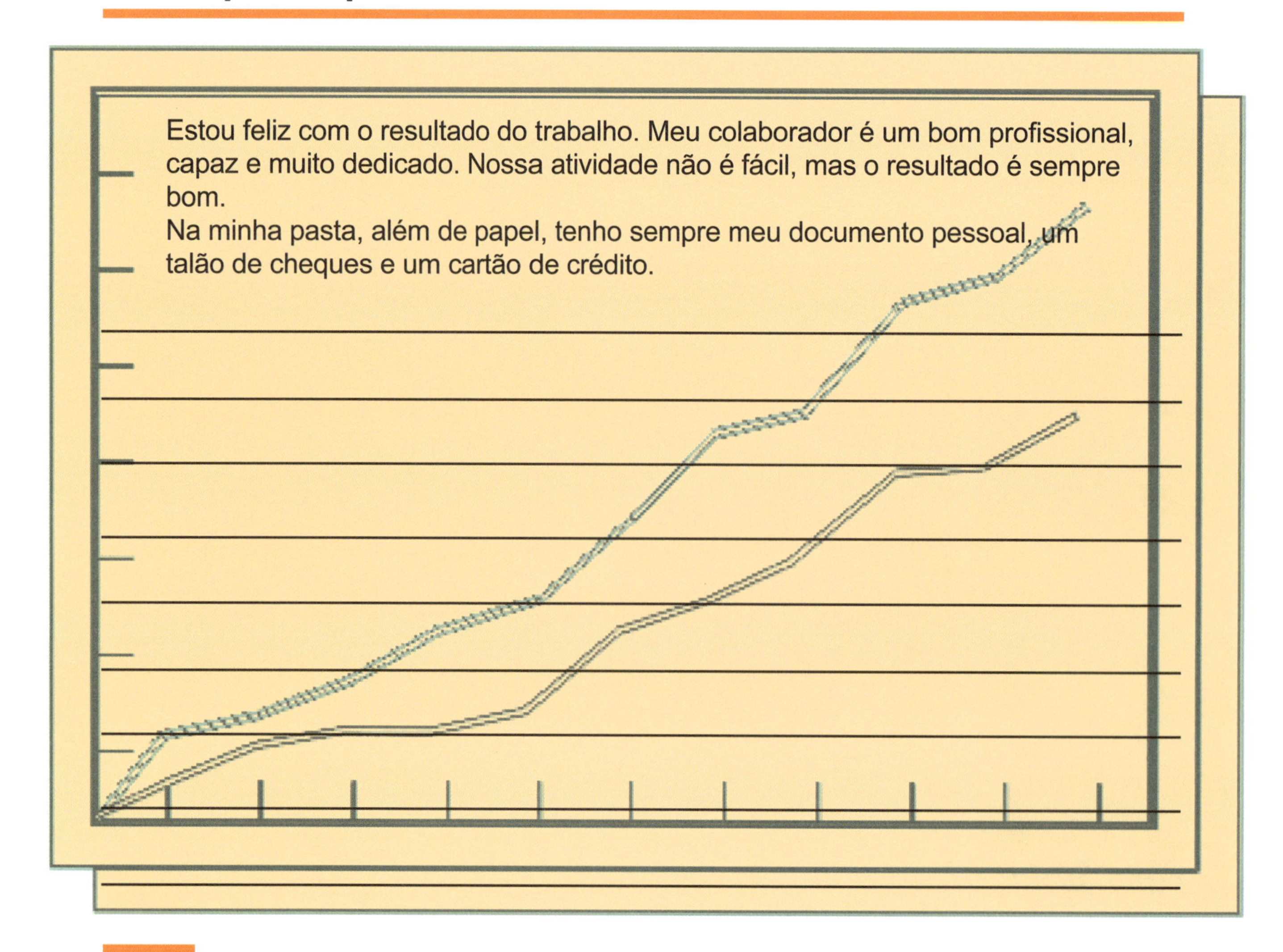

Compreensão de texto

a) Leia o texto.

Muitas vezes, o valor elevado do condomínio, no caso de apartamentos, ou do **IPTU** - Imposto Predial e Territorial Urbano - assusta futuros locatários. A taxa de condomínio é mensal. Seu valor corresponde às despesas ordinárias de manutenção do prédio, como energia elétrica, água, salário dos empregados, conservação e manutenção dos elevadores, material de limpeza, taxa de administração. Do total, 5% vão para o Fundo de Reserva. Por lei, o inquilino só tem de pagar a parte do condomínio relativa às despesas ordinárias. O proprietário do imóvel tem de pagar o Fundo de Reserva e o IPTU.

a) Certo ou errado?

	certo	errado
1. Por lei, o inquilino tem de pagar o imposto predial.	☐	☐
2. A taxa alta do condomínio não assusta futuros locatários.	☐	☐
3. Despesas ordinárias são as despesas relativas à manutenção do prédio, como salário dos empregados, conta de luz das áreas comuns.	☐	☐
4. A taxa de condomínio é anual.	☐	☐
5. O proprietário do imóvel paga o Fundo de Reserva e o IPTU.	☐	☐

b) Relacione.

proprietário	condomínio
inquilino	imposto predial
apartamento	locador
prefeitura	locatário
aluguel	contrato

Comparando anúncios de imóveis

a) Leia os anúncios.

Vila Beira-Mar
Negócio de ocasião!

3 Dormitórios (1 suíte, com *closet* e terraço)
Piscinas de adulto e infantil
2 vagas
Com apenas 30% você já recebe as chaves
Pague o saldo em até 120 meses, já morando.
Rua do Triunfo, 326
Visite apartamento decorado

Condomínio Horto Florestal
Totalmente financiado pela CEF

1 suíte
Espaço para *closet*
Amplo terraço
Cozinha estilo americano
Gerador de emergência
1 vaga

Entrega em dois anos
30% de entrada.
Saldo em até 120 meses

Personal Place Jardim Nova Campinas
A perfeição está nos detalhes

4 dormitórios, sendo 2 suítes, com *closet*
Sala íntima
Lavabo
5 vagas
Quadra esportiva, piscinas e salão de ginástica
Depósito privativo no subsolo
Sistema de segurança completo
Financiamento pós-chaves
Visite apartamento decorado

b) Os três anúncios de imóveis oferecem

facilidades de pagamento ☐

suíte ☐

depósito privativo ☐

piscinas ☐

mais de uma vaga na garagem ☐

closet ☐

c) Complete o texto, usando o comparativo.

1. (grande) O apartamento do Condomínio Horto Florestal é _______________ o apartamento do Vila Beira-Mar.
2. (numeroso) As vagas na garagem do Personal Place são ___________________ as vagas do Vila Beira-Mar.
3. (bom) As condições de pagamento do Vila Beira-Mar são _________________ as do Horto Florestal.
4. (ampla) Pelo anúncio, a área de lazer do Vila Beira-Mar é _________________ a área de lazer do Personal Place.

Verbos

a) Complete com os verbos *ser, estar, ter, ir ou fazer,* no perfeito.

1. Ontem, eu ____________ à locadora, para assinar o contrato.
2. Você já _____________ no apartamento do Dr. Vieira? É excelente!
3. Nós _____________ uma visita a ele, na semana passada.
4. Eles _____________ a Campinas ontem. Eles ___________ convocados para uma reunião.
5. Eu não ___________ tempo para fazer o relatório, mas vocês ______________.
6. José e Vera ___________ ao churrasco. Nós não _____________ a mesma sorte!

b) Complete com *ter de* ou *acabar de*, conforme o sentido.

1. — Onde está o diretor? — Ele ____________ embarcar.
2. Por lei, os inquilinos não ____________ pagar o IPTU.
3. — Nós não podemos esperar mais. A volta para São Paulo __________ ser hoje.
   — Sinto muito, mas não é possível. O último voo para São Paulo _________ sair!
4. Ronaldo e Rosane ____________ atender um cliente indicado
   pela nossa empresa. Eles __________ comunicar o resultado ao diretor.
5. — Hoje é feriado. Vocês não ____________ trabalhar.
   — Você acha que não? O chefe ___________ telefonar!

Preposições

a) Complete com *por, pelo, pela, pelos* ou *pelas*.

1. Ele vai alugar uma casa em Campinas _______ quatro anos.
2. _________ seus cálculos, o aluguel está razoável.
3. — Você já passou _____ aqui? — Ainda não, mas passei _________ ruas
   do centro, _________ dois viadutos, __________ Elevado Costa e Silva e
   _________ Avenida 23 de Maio.
4. Quanto você quer ___________ sua moto? E __________ seu equipamento de
   som?

b) Complete com *longe de, atrás de, fora de, embaixo de* ou *entre,* conforme o sentido.

1. Jorge mora a 400 km de São Paulo. Sua casa fica _________ Capital.
2. Eles preferem morar em lugar sossegado, ________ centro.
3. ___________ escada há uma boa despensa.
4. A copa fica __________ a cozinha e a sala de jantar.
5. O cofre fica bem __________ quadro de Portinari.
6. Sua vaga na garagem é bem no fundo, _________ entrada.
7. _________ Campinas, nas cidades próximas, também há bons restaurantes.

Unidade 6: Conhecendo a cidade

A VOZ DE CAMPINAS

faixa 32 CD 1

Campinas: com o pé direito no 3º Milênio

Grande centro de tecnologia de ponta, continua atraindo centenas de executivos estrangeiros

OLÍVIO DUMONT

Centro de Campinas - SP (Folha)

Em reportagem da ***Revista Exame***, Campinas apareceu entre as dez melhores cidades do Brasil para fazer negócios. E as previsões para o futuro são as melhores.

Pontos a favor: localização privilegiada, a menos de 100 km de São Paulo; potencial de consumo da ordem de 5,6 bilhões de dólares por ano; farta disponibilidade de mão de obra qualificada; sete centros tecnológicos e três universidades; distrito industrial completo e agricultura altamente mecanizada. Por isso, executivos de diferentes nacionalidades, a maioria de firmas multinacionais, incluíram nossa cidade em seus planos de expansão. E ela não decepcionou. Tem agora o que sempre quis e entra no 3º Milênio com o pé direito. Campinas pôde preservar sua qualidade de vida e sua capacidade empreendedora.

A3 voltando ao texto

a) Certo ou errado?

	Certo	Errado
1. Campinas é a capital do Estado de São Paulo.	☐	☐
2. A localização de Campinas não favorece seu desenvolvimento.	☐	☐
3. Executivos estrangeiros têm interesse em conhecer Campinas.	☐	☐
4. O setor agrícola apresenta alto índice de mecanização.	☐	☐
5. Não se pode prever o futuro de Campinas.	☐	☐

b) Responda.

1. Qual é o potencial de consumo da população de Campinas?

____

Máquinas Agrícolas (Prof. Borsari)

2. Por que Campinas está entre as dez melhores cidades brasileiras, em matéria de negócios?

____

____

3. Na sua opinião, o que pode atrair mais um executivo, em Campinas?

____

____

A4 dialogando

Você sabe onde fica a Prefeitura?

faixa 33 CD 1

(Departamento Jurídico da Telecomsat)

Mário: — O que você disse?

Ronaldo: — Eu disse que precisamos de informações. Você sabe onde fica a Prefeitura?

Mário: — Sei. Vi no mapa. Fica no centro. Não fica longe daqui.

Ronaldo: — E como vamos até lá? A pé? De táxi?

Mário: — Não. De carro. É mais prático. O trajeto é simples e agora é fácil estacionar no centro. Há muitos estacionamentos novos por lá.

Não, não é aqui

(Na Prefeitura)

faixa 34 CD 1

Dr. Ronaldo: — O problema é este. Nossa fábrica fica nos arredores da cidade na Rodovia dos Bandeirantes. Muitos funcionários moram perto e atravessam a rodovia para ir para casa.
É muito, muito perigoso. Perigosíssimo! Um dia alguém vai se machucar.
Ontem quase houve um acidente.
Em conclusão, precisamos pedir a construção de uma passarela sobre a rodovia.

Funcionária da Prefeitura: — Sinto muito, mas aqui não damos esta informação.
Se a fábrica é na zona oeste da cidade, o senhor precisa ir à Regional Oeste, na Rua Paes Leme.

Não sou daqui

faixa 35 CD 1

Mário: — Por favor, o senhor pode me dar uma informação? O senhor sabe onde fica a Rua Paes Leme?

1º transeunte: — Não sei, não. Não sou daqui. Desculpe.

Mário: — Obrigado.

Esta rua é contramão

faixa 36 CD 1

Mário: — Por favor, a Rua Paes Leme fica perto daqui?

2º transeunte: — Fica. Fica bem perto. Mas esta rua aqui é contramão. Não dá para ir por aqui. O senhor precisa dar uma volta. Faça assim: vire a primeira à direita e, depois, a segunda, à esquerda. A Rua Paes Leme é lá.

Mário: — Muito obrigado.

Eu quis, mas não pude

(No Departamento Jurídico)

faixa 37 CD 1

Carmen: — Como foi ontem? O senhor resolveu o problema da passarela?

Dr. Ronaldo: — Eu quis resolver, mas não pude. Não é lá. A gente precisa ir ao Departamento de Estradas de Rodagem. Você sabe onde fica?

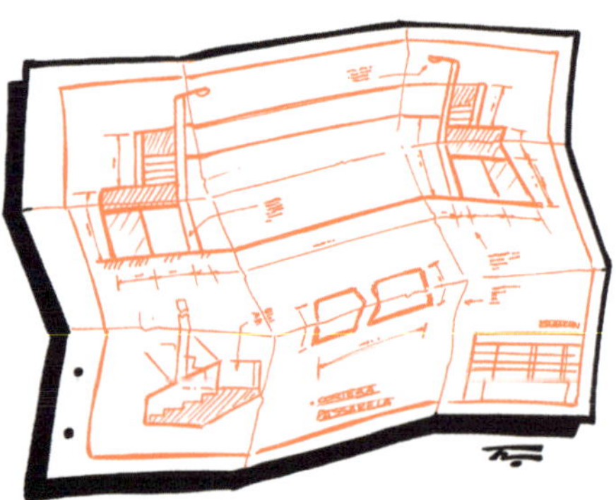

O sinal, o semáforo, o farol
Verde: o sinal está aberto.
Vermelho: o sinal está fechado.
Amarelo: atenção! O farol vai mudar.

Ir buscar os filhos na escola
Levar os filhos à escola
A carona: dar ou pedir carona a alguém.

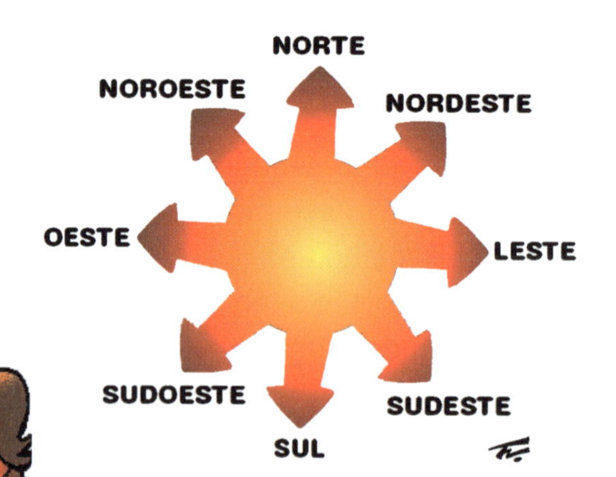

Seguir em frente

Dobrar à esquerda Dobrar à direita

Contramão

Mão Dupla

Proibido Estacionar

À esquerda

Proibido Parar

Proibido estacionar em fila dupla!

O carro vai ser multado. A multa é alta.

O acidente: fazer boletim de ocorrência.

O engarrafamento

O cruzamento

A poluição

B1 estudando a língua

Pretérito Perfeito do Indicativo
haver, dizer, querer, poder

Ontem, quase houve um acidente.

Haver

Houve um acidente.

Houve muitos acidentes.

O que você disse?

Dizer

Eu	disse
Você / Ele / Ela	disse
Nós	dissemos
Vocês / Eles / Elas	disseram

Eu quis, mas não pude.

Ele quis, mas não pôde.

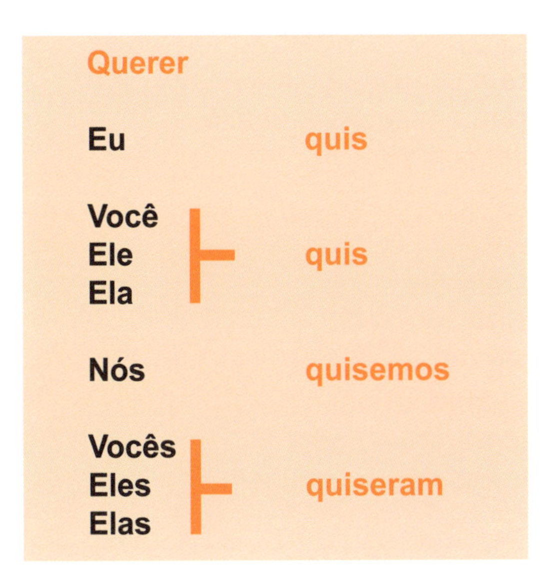

Querer

Eu	quis
Você / Ele / Ela	quis
Nós	quisemos
Vocês / Eles / Elas	quiseram

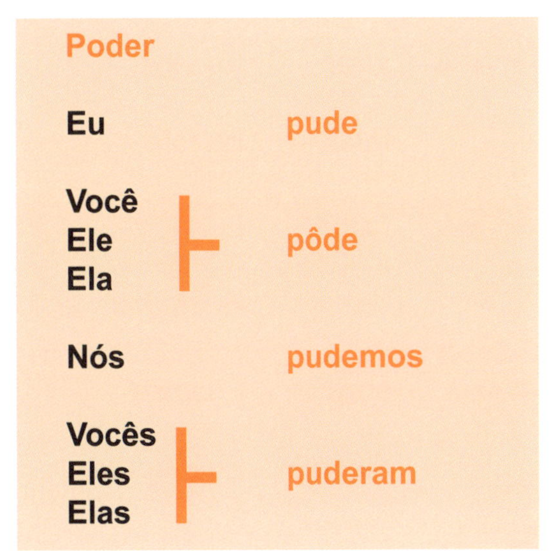

Poder

Eu	pude
Você / Ele / Ela	pôde
Nós	pudemos
Vocês / Eles / Elas	puderam

Presente do Indicativo

Aqui não **damos** esta informação.

Dar	
Eu	dou
Você / Ele / Ela	dá
Nós	damos
Vocês / Eles / Elas	dão

Você **vê** a praça?

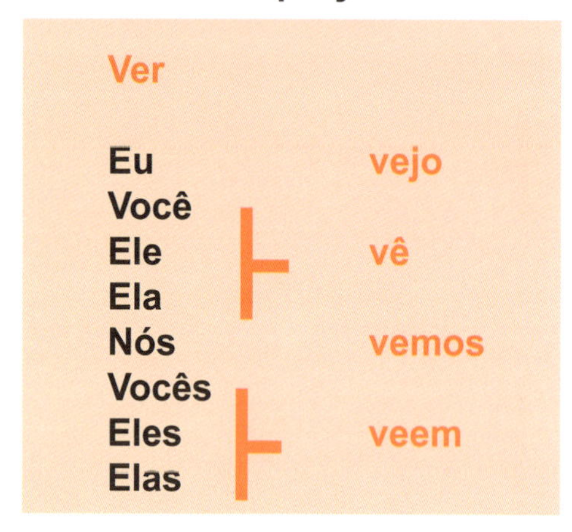

Ver	
Eu	vejo
Você / Ele / Ela	vê
Nós	vemos
Vocês / Eles / Elas	veem

Pretérito Perfeito do Indicativo

A funcionária não **deu** a informação.

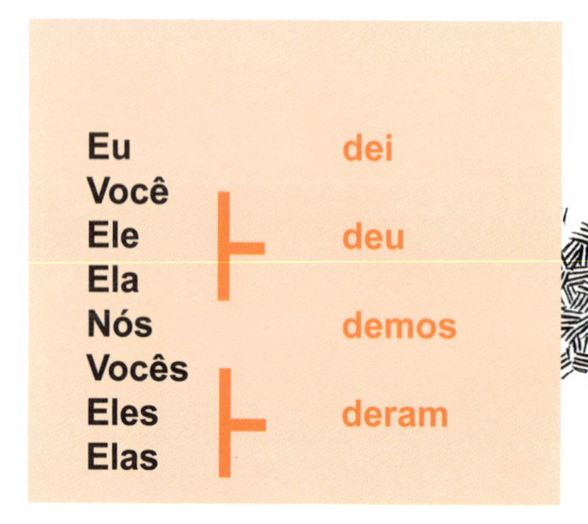

Eu	dei
Você / Ele / Ela	deu
Nós	demos
Vocês / Eles / Elas	deram

Vi no mapa.

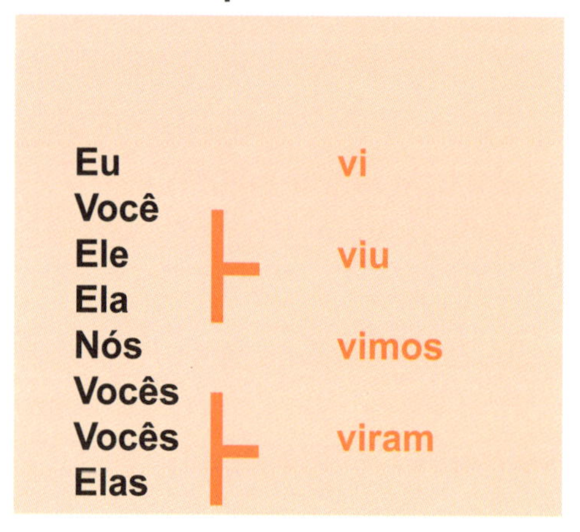

Eu	vi
Você / Ele / Ela	viu
Nós	vimos
Vocês / Vocês / Elas	viram

Formação do Imperativo

-ar → -e	virar	Eu vir~~o~~ _	**Vire** a primeira à direita ... **Virem** a primeira à direita ...
	falar	Eu fal~~o~~ _	**Fale** mais alto! **Falem** mais alto!
-er → -a	fazer	Eu faç~~o~~ _	**Faça** isso! **Façam** isso!
	ter	Eu tenh~~o~~ _	**Tenha** paciência! **Tenham** paciência!
-ir → -a	abrir	Eu abr~~o~~ _	Não **abra** a porta! Não **abram** a porta!
	discutir	Eu discut~~o~~	Não **discutam** comigo!

Imperativo - Exceções

Ser — Seja pontual! Sejam bons amigos!

Estar — Esteja aqui às 10 horas! Estejam no aeroporto às 8!

Ir — Vá agora! Vão já!

Dar — Dê as informações. Não deem nada!

Imperativo - Mudanças ortográficas

Chegar	Eu cheg~~o~~	_	**Chegue** cedo!
Começar	Eu começ~~o~~	_	**Comece** já!
Ficar	Eu fic~~o~~	_	**Fique** aqui!
Descer	Eu desç~~o~~	_	**Desça** agora!
Dirigir	Eu dirij~~o~~	_	**Dirija** com cuidado!
Seguir	Eu sig~~o~~	_	**Siga** em frente.

Superlativo

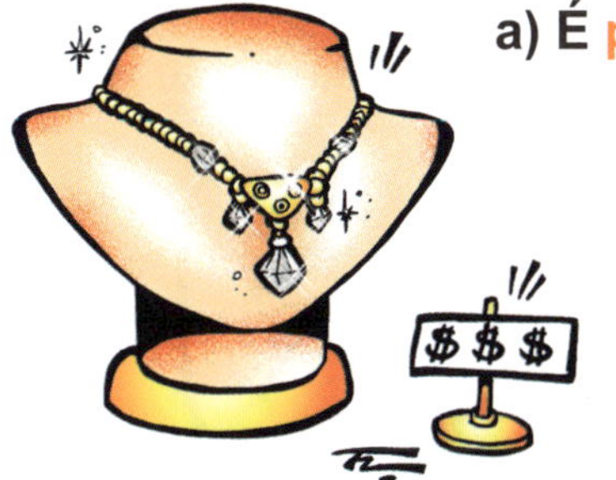

a) **É perigosíssimo!** = **É muito, muito perigoso.**

Caro	**caríssimo**
perto	pertíssimo
alto	altíssimo
calmo	calmíssimo

bom, boa	**ótimo, ótima**
ruim, mau, má	**péssimo, péssima**

— Este hotel é confortável?
— É. É confortabilíssimo.
— E os funcionários? São amáveis?
— São. São amabilíssimos.

ATENÇÃO!

— Este trabalho é fácil?
— É. É facílimo.
— E aquele? É difícil?
— É sim. Aquele é dificílimo.

b) Este é **o** prédio **mais alto da** cidade.
São Paulo é **a maior** cidade **do Brasil.**

o, a mais ... do, da
o, a menos ... do, da

Campinas está entre **as** dez **melhores** cidades **do Brasil** para fazer negócios.

O verão é **a** estação **mais quente do** ano.

grande	**o, a maior ... do, da**
pequeno, (a)	**o, a menor ... do, da**
bom, boa	**o, a melhor ... do, da**
ruim, mau, má	**o, a pior ... do, da**

Masculino - Feminino

a) Substantivos

Campinas continua atraindo centenas de executivos.

Por favor, a senhora pode me dar uma informação?

o executiv**o**	-	a executiv**a**
o senh**or**	-	a senh**ora**
o ingl**ês**	-	a ingl**esa**
o irm**ão**	-	a irm**ã**
o chef**e**	-	a chef**e**
o dentist**a**		a dentist**a**

Palavras masculinas terminadas em -a

Vi no **mapa**.
o map**a**
o di**a**
o gui**a** da cidade
o planet**a**

Palavras masculinas terminadas em -ema, -oma, -grama
O senhor resolveu o **problema** da passarela?
Você enviou o **telegrama**?

-ema	-oma	-grama
o probl**ema**	o idi**oma**	o quilo**grama**
o sist**ema**	o sint**oma**	o pro**grama**
o telefon**ema**	o dipl**oma**	o tele**grama**

b) Adjetivos

um carro novo	uma casa nova
um filme inglês	uma revista inglesa
um diretor empreendedor	uma diretora empreendedora

um chefe competente	uma chefe competente
um rapaz feliz	uma moça feliz
um homem simples	uma vida simples
um trabalho difícil	uma língua difícil
um plano ruim	uma ideia ruim
um filme comum	uma peça comum

bom	boa
mau	má
espanhol	espanhola

Numerais Ordinais

Campinas: com o pé direito no 3º Milênio.
Faça assim: vire a primeira à direita e, depois, a segunda, à esquerda.

1º, 1ª - primeiro, primeira
2º, 2ª - segundo, segunda
3º, 3ª - terceiro, terceira
4º, 4ª - quarto, quarta
5º, 5ª - quinto, quinta
6º, 6ª - sexto, sexta
7º, 7ª - sétimo, sétima
8º, 8ª - oitavo, oitava
9º, 9ª - nono, nona
10º, 10ª - décimo, décima
11º, 11ª - décimo primeiro, décima primeira
....
19º, 19ª - décimo nono, décima nona

20º, 20ª - vigésimo, vigésima
21º, 21ª - vigésimo primeiro vigésima primeira,
....
29º, 29ª - vigésimo nono, vigésima nona
30º, 30ª - trigésimo, trigésima
....
40º, 40ª - quadragésimo, quadragésima
50º, 50ª - quinquagésimo, quinquagésima
60º, 60ª - sexagésimo, sexagésima

70º, 70ª - septuagésimo, septuagésima
80º, 80ª - octogésimo, octogésima
90º, 90ª - nonagésimo, nonagésima
100º, 100ª - centésimo, centésima
1000º, 1000ª - milésimo, milésima
1.000.000º, 1.000.000ª - milionésimo, milionésima

Querer

Eu sempre quis conhecer o Bosque dos Jequitibás, em Campinas.

1. Eles sempre __________ conhecer as cidades históricas do Brasil.
2. Nós __________ mudar para o centro, mas vocês não ____________.
3. Ela não _________ ir ao aeroporto, mas eu ____________ .
4. Por que você não ________ tomar o trem? A viagem foi muito confortável.
5. Da prefeitura ao correio, é muito perto. Por isso, elas não_______ ir de carro.

Querer/Poder

Eles quiseram viajar de avião, mas não puderam. Chegaram atrasados.

1. Eu __________, mas não ___________ chegar na hora.
2. Vocês não __________ ou não _________ ir à delegacia, ontem?
3. Nós ____________ ir ao teatro ontem à noite, mas não ___________. Saímos tarde do escritório.
4. Ela __________ descer de elevador, mas não _______. Faltou luz.
5. Eles __________ chegar na hora, mas não ____________. Ficaram presos no trânsito.

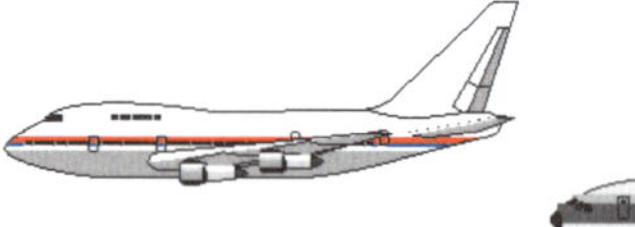
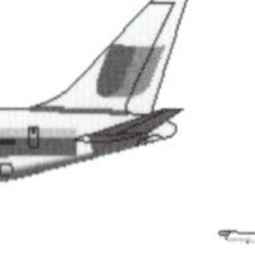

Dizer

— O que você disse? — Eu? Eu não disse nada.

1. — O que ele ________? — Nada!
2. Afinal, eles ___________ ou não ____________ isso?
3. — Você ___________ alguma coisa? — Sim. Eu __________ que está muito quente.
4. — Onde ela foi? — Ela não ___________ .
5. Eles nos apoiaram porque nós ____________ a verdade.

Haver

Ontem, no cinema, não houve fila para entrar.

Fenasoft Pavilhão de Exposições do Anhembi São Paulo - SP (Folha)

1. Em nossa firma, não ___________ expediente ontem.
2. Na reunião, _________ muita discussão. Mas ____________ também boas sugestões.
3. ____________ uma festa animadíssima no sábado.
4. Depois da festa,_________ muitas reclamações dos vizinhos.
5. ________ muitas encomendas de nossos produtos.
6. À tarde, ________um assalto a um banco, mas o ladrão escapou.

Dar

a) Passe para o pretérito perfeito.

1. O turismo da região **dá** lucro.

   ____

2. Os ônibus **dão** muitas voltas antes de chegar lá.

   ____

3. Nós **damos** ordens, mas ninguém **obedece**.

   ____

4. Eu **dou** o que **posso**.

   ____

5. Vocês não **dão** tudo o que **prometem**!

   ____

b) Passe para o presente.

1. Os jogadores **deram** muita dor de cabeça ao treinador.

   ____

2. Você **deu** férias à sua secretária?

   ____

3. Hoje, nós não **demos** aula.

   ____

4. Eu **dei** uma olhada no relatório.

   ____

5. O consultor **deu** boas sugestões para melhorar a produção.

   ____

Ver

Farol - PE / (EMPETUR)

a) Passe para o pretérito perfeito.

1. Eles **veem** com otimismo a mudança para o centro.

____

2. Você só **vê** o que **quer**!

____

3. Eu não **vejo** nenhum problema.

____

4. Da nossa sala, nós **vemos** o prédio da Prefeitura.

____

5. Ela **vê** os clientes na quarta-feira.

____

Palácio Marechal Floriano Peixoto - AL / (SECON)

b) Passe para o presente.

1. Eles não **viram** os anúncios de casas, só de apartamentos.

____

2. Vocês **viram** o diretor? Não, não **vimos**.

____

3. Eu **vi** todos os espetáculos do Teatro Municipal.

____

4. Do lugar dele, ele não **viu** nada!

____

5. Ela **viu** tudo com tranquilidade.

____

Imperativo

Complete.

1. (trabalhar - vocês) ______________ mais!
2. (mandar - você) ____________ um *e-mail* para ele!
3. (comer - você) ____________ tudo!
4. (beber - vocês) Não ____________ ! Vocês vão dirigir.
5. (discutir - você) Não ____________ comigo!
6. (insistir - vocês) Por favor, não ____________ !
7. (dizer - você) Por favor, não ____________ nada!
8. (fazer - você) Por favor, ____________ uma lista de compras para mim.
9. (ver - vocês) Por favor, ____________ o que eu fiz!
10. (dar - você) Por favor, ________ uma olhada no meu trabalho!

a) Diga de outro modo.

1. Este carro é muito, muito moderno.

2. Não entendo. Este restaurante é muito, muito caro, mas está sempre cheio, cheio.

3. Comprei uma casa muito, muito boa.

4. Não vou sair hoje. O tempo está muito, muito ruim.

5. Às 6 horas da tarde, o trânsito é muito, muito complicado.
   Às 6 da manhã, é rápido, rápido.

6. Temos um chefe muito, muito competente.

Marginal Tietê/SP/(Folha)

b) Faça frases, seguindo o exemplo dado.

Nova York - importante - Estados Unidos
Nova York é a cidade mais importante dos Estados Unidos.

1. inverno (estação) - frio - ano

2. fevereiro (mês) - curto - ano

3. Bill Gates (homem) - rico - mundo

4. Amazonas (estado) - grande - Brasil

____

____

5. Paris (cidade) - bonito - França

____

____

6. Inglês (língua) - falado - mundo

____

____

7. Esta - (rua) - movimentado - cidade

____

____

8. Esta - (loja) - pequeno - *shopping center*

____

____

9. Esta cidade - trânsito - mau - mundo

____

____

10. Hoje - (dia) - bom - minha vida!

____

____

Av. 23 de maio - São Paulo - SP - Congestionamento - (Bernardes)

Masculino - feminino

a) Complete com um, uma mais adjetivos.

1. ________ dia __________
2. ________ casa ___________
3. _______ professora __________
4. _______ mapa ____________
5. _______certificado __________
6. _______ lua __________
7. _______ esquema _________

importante
confortável
comprido
completo
branco
simples
interessante

b) Complete com este, esta, estes, estas mais adjetivos.

1. _______ escola ____________
2. _______ fotos _____________
3. _______ guia ____________
4. _______ idioma __________
5. _______ empresas ____________
6. _______ cidades _____________
7. _______ sofá ____________

difícil
alemão
bonito
bom
nacional
velho
novo

c) Complete com seu, sua, seus, suas mais adjetivos.

1. _______ problema ___________
2. _______ professoras ____________
3. _______ programa _____________
4. _______ história __________
5. _______ ideias ____________
6. _______ amigas ____________
7. _______ roupas ____________

antigo
favorito
inglês
ruim
diferente
espanhol
bom

Numerais Ordinais

Escreva por extenso.

1. A 1ª semana do mês *A primeira semana do mês.*
2. O 5º dia útil ______________________________
3. O 31º andar do hotel ______________________________
4. A 24ª hora ______________________________
5. Repetindo pela 100ª vez ______________________________
6. O 1000º gol de Pelé ______________________________
7. O 14º Congresso de Vendas ______________________________

C1 trocando ideias

Muitas empresas, nacionais e multinacionais, escolheram cidades longe das grandes capitais para suas fábricas.
Motivos? Muitos: acesso mais fácil para as fábricas e escritórios, com transporte mais rápido e consequente economia de tempo aos funcionários, melhor qualidade de vida e custos mais baixos. Mas, ficar longe da capital não é a única condição.
A cidade tem de possuir alguns itens indispensáveis. Ela deve ter não só bairros residenciais com toda a infraestrutura moderna, mas também uma boa rede de hotéis, restaurantes e serviços informatizados. Ela deve oferecer mão de obra qualificada e especializada. Para isso, ela deve possuir ensino de base e universitário de alto nível.

Você conhece Campinas?
Você conhece outras cidades do Brasil com as mesmas qualidades de Campinas?
Você está de acordo com as ideias do texto acima? Por quê?

Em seu país, existem muitos centros industriais fora das grandes capitais?
Considere o texto acima. Para uma cidade ser um grande centro industrial, você vê outras necessidades?
Você prefere trabalhar em um grande centro ou em uma cidade mais tranquila?

No seu país, o que as pessoas consideram um grande centro?

Caderno de Serviços

faixa 38 CD 1

(informe publicitário)

Os passos certos para uma boa mudança

Você vai se mudar? Cuidado! Mudanças trazem problemas.

Você está saindo de um *flat* para um apartamento ou para uma casa como residência definitiva? Use a cabeça! Não faça nada sem pensar direito. É o que nós lhe propomos.

Em primeiro lugar, contrate uma boa empresa. Depois, selecione o que você vai levar para a casa nova. Assim, você vai saber pôr cada coisa em seu lugar.

Não leve objetos ou móveis inúteis. Inutilidades só atrapalham. Nem você, nem os funcionários da mudança vão saber o que fazer com elas.

O maior trabalho acontece na véspera.

Mas, pelo menos, você entra na nova residência com mais tranquilidade.

a) Responda.

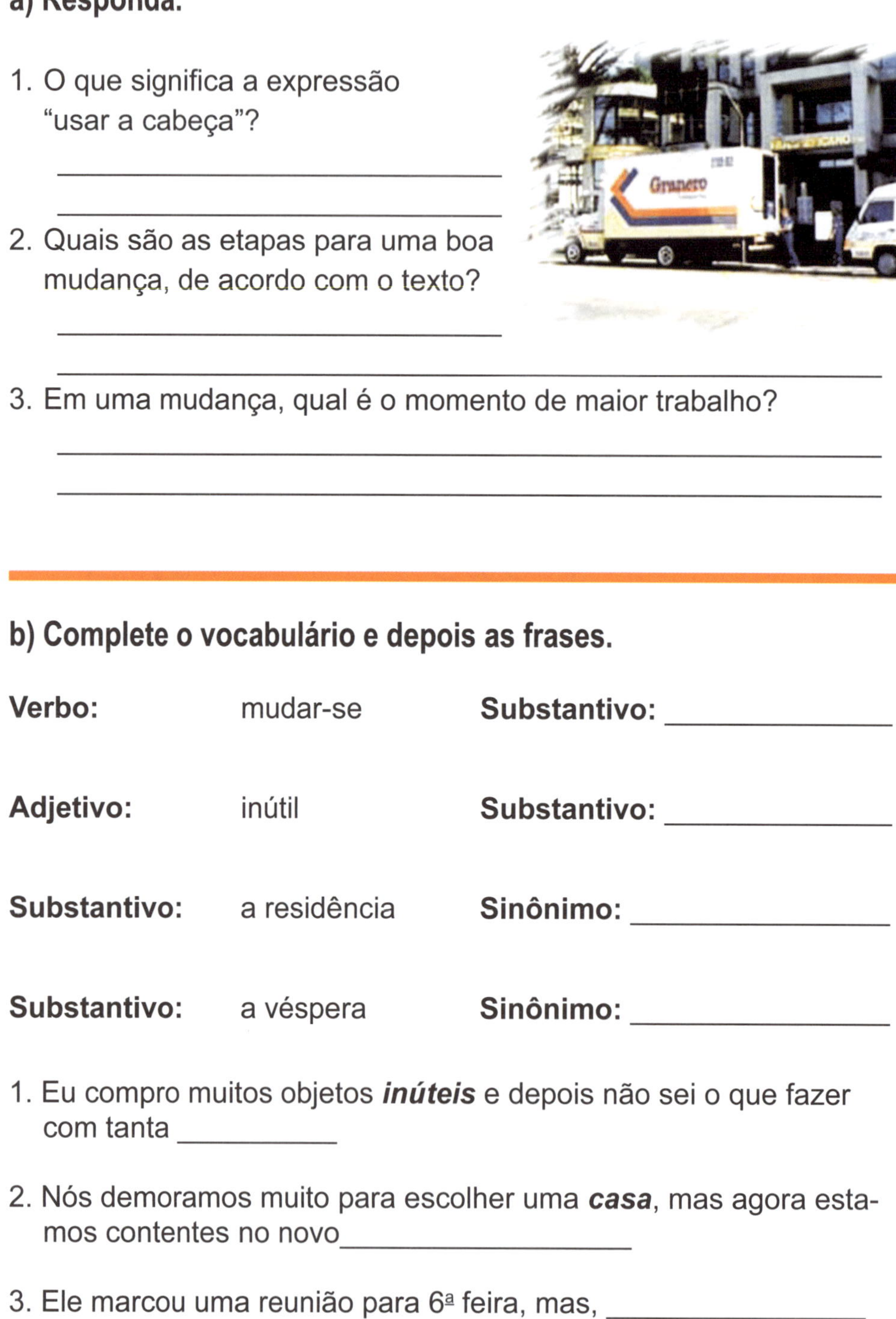

1. O que significa a expressão "usar a cabeça"?

____

____

2. Quais são as etapas para uma boa mudança, de acordo com o texto?

____

____

3. Em uma mudança, qual é o momento de maior trabalho?

____

____

b) Complete o vocabulário e depois as frases.

Verbo: mudar-se **Substantivo:** ______________

Adjetivo: inútil **Substantivo:** ______________

Substantivo: a residência **Sinônimo:** ________________

Substantivo: a véspera **Sinônimo:** ________________

1. Eu compro muitos objetos ***inúteis*** e depois não sei o que fazer com tanta __________

2. Nós demoramos muito para escolher uma ***casa***, mas agora estamos contentes no novo__________________

3. Ele marcou uma reunião para 6ª feira, mas, ________________ mudou de ideia.

4. O dia da______________ foi muito confuso.

Um dia antes da mudança para a casa nova

Uma amiga: — Está tudo preparado para a mudança?

faixa 39 CD 1

Mônica: — Acho que sim. Quando viemos para o Brasil, trouxemos pouca coisa conosco. Só umas coisinhas. Tudo o que trouxemos está aqui, no flat. Vamos levar tudo para nossa casa nova. Roupas, brinquedos, alguns livros ...
O contêiner com nossas coisas do Canadá vai chegar amanhã e vai direto para nossa casa. Alguns móveis, tapetes, louças, quadros, espelhos, estantes ... Também fiz algumas compras aqui. Cortinas, mobília de jardim, uma mesa e cadeiras para a copa. Para a cozinha, geladeira e forno de micro-ondas. A loja vai entregá-las na 6ª feira.

Uma amiga: — Você tem a fatura das compras?

Mônica: — Tenho. Está tudo relacionado.

Uma amiga: — É, parece que está tudo em ordem. Vai ser uma mudança fácil.

No *flat*, no dia da mudança

faixa 40 CD 1

Robert: — Mônica, onde está meu barbeador? Onde você o pôs?

Mônica: — Não tenho ideia. Por que você não o guardou com suas coisas? Aqui, só estão o pente e a escova.

Robert: — Pelo amor de Deus, Mônica! Preciso sair. Estou atrasado. Não posso sair assim, sem fazer a barba!

Mônica: — Eu sei que você está atrasado. Mas você deixou a torneira aberta!

No dia seguinte, na casa nova

faixa 41 CD 1

Mônica: — Que loucura! Acordamos bem cedo, mas saiu tudo errado! O contêiner não veio. Os carregadores ficaram esperando. Fui à empresa reclamar, mas não adiantou. Para eles, é só um probleminha.
Disseram que vai chegar no mês que vem. O homem do carpete não apareceu. A faxineira foi embora, porque era muito trabalho para ela. Ainda não encontrei uma empregada. Ninguém quer dormir no emprego.

A amiga: — Caaaalma!

Mônica: — Como "calma!"?! A geladeira está vazia, não tive tempo de ir ao supermercado. Nem à padaria, imagine! No quarto, só temos a cama e o colchão. Não temos travesseiros. E hoje à tarde tenho uma reunião com os professores das crianças, mas ainda não li o regulamento da escola, da Associação de Pais e Mestres. À noite, preciso ir a um jantar com Robert. Você sabe onde há um cabeleireiro por aqui? E barbeiro?

A5 ampliando o vocabulário

O centro - A periferia
A favela

O bairro
- residencial
- comercial
- industrial

Onde há	uma igreja?	uma oficina mecânica?	um bar?
	uma livraria?	uma lavanderia?	um mercado?
	um museu?	uma locadora de vídeo?	uma feira?
	uma papelaria?	uma estação de metrô?	uma casa de *shows*?
	uma banca de jornais?	uma danceteria?	um açougue?

Onde fica o Jardim Zoológico?
Onde fica o Teatro?
Onde fica a Delegacia de Polícia?

FORMAS

a) Relacione a palavra com a figura:

[ ] (quadrado)
[ ] (círculo)
[ ] (retângulo)
[ ] (oval)
[ ] (triângulo)

1. triangular
2. redondo
3. oval
4. quadrado
5. retangular

b) Dê a forma:

lua cheia ________________
tabuleiro de xadrez ________________
uma face de pirâmide ________________
ovo de Páscoa ________________
mesa de 2,00 m × 0,80 m________________

Presente do Indicativo | Pretérito Perfeito do Indicativo

Trazer

Mudanças **trazem** problemas.

Trazer	
Eu	trago
Você / Ele / Ela	traz
Nós	trazemos
Vocês / Eles / Elas	trazem

Trouxemos pouca coisa conosco.

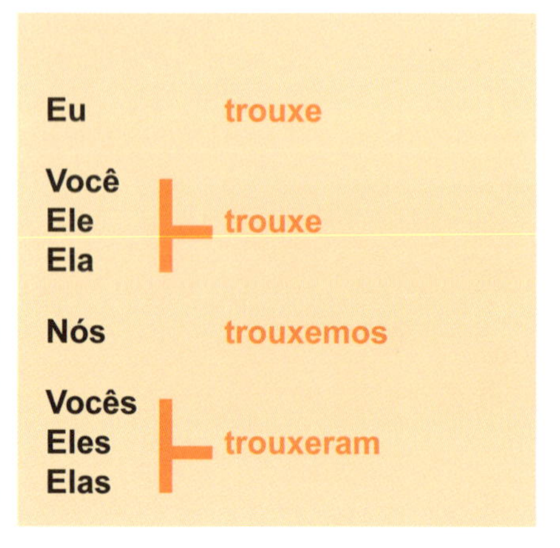

Eu	trouxe
Você / Ele / Ela	trouxe
Nós	trouxemos
Vocês / Eles / Elas	trouxeram

Ler

Ela **lê** o texto.

Ler	
Eu	leio
Você / Ele / Ela	lê
Nós	lemos
Vocês / Eles / Elas	leem

Ainda não **li** o regulamento da escola.

Eu	li
Você / Ele / Ela	leu
Nós	lemos
Vocês / Eles / Elas	leram

Vir

A faxineira não **vem** aos domingos.

Vir	
Eu	venho
Você / Ele / Ela	vem
Nós	vimos
Vocês / Eles / Ela	vêm

O contêiner não **veio.**

Eu	vim
Você / Ele / Ela	veio
Nós	viemos
Vocês / Eles / Ela	vieram

Presente do Indicativo | Pretérito Perfeito do Indicativo

Sair

Robert não **sai** sem fazer a barba.

Sair	
Eu	saio
Você / Ele / Ela	sai
Nós	saímos
Vocês / Eles / Elas	saem

Saiu tudo errado!

Eu	saí
Você / Ele / Ela	saiu
Nós	saímos
Vocês / Eles / Elas	saíram

Pôr

Você sabe onde **põe** cada coisa.

Pôr	
Eu	ponho
Você / Ele / Ela	põe
Nós	pomos
Vocês / Eles / Elas	põem

Mônica, onde você **pôs** o barbeador?

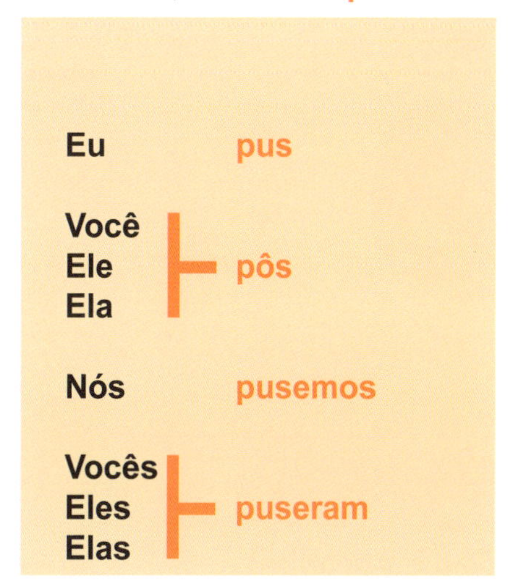

Eu	pus
Você / Ele / Ela	pôs
Nós	pusemos
Vocês / Eles / Elas	puseram

Atenção:
Nós lhe **propomos** um bom negócio.

Como **pôr: Propor/repor/supor**

Ir e Vir/Levar e Trazer

— Marcos, por favor, você pode **ir** ao banco e **levar** estes documentos para o gerente?
— Claro.

• Dona Odete, seu filho **veio** aqui ontem e **trouxe** os documentos para mim. Está tudo em ordem.

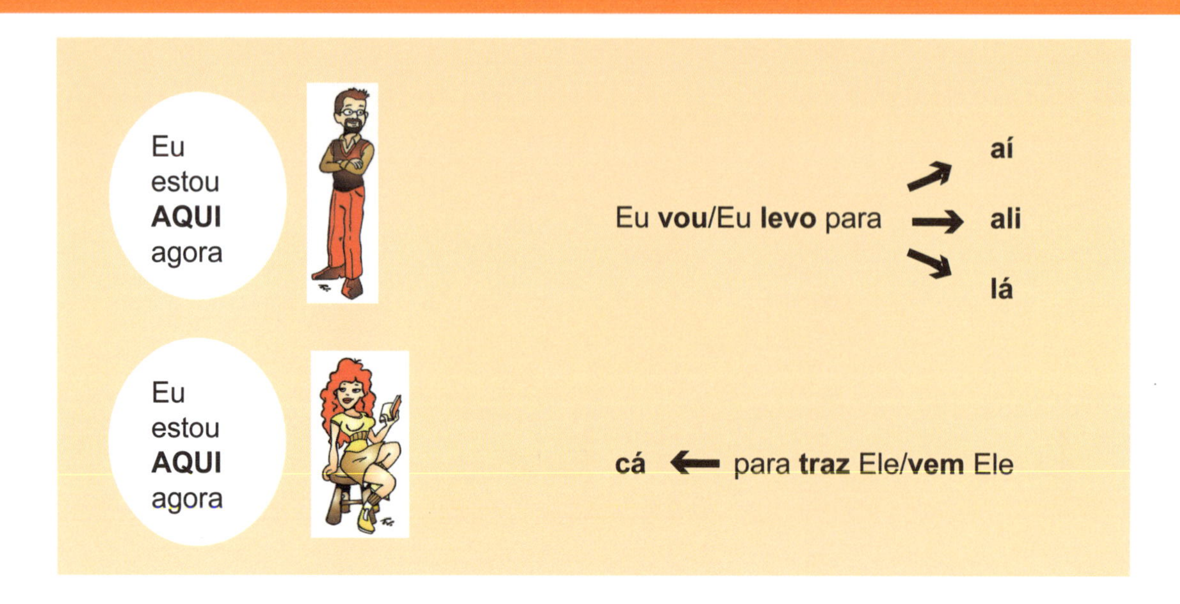

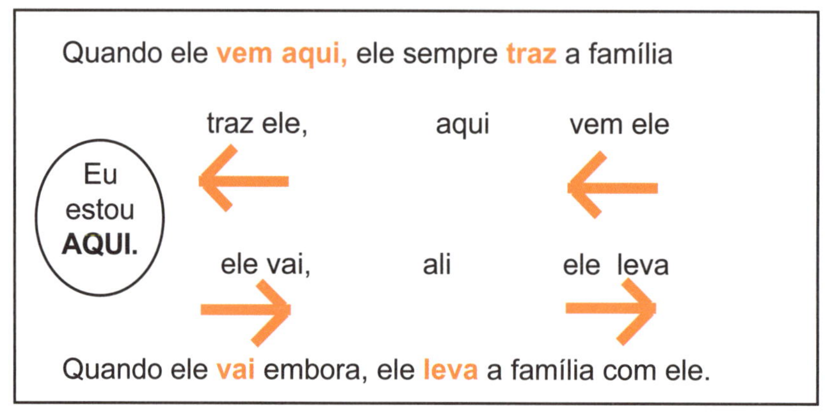

Toda 6ª feira eu encomendo *pizza*.
O entregador **traz** a *pizza* e **leva** o cheque.

Pronomes pessoais: o(s), a(s), lo(s), la(s)

Onde você pôs **o barbeador**? ou Onde você **o** pôs?

A loja vai entregar **os móveis** na 6ª feira. ou A loja vai entregá-**los** na 6ª feira.

Nestas frases, os pronomes **o**, **los** substituem os substantivos **barbeador** e **móveis**.

Ele contratou a empresa.	Ele **a** contratou.
Nós ajudamos os amigos.	Nós **os** ajudamos.

Quero compr**ar** a casa.	Quero compr**á-la**.
Vamos v**er** o filme.	Vamos v**ê-lo**.
Não posso abr**ir** as janelas.	Não posso abr**i-las**.

Trouxemos só umas **coisinhas.**
Para eles, é só um **probleminha.**

Em geral, a terminação do diminutivo é -inho, -inha:

coisa	coisinha
problema	probleminha
livro	livrinho
amiga	amiguinha

Usa-se a terminação -zinho, -zinha, nos seguintes casos:

1. palavras terminadas em sílaba tônica

café	cafezinho
mulher	mulherzinha
papel	papelzinho
sofá	sofazinho

2. palavras terminadas em duas vogais

rua	ruazinha
pai	paizinho
rei	reizinho
boa	boazinha

3. palavras terminadas em som nasal

irmã	irmãzinha
irmão	irmãozinho
bom	bonzinho
fim	finzinho

O diminutivo é muito usado em português. Ele indica:

1. **objetos pequenos:** papelzinho, salinha
2. **carinho:** Ela é muito boazinha.
3. **ênfase:** Ela fez tudo certinho. Só um pouquinho!
4. **desprezo:** Que firminha desorganizada!
5. **Muitas vezes, não há uma explicação lógica para o uso do diminutivo. É um uso típico da língua:**
   Tchauzinho! Até loguinho!

Expressões de tempo

ontem	**um dia antes** **na véspera** **no dia anterior**
hoje	**neste dia** **nesta noite**
amanhã	**no dia seguinte** **um dia depois**

Um dia antes de mudar para a casa nova, tudo já estava preparado.

O contêiner vai chegar **amanhã.**

No dia seguinte, na casa nova, Mônica estava nervosa.

Ler

a) Passe para o pretérito perfeito.

1. Mônica lê o regulamento da escola.

____

2. As crianças leem histórias em quadrinhos.

____

3. Eu leio o jornal todos os dias.

____

4. Nós sempre lemos os anúncios dos jornais.

____

5. Você sempre lê em voz alta?

____

b) Passe para o presente do indicativo.

1. Vocês leram a seção de esportes?

____

2. Lemos, lemos e não entendemos nada!

____

3. Eu não li a correspondência.

____

4. Robert sempre leu muito.

____

5. Nosso chefe não leu o relatório.

____

Pôr

Complete as frases, com o tempo adequado do verbo.

1. No dia da festa, ela __________ seu melhor vestido.
2. Onde vocês ______________ os jornais de ontem?
3. Você nunca ___________ nada no lugar!
4. Eu não sei onde eu __________ aquele contrato.
5. Ele não ____________ a mão no fogo por ninguém!
6. Nós nunca __________ nosso carro neste estacionamento. Não há segurança.
7. Quando quero vender alguma coisa, _________ anúncio no jornal.
8. Onde vocês _________ as joias? Nós ___________ no cofre.

Sair

Complete as frases, com o tempo adequado do verbo.

1. Eles ____________ cedo todos os dias.
2. Quando o diretor __________, todos ___________ atrás.
3. Assim que eles chegaram, nós _____________________ .
4. Eu não __________ do escritório antes das 8 horas da noite.
5. Ontem, vocês __________ mais cedo? Quando eu _______, não vi ninguém.
6. Ela nunca ________ de casa. Quando _________, sempre acontece alguma coisa.
7. Renata não __________ até agora. Ela está atrasada!
8. Vocês ___________ sempre com as crianças? – Nem sempre.
   Muitas vezes, ___________ sozinhos.

Ir e Vir/Levar e Trazer

a) Ir ou vir?

1. Ele __________ aqui quando tem tempo.
2. Ontem, você __________ à festa de Paulo, lá no clube?
3. Vocês não podem __________ à casa dele sem telefonar.
4. Todo mundo _________ aqui aos sábados.

5. Desculpe, Flora, mas eu não posso ________ aí hoje.
6. Na semana passada, nós __________ lá na 2ª e na 4ª, e eles __________ aqui na 5ª feira.

b) Levar ou trazer?

1. Eu vou estar aí às 4 e vou ___________ alguns amigos.
2. Eu vim ontem aqui e ___________ boas notícias.
3. Ninguém mais quer cafezinho? Então vou __________ as xícaras para a cozinha.
4. Quando os estrangeiros vêm aqui para o Brasil, geralmente _________ seus móveis. Quando voltam para seus países, ___________ muitos objetos brasileiros na bagagem.
5. De manhã, quando ele vai para o escritório, ele ___________ só sua pasta. À noite, quando volta aqui para casa, ele ___________ o jornal.
6. Garçom, por favor, ___________ mais um guaraná.

c) Ir ou vir? Levar ou trazer?

1. Eu _________ meu amigo para cá, porque aqui podemos conversar.
2. A reunião vai ser lá na sala do diretor. Preciso __________ meu *notebook* para lá.
3. Eu _________ aqui amanhã e __________ meus amigos.
4. Ele ________ lá ontem e _________ sua esposa.
5. No ano passado, quando eu ________ para cá, eu _________ pouca bagagem.

d) Ao telefone

— Joana, a festa aqui em casa vai ser amanhã.
Você pode ________ uma salada?

— Claro! Eu posso __________ também as bebidas.

— Obrigada, Joana, mas André vai __________ as bebidas.

a) Dê o diminutivo das palavras abaixo.

1. jardim - ________________
2. hotel - ________________
3. quarto - ________________
4. avião - ________________
5. trem - ________________
6. perto - ________________
7. novo - ________________
8. chefe - ________________
9. diretor - ________________
10. secretária - ________________
11. curto - ________________
12. hora - ________________
13. chá - ________________
14. jantar - ________________
15. jornal - ________________
16. ideia - ________________
17. dia - ________________
18. boi - ________________
19. João - ________________
20. Luísa - ________________

b) Passe para o diminutivo e indique seu sentido. (objeto pequeno, carinho, ênfase, desprezo ou uso típico da língua)

1. Vou puxar a ***mesa*** e a ***cadeira*** para cá.

   ____

2. Este ***sofá*** é muito confortável. Gosto muito dele.

   ____

3. Só temos problemas. Que ***ano*** difícil!

   ____

4. A casa dela fica numa ***rua*** tranquila, perto de um ***parque***. A casa é bem ***nova***.

   ____

5. Ele pagou tudo! ***Tudo***!

   ____

6. Que ***contrato***! Assim não dá para assinar.

   ____

7. O assunto é urgente. Vamos achar uma solução ***rápido***.

   ____

8. Que ***sol*** gostoso!

   ____

C1 trocando ideias

Mudar de residência não é fácil, principalmente se você sai de uma casa grande e vai para uma casa ou um apartamento menor. Mesmo quando o novo lar é confortável, temos problemas. Sempre levamos coisas inúteis e depois não sabemos onde pô-las. Muitas vezes, não sabemos o que fazer com certos móveis, mas não temos coragem de dá-los ou jogá-los fora.
Se você vem, então, de outro país, a situação pode ser pior ainda. Você traz tudo o que tem ou não traz nada? Como resolver este problema? Além dos problemas de mudança, você tem de tomar outras providências. Quais?

Hoje em dia, existem muitos móveis do tipo "descartável". Explique por quê.

Hoje as indústrias fabricam móveis menores que os móveis de antigamente. Por quê?

C2 chegando lá

Você já se mudou muitas vezes? Em seu próprio país ou para outro país? Mudar de residência, para você, é fácil ou complicado? E para sua família? Por quê?

Que tipo de móvel ou objeto você sempre leva, quando se muda? O que você não leva?

Além da mudança, que outras providências você tem de tomar no seu país?

A VOZ DE CAMPINAS

faixa 42 CD 1

Entrevista

TELECOMSAT investe na qualidade de vida de seus funcionários

Empresa adota estratégia para estimular a criatividade de seus executivos. É o que nos revela o Diretor de RH

A Voz de Campinas - Por que a Telecomsat está desenvolvendo um programa especial na área de saúde?

Diretor de RH - A instalação de nossa fábrica, aqui em Campinas, exigiu um trabalho muito intenso de nossos quadros de chefia. Após alguns meses, muitos funcionários apresentavam queda de produtividade. Investigando as causas, verificamos que não lhes sobrava tempo para o descanso e lazer. Estavam simplesmente estressados! Resolvemos, então, pedir a colaboração de um consultor nessa área.

A Voz de Campinas - Quem os senhores chamaram?

Diretor de RH - Chamamos Domenico de Masi, consultor de várias empresas como Fiat, IBM, Pirelli. Concordamos com ele que a criatividade é hoje o principal capital de países e de empresas que buscam uma boa realização. Mas, para ter boas ideias, as pessoas precisam de horas de relaxamento e de divertimento. A receita é simples. O importante é alternar, no dia a dia, atividades de trabalho, de divertimento e de relaxamento físico. Montamos um programa na empresa, nesse sentido. E os resultados já estão aparecendo. Nossos executivos, que ficavam muitas vezes tensos e cansados, estão hoje, enfim, mais tranquilos e alegres, produzindo mais.

A3 voltando ao texto

a) Responda.

1. Como foi o trabalho de instalação da fábrica, em Campinas?

___

2. Qual a causa da queda de produtividade dos funcionários?

___

3. De acordo com o texto, qual é, hoje, o principal capital de países e empresas que buscam bons resultados?

___

4. O lazer é importante para as pessoas que trabalham? Qual é a sua opinião?

___

___

b) Escolha, no texto, as palavras ou expressões que correspondem às seguintes ideias.

1. diretores e coordenadores: ___

2. menor rendimento: ___

3. muito cansado, perturbado: ___

4. ação organizada com o objetivo de obter resultados favoráveis:

___

A4 dialogando

Na loja

faixa 43 CD 1

Mônica: — Eu queria ver uma bela camisa de algodão e uma gravata de seda. É para meu marido.

Vendedor: — Qual é o tamanho dele? Ele usa que número?

Mônica: — Não sei muito bem. Pode ser número dois ou três. Ele é alto, mas não é gordo. Ele não tem barriga, mas tem costas e ombros largos.

Vendedor: — Se ele tem também pescoço um pouco grosso, o número deve ser três. O único problema vão ser os braços. Mas vou lhe mostrar o que temos na loja. O azul é bonito para loiros. O amarelinho fica bem para os morenos. A cor da gravata vai depender da cor da camisa.

Mais tarde, com uma amiga

Mônica: — Hoje de manhã, fui a uma loja comprar uma camisa para Robert. É seu aniversário e quero lhe dar um presente útil. No Canadá, eu sempre lhe comprava toda a roupa. Ele nunca discutia. Eu conhecia as lojas e sabia onde encontrar o que queria. Aqui é mais difícil. Eu ia lhe pedir para sair comigo. Telefonei, você não estava em casa.

Marta: — Fui ao médico. Estava com muita dor de garganta e com um pouco de febre. Mas não era nada grave. Eu estava fechando a porta, quando o telefone tocou.

Quinta-feira, à noite

faixa 45 CD 1

Mônica: — Para onde vamos no próximo feriado?

Robert: — À praia. Preciso tomar sol, fazer um pouco de exercício: andar à beira-mar, nadar ... O Andrade nos convidou para ir com eles.

Mônica: — Tomar sol? Fazer exercício? Cuidado! Você sempre exagera. Toda vez que você faz isso, fica vermelho e com dor no corpo todo.

Robert: — Não se preocupe. Vou me proteger. Você não comprou um protetor solar?

Sexta-feira, à noite

Marta: — Que lindo jantar você nos preparou! Que belo aniversário! Estou fazendo regime, mas hoje vou comer de tudo: pão, manteiga, massas, doces e vou tomar vinho.

Mônica: — O Robert disse a mesma coisa. Hoje, vai esquecer a dieta. Ele não quer saber se o seu colesterol está alto ou não, se sua pressão está alta ou baixa, como vai seu coração. Eu não me preocupo com isso. Ele tem consulta marcada numa clínica para a próxima quarta-feira. Nós já temos convênio médico feito pela firma.

Na volta dos feriados

Robert: — Ai, que dor nas costas! Mônica, você não tem uma pomada?

Mônica: — Tenho. Mas antes vou enxugar suas costas. Você está transpirando muito.

Convênio médico-hospitalar

BRADESCO SEGUROS

São Paulo, 14 de março de 2002.
FP/CO - 187/02

À
E.P.U. - Editora Pedagógica e Universitária Ltda.

Ref.: SAÚDE BRADESCO - PLANO SPG

Prezados Senhores

Dando continuidade aos nossos entendimentos, apresentamos a seguir o nosso "Plano Saúde Empresa SPG".

O Seguro Saúde - Plano Empresa SPG é um plano que visa garantir, de acordo com as condições e limites estabelecidos no contrato do seguro, o reembolso das despesas médico-hospitalares efetuadas pelo Segurado e seus dependentes com tratamentos decorrentes de doenças ou acidente pessoal.

O Segurado tem total liberdade para escolher médicos, hospitais, clínicas e laboratórios de sua preferência, no Brasil ou no exterior, e a seguradora efetuará o devido reembolso das despesas cobertas, observando os limites do plano contratado. Além disso, a Bradesco Seguros criou um serviço de Lista de Referência de médicos das mais variadas especialidades, Hospitais, Laboratórios e Clínicas, visando orientar seus Segurados e garantir rápido atendimento aos eventos previstos nas Condições Gerais do Seguro.

Sempre que o Segurado, por sua livre vontade, optar pela utilização dos serviços referenciados, vai usufruir a vantagem de não arcar com o ônus das despesas havidas ficando a cargo da Seguradora o pagamento direto aos Médicos e às instituições prestadoras

adolescente

velho, idoso

adulto

criança

fino e comprido, longo

grosso e curto

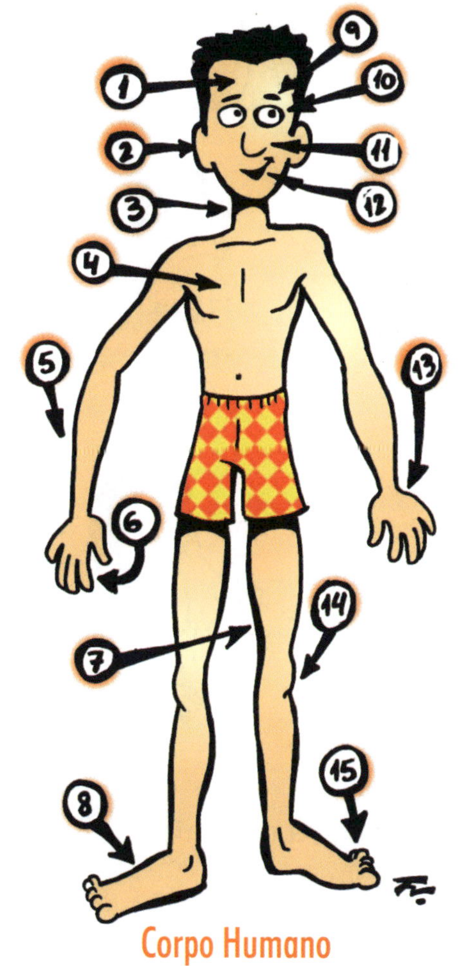

grande

pequeno

Corpo Humano

1. testa
2. orelha
3. pescoço
4. peito
5. braço
6. dedos da mão
7. pernas
8. pés
9. sobrancelhas
10. olhos
11. nariz
12. boca
13. mão
14. joelho
15. dedos do pé

Estar com dor ...

Estar com dor de cabeça
estômago, barriga
garganta
ouvido
dente

Estar com dor (em) nas costas
no peito
nas pernas
nos pés

Estar com febre
pressão alta/baixa
colesterol alto
gripe
resfriado
tosse

estar	gripado
	resfriado
	rouco
	doente

a farmácia, a drogaria
o remédio
o medicamento

tomar	remédio
	comprimido
	injeção
	vacina

Urgência médica
Pronto-Socorro
Ambulância

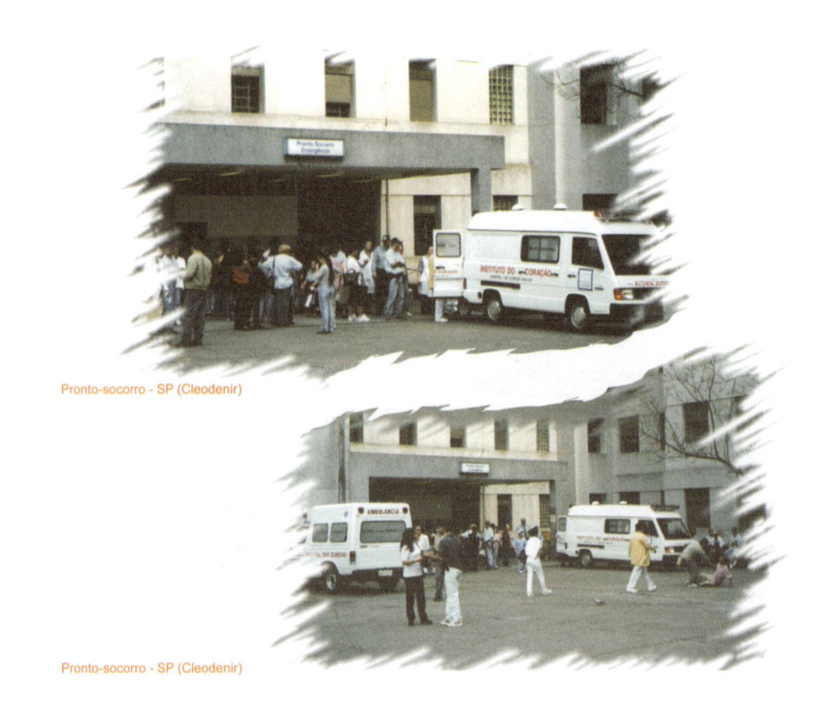
Pronto-socorro - SP (Cleodenir)

Pronto-socorro - SP (Cleodenir)

Pretérito Imperfeito do Indicativo

No Canadá, eu sempre lhe **comprava** toda a roupa.

Eu **conhecia** as lojas.

Ele nunca **discutia**.

Formação

Verbos em -ar Comprar		Verbos em -er Conhecer		Verbos em -ir Discutir	
Eu	comprava	Eu	conhecia	Eu	discutia
Você Ele Ela	comprava	Você Ele Ela	conhecia	Você Ele Ela	discutia
Nós	comprávamos	Nós	conhecíamos	Nós	discutíamos
Vocês Eles Elas	compravam	Vocês Eles Elas	conheciam	Vocês Eles Ela	discutiam

Os verbos **ser**, **ter**, **pôr** e **vir** têm formas especiais no Pretérito Imperfeito do Indicativo.

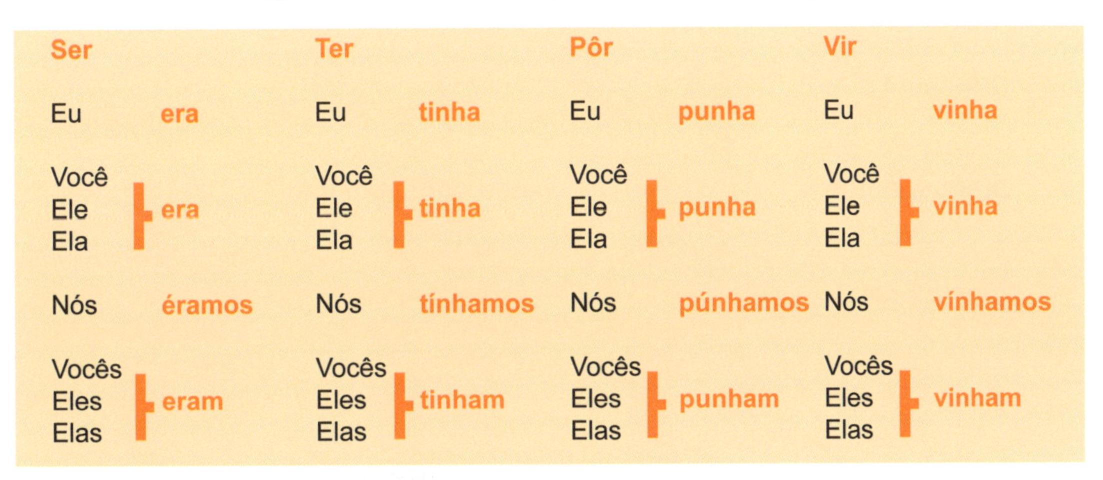

Ser		Ter		Pôr		Vir	
Eu	era	Eu	tinha	Eu	punha	Eu	vinha
Você Ele Ela	era	Você Ele Ela	tinha	Você Ele Ela	punha	Você Ele Ela	vinha
Nós	éramos	Nós	tínhamos	Nós	púnhamos	Nós	vínhamos
Vocês Eles Elas	eram	Vocês Eles Elas	tinham	Vocês Eles Elas	punham	Vocês Eles Elas	vinham

Emprego

1. **Antigamente,** a cidade **era** mais calma e a gente **tinha** mais tempo livre.
   (antigamente)
2. Ontem, **telefonei**, mas você não **estava** em casa.
   (ação) (descrição)
3. Eu **estava fechando** a porta, quando o **telefone tocou.**
   (ação longa) (ação curta)
4. Eu **estava estudando,** enquanto ele **estava vendo** televisão.
   (ação longa) (ação longa)
5. Eu **ia pedir** para você sair comigo.
   (intenção)

Pronomes pessoais: me, lhe, nos, lhes

Eu	me	Marcos **me** deu mais uma chance.	(deu **para mim**)
Você Ele Ela	lhe	Vou **lhe** mostrar nossas camisas.	(mostrar **para a senhora**)
Nós	nos	Que lindo jantar você **nos** preparou.	(preparou **para nós**)
Vocês Eles Elas	lhes	Não **lhes** sobrava tempo para o descanso.	(não sobrava **para eles**)

Verbos pronominais

Reflexivos

Eu não **me preocupo** com isso.

Preocupar-se

Eu	me	preocupo
Você Ele Ela	se	preocupa
Nós	nos	preocupamos
Vocês Eles Elas	se	preocupam

Recíprocos

Vocês já **se conhecem**?

Conhecer-se

Nós	nos conhecemos
Vocês Eles Elas	se conhecem

Pretérito Imperfeito do Indicativo

B2 aplicando o que aprendeu

a) Complete a frase com o verbo no Imperfeito. Depois, indique o caso.

1. Antigamente

2. Descrição no passado

3. Uma ação longa interrompida por uma ação curta

4. Duas ações longas

5. Intenção no passado

1. (trabalhar - ter - ser)
Antigamente, as pessoas ___________ menos, ____________ menos dinheiro, mas ____________ mais tranquilas. ☐

2. (haver - ficar - ler - ouvir)
Antigamente, não _______ televisão, mas todo mundo ___________ em casa, ________ livros e _________ rádio. ☐

3. (ir - ir)
Ontem, nós _________ ter uma reunião com o nosso chefe e__________ discutir com ele os problemas de nosso departamento, mas ele viajou. ☐

4. (falar)
Engraçado! Quando você chegou, nós ____________ sobre você. ☐

5. (ir)
Nós ____________ telefonar para você, mas mudamos de ideia. ☐

6. (descansar - viajar)
Nas últimas férias, eles ____________ na praia enquanto nós ___________ pela Europa. ☐

7. (estar)
Ontem, ele não veio trabalhar porque _________ com gripe. ☐

8. (ser)
Ele não comprou aquele carro porque _________ muito caro. ☐

9. (conversar - fazer)
Ontem, enquanto ele ____________ com os colegas, nós ______________ nosso trabalho. ☐

10. (telefonar)
Quando ele entrou na sala, a secretária ____________. ☐

b) Complete com o Imperfeito do Indicativo.

Antigamente, nossa cidade (ser) _________ mais bonita. (haver) ________ mais parques e jardins. A poluição não (ser) ________ problema. A gente (poder) ___________ andar pelas ruas sem preocupação. Mas, tudo mudou.

Praça com coreto (Bernardes)

Pretérito Perfeito ou Imperfeito

a) Complete com o verbo no tempo adequado.

Exemplo: (entrar-estar) Ontem, entrei na sua sala, mas você não *estava* lá.

1. (chamar - ir - estar - ser) Ontem, meu chefe me _________. Eu _______ à sala dele. Ele _________ nervoso porque o problema ________ sério.
2. (tentar - estar) Na semana passada, ele _________ marcar uma reunião comigo, mas minha agenda _________ completa.
3. (entrar - estar - ver - estar) Hoje de manhã, ele _________ na minha sala porque a porta _________ aberta. Ele não me _________ porque a sala ___________ escura.
4. (fazer - ser) Ontem, ninguém _________ o trabalho porque _______ muito difícil.
5. (ler - dizer - estar - despedir-se) Ontem, meu chefe _______ meu relatório e me _______ que tudo _________ em ordem. Depois, _______________.

b) Leia o texto.

Hoje, é uma 3ª feira diferente. É feriado. A família está no clube e vai passar o dia lá. O dia está bonito. Eles vão almoçar no restaurante perto da piscina. O restaurante já está aberto. A comida é boa e não é cara. Eles sempre almoçam lá. Mas a alegria vai durar pouco.

De repente, o sol desaparece e começa a ventar, levantando pó. O vento é frio. Logo começa a chover. Que pena! Eles decidem voltar para casa mais cedo. Com certeza, vão passar o resto do feriado sentados no sofá, vendo televisão. Coitados!

c) Reescreva o texto. Comece assim:

Ontem, foi uma 3ª feira diferente. **Era** feriado ...______________________________

____

____

____

a) Substitua as palavras grifadas pelo pronome correspondente.

Exemplo: Ele mostrou a cidade para ela.

Ele **lhe** mostrou a cidade.

1. ___________________ Ninguém explicou o problema para mim.

____

2. Quem vai fazer um café para nós?

____

3. Eu já expliquei a situação para você.

____

4. Ninguém pode dar um minuto de atenção para este cliente?

____

5. Não diga! O chefe deu mais trabalho para eles? Coitados!

____

b) Complete com me, lhe, nos, lhes, conforme o caso.

1. O rapaz da agência de viagem conversou conosco e ______ deu explicações.
2. Ninguém me ajudou! Ninguém _______ deu informações!
3. Você tem notícias de Mateus? Eu ____ escrevi, mas ele não ____ respondeu.
4. Alexandre, quem _____ disse que amanhã não vamos trabalhar?
5. Meus amigos me visitaram ontem. Eu ______ fiz um jantarzinho muito bom.

Dou-lhe uma viagem de presente: conheça a Paraíba!

Verbos pronominais

a) Conjugue os verbos dados, nos tempos pedidos.

1. Sentar-se no Presente do Indicativo

Eu me sento

Você ________________

Nós __________________

Vocês ________________

2. Cansar-se no Pretérito Imperfeito do Indicativo

Eu ___________________

Ela ___________________

Nós __nos cansávamos____

Elas __________________

b) Complete com o pronome adequado.

1. Ele leu as informações com cuidado, mas não ______ convenceu de que o negócio era bom.

2. Eu ______ estressei na semana passada com o problema daquele contrato.

3. A empresa _____ desenvolveu mais depressa, depois que desenvolveu novos produtos.

4. As empresas _____ preocupam com seus funcionários.

5. Antigamente, nós _____ víamos duas vezes por semana.
   Agora, nós _____ vemos todo dia.

6. Eles não ______ entendem, por isso estão sempre discutindo.

7. Por que vocês não ____ reuniram ontem? O assunto era importante!

8. Eu ____ preparei para a reunião, mas ninguém apareceu. Por quê?

9. Ponha- _____ no meu lugar, Carlos, e tente entender o meu problema!

10. Desculpe! Eu _____ atrasei por causa do trânsito.

11. Nós ______________ matamos de trabalhar e nada!

12. Não vamos ____________ meter. O problema não é nosso.

Av. 23 de maio - SP (Folha)

C1 trocando ideias

Medo da violência, medo de perder o emprego, medo da inflação, dificuldades de relacionamento com o chefe ou com os colegas, dores de cotovelo, disputas domésticas. Esses são alguns fatores de estresse que enfrentamos no nosso dia a dia. Estudos comprovam que a maioria dos problemas de saúde estão hoje ligados ao estresse, causa também da queda de produtividade.

O que fazer? Muitas das situações estressantes são inevitáveis. O remédio é aprender a lidar com elas. Técnicas de relaxamento, atividades físicas, alimentação equilibrada são grandes aliados na luta contra o estresse.

Como é o seu dia a dia no trabalho?
Você vive muitas situações estressantes?

O que você faz para controlar o estresse?

C2 chegando lá

No Brasil, o investimento na melhoria da qualidade de vida, por parte das empresas, é ainda muito tímido. Poucas são as empresas que se preocupam, de fato, com ambiente e condições de trabalho mais saudáveis, com programas especiais de saúde, extensivos também aos familiares de seus funcionários. A maior parte da população depende dos serviços públicos de saúde.

Sua empresa investe na qualidade de vida?

Como esse problema é tratado no seu país?

Como funcionam os planos de saúde e convênios médicos?

Há reembolso para compra de medicamentos?

Caderno de Esportes

faixa 48 CD 1

Os desafios do esporte no século XXI

A principal questão dos Jogos Olímpicos: os limites físicos do homem

Do nosso correspondente

A cada ano, a cada Olimpíada, um corredor, um nadador, um saltador, um lançador de disco diminuirá de segundos ou aumentará em centímetros ou metros alguma marca até então considerada intransponível. Nessas competições, os limites do desempenho esportivo humano serão sempre desafiados. Em 1896, na prova dos cem metros, o recorde foi de 12 segundos. Em 2050, poderá ser de 9 segundos. Em 1896, o recorde na prova de lançamento de disco foi de 29 metros e 15 centímetros. Em 2050, poderá ser em torno de 90 metros! A luta pelas melhores marcas une esportistas e cientistas. Para o atleta, a quebra de um recorde

Pira Olímpica (Folha)

passa a ser a meta de sua vida. Para o cientista, a evolução biológica da raça humana. Com a evolução da engenharia genética, o limite biológico do homem está sendo sempre modificado.
O Brasil também procura quebrar recordes e obter vitórias expressivas. O atletismo, particularmente, é sempre o grande campeão. Não podemos nos esquecer do êxito de Adhemar Ferreira da Silva, grande atleta brasileiro que nos deu dois ouros olímpicos.

Responda.

1. Qual é, atualmente, a principal questão dos Jogos Olímpicos? O que acontece a cada Olimpíada?

____
____
____
____

Basquete masculino (Folha)

2. Qual a relação entre esporte e ciência?

____
____

3. Qual é a meta dos esportistas? E a dos cientistas?

____
____

Vôlei de Praia (Folha)

4. Em que modalidade esportiva, o Brasil conseguiu até agora os melhores resultados, nas Olimpíadas?

____
____

5. Qual a importância da Fórmula 1, para os brasileiros?

____
____
____

Futebol no fim de semana

faixa 49 CD 1

Otávio: — Robert, já sei o que vamos fazer no próximo sábado de manhã. Vamos ao meu clube jogar futebol. É o que eu faço todo fim de semana. Você vai gostar. Você vai vestir a camisa do meu time.

Robert: — Mas eu nunca joguei futebol, Otávio.

Otávio: — Nunca?

Robert: — Nunca.

Otávio: — É, então não dá. Seria um desastre. Mas você vai comigo ao estádio ver um jogo de futebol. Isso você tem de fazer. Posso arranjar as entradas. Vou ver o programa de domingo, no jornal.

Palmeiras (SP) e Vasco (RJ) jogarão no Pacaembu (São Paulo), às 16 horas.

Luciano Augusto de Almeida será o juiz.

Não haverá transmissão por televisão para São Paulo.

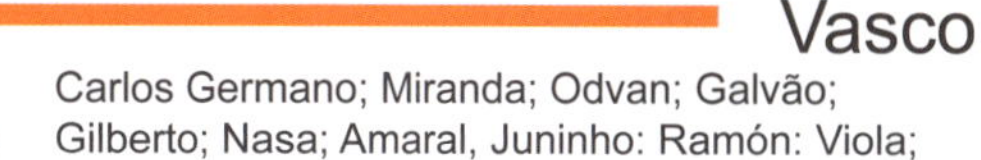

Vasco

Carlos Germano; Miranda; Odvan; Galvão; Gilberto; Nasa; Amaral, Juninho: Ramón: Viola; Edmundo. **Técnico**: Antônio Lopes

Palmeiras

Marcos; Zé Maria; Agnaldo; Roque Júnior; Júnior; Sampaio; Galeano; Zinho; Alex; Paulo Nunes; Evair. **Técnico**: L. F. Scolari

Globo e Bandeirantes (menos São Paulo) e *Première pay-per-view*

Uma paixão, quase uma religião ...

faixa 50 CD 1

Robert: — Já me tinham dito que futebol é assunto importante aqui no Brasil. Agora, sinto que é isso mesmo.

Otávio: — É muito, muito importante. Faz parte da vida do brasileiro. Aos domingos, muita gente joga futebol em terrenos da periferia, nos clubes, na praia ...
Os grandes times têm torcidas enormes. Quase todo mundo se interessa por futebol e torce para um time. Para muita gente, o futebol é tão importante quanto a família, o trabalho.
É quase uma religião ... Ganhamos a Copa do Mundo em 2002. Imagine o que isso significa para nós! O Brasil parou! Foi emocionante demais! Somos pentacampeões!

Garrincha, a alegria do povo

faixa 51 CD 1

Robert: - E o Pelé?

Otávio: - Bom, o Pelé é o rei Pelé. Até hoje, ele é nosso embaixador em matéria de esporte. Mas tivemos outros grandes jogadores de futebol, não tão famosos como Pelé. Mané Garrincha, por exemplo,que jogou com Pelé na Seleção Brasileira. Ele era um gênio no campo. Com Garrincha e Pelé juntos, o Brasil nunca perdeu.

Mané Garrincha (1933 - 1983)

Grande jogador de futebol, jogou 60 partidas pela seleção brasileira. Tinha um estilo próprio de jogar. Com pernas muito tortas, chutava a bola de forma diferente! Jogava intuitivamente. Fazia jogadas criativas e inesperadas, desorientando seus adversários.

El Mercurio - Santiago del Chile

Copa de 1962

Ayrton Senna

faixa 52 CD 1

Robert: — Gostaria de assistir à corrida de Fórmula 1, no domingo. Gosto muito de automobilismo. Mônica também.

Ronaldo: — Claro, Robert, vocês vão conosco. Estela está organizando um grupo aqui na empresa. Para nós, a Fórmula 1 é muito importante. Você sabe, com o Ayrton Senna ... É, há outros corredores brasileiros na Fórmula 1. Gente boa ...

Ayrton Senna

Contrariando a tradição brasileira, Senna trocou a bola pela gasolina e os grandes clubes de futebol pelas escuderias mais famosas. Começou sua espetacular carreira no automobilismo aos 4 anos de idade, quando ganhou seu primeiro *kart*, construído pelo pai. Foi tricampeão da Fórmula 1 (1988, 1990 e 1991). Famoso e admirado em todo o mundo, morreu aos 34 anos num acidente, durante o Grande Prêmio de Ímola, na Itália, quase tetracampeão.

Esportes Populares

faixa 53 CD 1

Robert: — Estou vendo que, para os brasileiros, os esportes mais importantes são o futebol e o automobilismo.

Ronaldo: — Não, não é só isso. Vôlei e basquete também são muito populares. Temos grandes equipes, masculinas e femininas, jogadores famosos, somos campeões. Nas escolas, nas universidades e nos clubes, joga-se muito vôlei, muito basquete. Temos campeões em outros esportes também, como natação, tênis e hipismo.

Gustavo Kuerten (Folha)

Robert: — E golfe?

Ronaldo: — Bom, Robert, golfe para nós é coisa de gringo. Há clubes de golfe, sim, mas são clubes fechados. Não, golfe ainda não é esporte popular por aqui.

Maria Esther Bueno- (Folha)

Maria Esther Bueno

Todo esportista que ama o tênis sabe quem é Maria Esther Bueno. Não é para menos. Sua carreira começou quando tinha 18 anos. De 1957 a 1967, venceu 65 campeonatos internacionais em simples, 90 em duplas e 15 em duplas mistas. No total, são 170 títulos fora do Brasil. Maria Esther Bueno é nome importante em Wimbledon: tricampeã em simples e cinco vezes campeã em duplas! Uma grande campeã, sem dúvida. Uma grande campeã internacional brasileira, nascida em São Paulo!

o time
torcer para um time
o torcedor

a torcida

a torcida organizada:
os Gaviões da Fiel (Corinthians)

Gaviões da Fiel - Corinthians (Folha)

o campeonato
disputar um campeonato
a Copa do Mundo
ser campeão(-ões)
o jogo

o juiz

o bandeirinha

o time
o(s) jogador(es)
o técnico

Grandes clubes e times de futebol

Clubes cariocas:

Vasco 

Botafogo 

Flamengo 

Fluminense 

Clubes paulistas:

Corinthians  

Palmeiras 

São Paulo 

Santos 

Clubes gaúchos:

Inter 

Grêmio 

o(s) craque(s)

o gol
fazer um gol
o goleiro

a vitória	2 x 1 = dois a um	O São Paulo ganhou do Juventus de 2 a 1.
a derrota	1 x 2 = um a dois	O Santos perdeu do Vasco de 2 a 1. Que injustiça!
o empate	0 x 0 = zero a zero	Corinthians e Palmeiras empataram.

Palmeiras X Corinthians - Morumbi (Folha)

São Paulo X Juventus - Morumbi (Folha)

Futuro do Presente do Indicativo

Formação

O futuro do presente forma-se do **infinitivo** + -**ei**/-**á**/-**emos**/-**ão**

Trabalhar		Responder		Partir		Poder	
Eu	trabalharei	Eu	responderei	Eu	partirei	Eu	poderei
Você / Ele / Ela	trabalhará	Você / Ele / Ela	responderá	Você / Ele / Ela	partirá	Você / Ele / Ela	poderá
Nós	trabalharemos	Nós	responderemos	Nós	partiremos	Nós	poderemos
Vocês / Eles / Elas	trabalharão	Vocês / Ele / Elas	responderão	Vocês / Eles / Elas	partirão	Vocês / Eles / Elas	poderão

Atenção:

Fazer		Dizer		Trazer	
Eu	farei	Eu	direi	Eu	trarei
Você / Ele / Ela	fará	Você / Ele / Ela	dirá	Você / Ele / Ela	trará
Nós	faremos	Nós	diremos	Nós	traremos
Vocês / Eles / Elas	farão	Vocês / Eles / Elas	dirão	Vocês / Eles / Elas	trarão

Futuro do Pretérito do Indicativo

Formação

O futuro do pretérito forma-se do **infinitivo** + -**ia**/-**ia**/-**íamos**/-**iam**

Trabalhar		Responder		Partir		Poder	
Eu	trabalharia	Eu	responderia	Eu	partiria	Eu	poderia
Você / Ele / Ela	trabalharia	Você / Ele / Ela	responderia	Você / Ele / Ela	partiria	Você / Ele / Ela	poderia
Nós	trabalharíamos	Nós	responderíamos	Nós	partiríamos	Nós	poderíamos
Vocês / Eles / Elas	trabalhariam	Vocês / Eles / Elas	responderiam	Vocês / Eles / Elas	partiriam	Vocês / Eles / Elas	poderiam

Atenção:

Fazer		Dizer		Trazer	
Eu	faria	Eu	diria	Eu	traria
Você / Ele / Ela	faria	Você / Ele / Ela	diria	Você / Ele / Ela	traria
Nós	faríamos	Nós	diríamos	Nós	traríamos
Vocês / Eles / Elas	fariam	Vocês / Eles / Elas	diriam	Vocês / Eles / Elas	trariam

Mais-que-Perfeito Composto do Indicativo

Formação

O mais-que-perfeito composto do indicativo forma-se com o verbo **ter** no **imperfeito**, mais o **particípio passado** do verbo principal.

Trabalhar		Responder		Partir		Poder	
Eu	tinha trabalhado	Eu	tinha respondido	Eu	tinha partido	Eu	tinha podido
Você / Ele / Ela	tinha trabalhado	Você / Ele / Ela	tinha respondido	Você / Ele / Ela	tinha partido	Você / Ele / Ela	tinha podido
Nós	tínhamos trabalhado	Nós	tínhamos respondido	Nós	tínhamos partido	Nós	tínhamos podido
Vocês / Eles / Elas	tinham trabalhado	Vocês / Eles / Elas	tinham respondido	Vocês / Eles / Elas	tinham partido	Vocês / Eles / Elas	tinham podido

Exemplo: Quando você chegou, ele já tinha partido.

Formação do Particípio Passado

Verbos em -ar (-ado)	Verbos em -er (-ido)	Verbos em -ir (-ido)
trabalhar - trabalhado	responder - respondido	partir - partido
andar - andado	atender - atendido	pedir - pedido

Particípios Irregulares

ganhar - ganho	**dizer - dito**	**abrir - aberto**	**pôr - posto**
gastar - gasto	**fazer - feito**	**cobrir - coberto**	
pagar - pago	**escrever - escrito**		
	ver - visto	**vir - vindo**	

Verbo Sentir - Presente do Indicativo

Eu	**sint**o
Você / Ele / Ela	**sent**e
Nós	**sent**imos
Vocês / Eles / Elas	**sent**em

Como **sentir**:

vestir - eu **vist**o - ele veste

servir - eu **sirv**o - ele serve

repetir - eu **repit**o - ele repete

divertir - eu **divirt**o - ele diverte

mentir - eu **mint**o - ele mente

preferir - eu **prefir**o - ele prefere

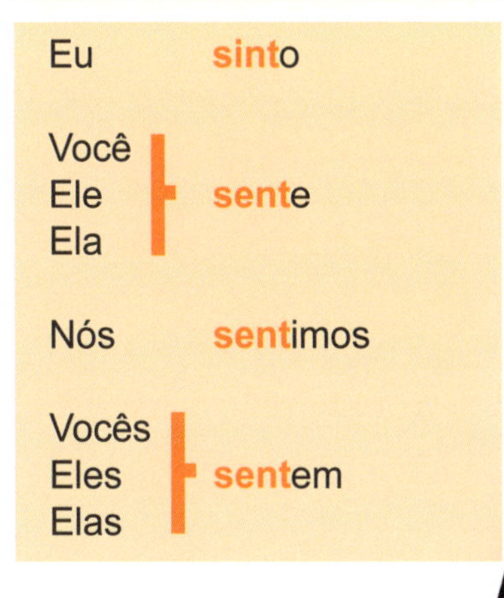

Todas as outras formas destes verbos são **regulares**.

Preposição + pronome mim, comigo, conosco

preposição/pronome

(eu)	de / para / por etc. →	mim
	com	**(mim) = comigo**
(você ele/ela)	de / para / por / com etc. →	(ele/ela) = dele/dela você/ele/ela
(nós)	de / para / por etc. →	nós
	com	**(nós) = conosco**
(vocês eles/elas)	de / para / por / com →	(eles/elas) = deles/delas vocês/eles/elas etc.

Exemplos:

Ela gosta de mim.
Ela gosta de você.
Ela gosta dele.
Ela gosta de nós.
Ela gosta deles.

Ela fala **comigo.**
Ela fala com você.
Ela fala com ele.
Ela fala **conosco.**
Ela fala com vocês.
Ela fala com eles.

Futuro do Presente do Indicativo

Faça como no exemplo.

Não vou falar com ele.
Não falarei com ele.

1. Vamos conhecer o clube amanhã.

____

2. Vou jogar futebol com o grupo do escritório.

____

3. Ela vai trazer amigos para jogar pôquer.

____

4. Eles vão ter muito trabalho nos próximos dias.

____

5. As pessoas que se inscreveram vão ser chamadas em ordem alfabética.

____

6. Ninguém vai poder nadar nessa piscina.

____

7. Não sei quem vai fazer plantão amanhã.

____

8. Os rapazes vão organizar os times de vôlei de praia.

____

9. Afinal, o que ele vai dizer? Como vai julgar o caso?

____

10. A firma vai escolher o plano de saúde mais completo.

____

Futuro do Pretérito do Indicativo

a) Leia o texto.

A festa

Todos se comprometem a dividir os gastos da festa.
Um grupo traz as bebidas. Três ou quatro pessoas compram os salgados. Outro grupo se responsabiliza pelos doces. João faz a instalação do som. Maria Clara cede a casa e, finalmente, as pessoas que não fazem nada põem a casa em ordem depois da festa. Assim, todos ficam contentes.
Será que esse plano dá certo?

b) Agora, passe o texto para o passado. Comece assim:

Todos se comprometeram a dividir os gastos da festa.

Um grupo traria as bebidas ______________________________________

c) Modifique as frases, como no exemplo.

Fernando, traga os formulários, por favor.
Fernando, você poderia trazer os formulários?
Fernando, será que você poderia trazer os formulários?

1. Otávio, organize os times para o próximo jogo.

2. Dona Alice, compre mais três ingressos para o jogo de amanhã, por favor.

3. Rapazes, venham até aqui.

4. Meninos, façam menos barulho.

5. Leiam o relatório da reunião para os seus colegas.

6. Rogério, traga as pastas com os relatórios, por favor.

7. Responda urgente esta carta, por favor.

8. Vista esse pulôver.

____

9. Sirva o café agora, por favor.

____

10. Repita o número, por favor.

____

d) No texto abaixo, coloque os verbos indicados no futuro do pretérito.

Queríamos ter casa própria. Compramos uma casa pequena e velha porque não tínhamos muito dinheiro.

Com mais dinheiro __________ (**comprar**) uma casa maior, __________ (**fazer**) uma grande reforma e __________ (**ter**) mais conforto.

Na frente da casa, ________ (**haver**) um belo jardim. __________ (**plantar**) árvores e flores.

Tudo _________ (**ser**) melhor. Mas, tudo ficará para a próxima casa.

e) Futuro do presente ou futuro do pretérito? Siga o exemplo.

(fazer) Ele fará a viagem. Eu não faria.

1. (dizer) Eles ________ tudo. Eu não __________ .
2. (fazer) Eu ________ tudo. Você não __________ .
3. (permitir) Nós ____________ a entrada de todos os funcionários. Vocês não ____________.
4. (trazer) Eles ______________ as máquinas para a nova fábrica. Nós não ______________.
5. (vestir) Os jogadores antigos _________ a camisa do time. Os novos não ______________.

6. (dar) Com você, tudo __________ certo. Com ele, não __________ .

7. (ter) Conosco, eles __________ mais liberdade. Com você, eles não _______.

8. (aceitar) O time de futebol dos veteranos __________ as novas regras. O time dos novos não ____________ .

9. (vir) Você __________ ajudá-lo? Eu não __________ .

10. (falar) O antigo diretor não ________ sobre este assunto. O novo ________.

Mais-que-Perfeito Composto do Indicativo

a) Complete com os verbos indicados, no mais-que-perfeito, como no exemplo.

(sair) Quando ele chegou, eu já tinha saído.

1. (viajar) Eu quis falar com ela, mas ela já _________________.
2. (descobrir) Nós tentamos esconder o problema, mas o diretor já ________________ tudo.
3. (fazer) Eu queria ajudá-lo, mas ele já ________________ todo o trabalho.
4. (dizer) Quando o advogado conversou com ele, ele já ________________ tudo à polícia.
5. (enviar) Quando descobriram o defeito da peça, a fábrica já _____________ os produtos para as lojas.
6. (ir) A família queria conhecer o Nordeste, mas ele já _________________ lá várias vezes, a trabalho.
7. (ver) O pneu do carro furou porque nós não __________________ o buraco na estrada.
8. (pôr) - Por que você não pôs gasolina no carro? - Porque achei que você já ________________ .
9. (escrever) - Por que eu não escrevi a carta? Ora, porque eu achei que você já __________________ .
10. (vir) Não convidei Maurício para vir conosco, porque pensei que ele já _______________ a este restaurante.

b) Passe o texto abaixo para o passado. Empregue o perfeito, o imperfeito ou o mais-que-perfeito.

Para essa viagem, ele prepara tudo. Faz os roteiros, escolhe os hotéis, manda fax para as reservas. Até determina as roupas que a família deve levar. Nem sempre ele faz assim. Mas, essa viagem é especial. É a viagem dos seus sonhos. As passagens de avião ele já comprou há dois meses. Chega finalmente o dia da partida. Estão todos no aeroporto. Mas, onde estão as passagens? Ele esqueceu no cofre de sua casa!

Para essa viagem, ele preparou tudo.

____

____

____

____

____

____

____

Verbos sentir, vestir, servir, preferir etc.

a) Responda às perguntas, como no exemplo.

Você se veste rápido? Não, eu não me visto rápido.

1. Você se sente bem aqui? ________________
2. Rafael, você serve vinho no jantar? ________________
3. Você serve café para os diretores? ________________
4. Você prefere ficar em casa à noite? ________________
5. Norma, você se diverte com o jogo? ________________
6. Você repete as ordens muitas vezes? ________________
7. Priscila, você mente muito? ________________
8. Marcos, você se sente mal na montanha? ________________
9. Você se veste sempre da mesma forma? ________________
10. Rodolfo, você se diverte no escritório? ________________

b) Complete as frases com os verbos nos tempos adequados.

1. (servir - preferir) Eu nunca __________ vinho no almoço, mas minha amiga sempre __________. Eu __________ servir refrigerante ou suco.
2. (vestir-se - divertir-se) Para ir à festa, ele __________ cuidadosamente, mas, na festa, ele não __________.
3. (sentir-se) Antigamente, eu __________ mal nas viagens.
4. (mentir) Quando eu era criança, eu ________ muito. Hoje, não ______ mais.

Preposições + pronomes pessoais

Complete com os pronomes na forma adequada.

1. (eu) Ele trabalha para ________, mas não sai (com) ___________.

2. (nós) Ela gosta de ________, mas quase não fala (com) ___________.

3. (você - eu) Vou viajar com _________, mas você não vai ficar no mesmo quarto (com) ___________ .

4. (ele - eu) Eu sempre penso (em) ________, mas ele não pensa em __________ .

5. (nós) Eles estavam (com) ___________ quando fomos ver a exposição de Picasso.

6. (eu - você - ela) Ele fala de ______, de ________, de todos. Ele só não fala (de) __________ .

7. (nós) Você já trabalhou para _______ ? Você já trabalhou (com) _________ ?

8. (vocês) Eu nunca trabalhei para ________. Eu nunca trabalhei com ________.

9. (eu - você) Ele já falou de ______ para _______ ?

10. (nós) João, venha (com) ___________, você vai gostar do filme.

C1 trocando ideias

No Brasil, durante muitos anos, o futebol foi o único grande esporte popular. Com o tempo e, principalmente, graças à televisão, outros esportes foram adquirindo popularidade. Hoje, as corridas de Fórmula 1, as competições de tênis, vôlei, basquete, natação, hipismo e outras modalidades esportivas contam com público cada vez mais numeroso e entusiasta. Nomes como os de Guga e Meligeni, no tênis, Oscar, Hortência e Paula no basquete, Senna, Piquet, Fittipaldi, na Fórmula 1, Gustavo Borges, na natação, para citar alguns, são tão conhecidos como os de Pelé, Garrincha, Raí e tantos outros ídolos do futebol brasileiro.
E o que dizer da São Silvestre, maratona realizada em São Paulo, todo dia 31 de dezembro? Milhares de pessoas, do mundo inteiro, participam dessa competição.

Corrida de São Silvestre - SP (Folha)

Como você vê o esporte?

No seu dia a dia, você tem tempo para praticar algum esporte? Ou você é apenas um bom espectador?

C2 chegando lá

Como o esporte é visto no seu país? Quais as modalidades mais praticadas?
Fale um pouco sobre os principais ídolos nacionais.
No seu país, você é torcedor de algum time de futebol? Qual?
Você praticava algum esporte lá? Qual?
Em esporte, você vê semelhanças entre o Brasil e seu país?
E diferenças? Quais?

Desfile (Folha)

JORNAL DA MANHÃ - VARIEDADES

faixa 54 CD 1

Tendências da moda : volta ao passado?

A moda brasileira para o próximo verão: muito algodão, linho e seda. Não meça esforços para o seu conforto.

RICARDO VIEIRA

Desfile (Folha)

As fibras naturais estarão em alta, no próximo verão. A moda pede roupas sociais e esportivas confeccionadas em algodão, linho e seda. Tudo será confortável e elegante.

Durante o dia, use algodão: camisas, camisetas, saias ou calças. Para a noite, tudo em seda ou linho: vestidos, conjuntos, ternos, *blazers*... Sapatos? Em couro, naturalmente.

Não compre mais nada em plástico. Nestes tempos de alta tecnologia, em que várias fibras sintéticas se desenvolvem de forma sofisticada, a volta ao natural, portanto, surpreende. Ninguém tem nada contra as fibras sintéticas. As naturais, no entanto, embora mais caras, são mais confortáveis. *Não meça esforços para seu conforto.*

Observe e responda.

1. Na frase “Fibras naturais: a última palavra”, a expressão ***última palavra*** significa: a grande novidade, a última moda Explique por que, no próximo verão, as fibras naturais serão a última palavra.

2. De acordo com o texto, o que se deve usar durante o dia?

3. E à noite?

4. Como devem ser os sapatos, no próximo verão?

5. Na sua opinião, o que é mais confortável: roupas de algodão, de seda, ou de fibras sintéticas? Por quê?

Nunca se sabe ...

Helena: — Amanhã é o almoço na Câmara de Comércio do Canadá. Já confirmei sua presença.

Robert: — Ótimo. Só tenho uma dúvida. No convite, pedem traje esporte fino. O que é isso?

Helena: — Ah! Não se preocupe! É só uma orientação. Os homens devem ir de terno e gravata. As mulheres, de vestido ou *tailleur*.

Robert: — Entendi. Alguém poderia ir de bermuda, camiseta e tênis, não é?

Helena: — Exatamente. Nunca se sabe ...

Relacione.

Pede-se:

traje esporte	vestido longo
traje esporte fino	*blazer*, terno e gravata
traje social	terno escuro e gravata
traje a rigor	*jeans*, camisa polo ou camiseta
	blazer e vestido curto
	conjunto de seda ou linho
	smoking

Ouvi dizer

faixa 56 CD 1

Carmen: — Eu nunca lhe peço nada, mas hoje vou pedir.

Helena: — O que é? Algum problema?

Carmen: — Não, nenhum. É que tenho uma festa chique no sábado e não tenho nenhuma roupa adequada para vestir. Você pode ir comigo ao *shopping*? Preciso de sua opinião.

Helena: — Posso, posso. Vamos ver quando. Amanhã, na hora do almoço, está bem? O Robert tem um almoço na Câmara de Comércio e eu vou estar mais folgada.

Carmen: — Ótimo. Eu soube que várias lojas do *shopping* estão em liquidação. Você sabia?

Helena: — É. Ouvi dizer. Bom, né?

De loja em loja

faixa 57 CD 1

— Desculpe, mas não temos nada assim. Já vendemos quase tudo.

— Esta roupa é muito prática. Cinza combina com tudo.
— Vou experimentar. Onde é o provador?

— Ficou bom?
— Não. Está muito largo. E é muito caro.
— Mas cinza está na moda ...

— Vou levar este vestido. Gostei dele.
— É, ficou ótimo em você. Você fica bem de vermelho.

Corredores de shoppings em São Paulo (Folha)

a) Relacione.

1. Como você é? Quais são suas medidas?

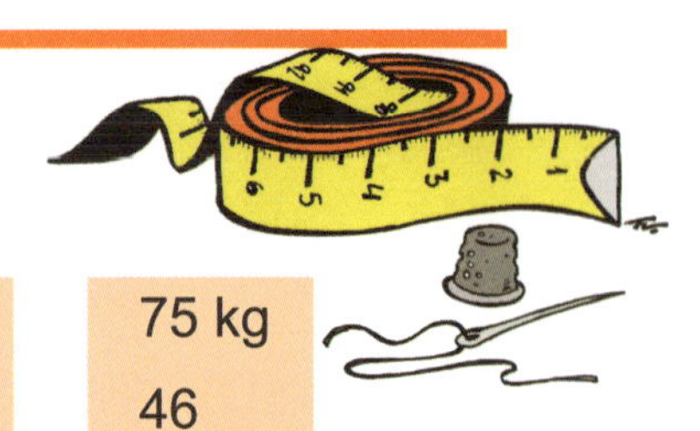

Quanto você mede?	75 kg
Quanto você calça? Qual é o seu número?	46
Qual é seu tamanho? Qual é seu manequim?	1,80 m
Quanto você pesa?	39

2. A roupa e o clima

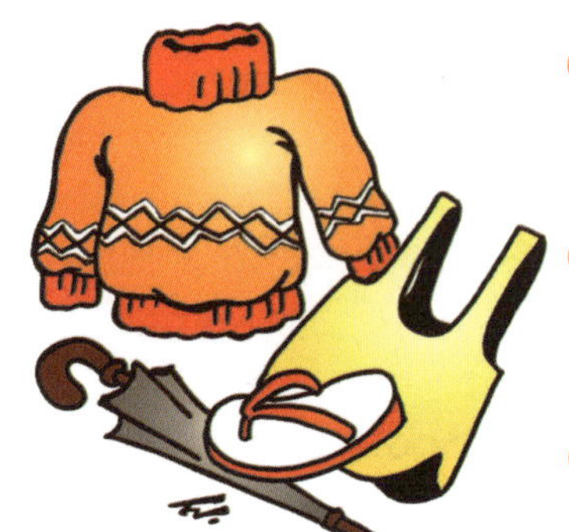

dias quentes	roupa pesada
	roupa leve
	suéter, pulôver, malha
dias chuvosos	roupa de algodão
	roupa de lã
	short, camiseta, sandália
dias frios	agasalho
	capa e guarda-chuva
	bota

3. A roupa e a atividade

Camelô em São Paulo (Bernardes)

para um churrasco	maiô, biquíni, sunga, calção
para a piscina, a praia	pijama, camisola
para fazer *cooper*	capa, guarda-chuva
para dormir	*jeans*, bermuda
para descansar	calção, *short*, abrigo
para andar na chuva	chinelo

b) Elimine o intruso.

- o cinto, a gravata, o lenço, o chapéu, o convite
- o sapato, a entrada, a sandália, o chinelo, a bota
- as luvas, a carteira, a bolsa, a árvore, o colete
- de lã, de linho, de noite, de algodão, de seda
- a manga, o colarinho, a banana, a gola, o bolso
- o vestido, a saia, o biquíni, o terno, a blusa
- pesado, estampado, liso, xadrez, listrado
- a cueca, a calcinha, o sutiã, o casaco, a camiseta

Ruas de São Paulo (Folha)

As Cores

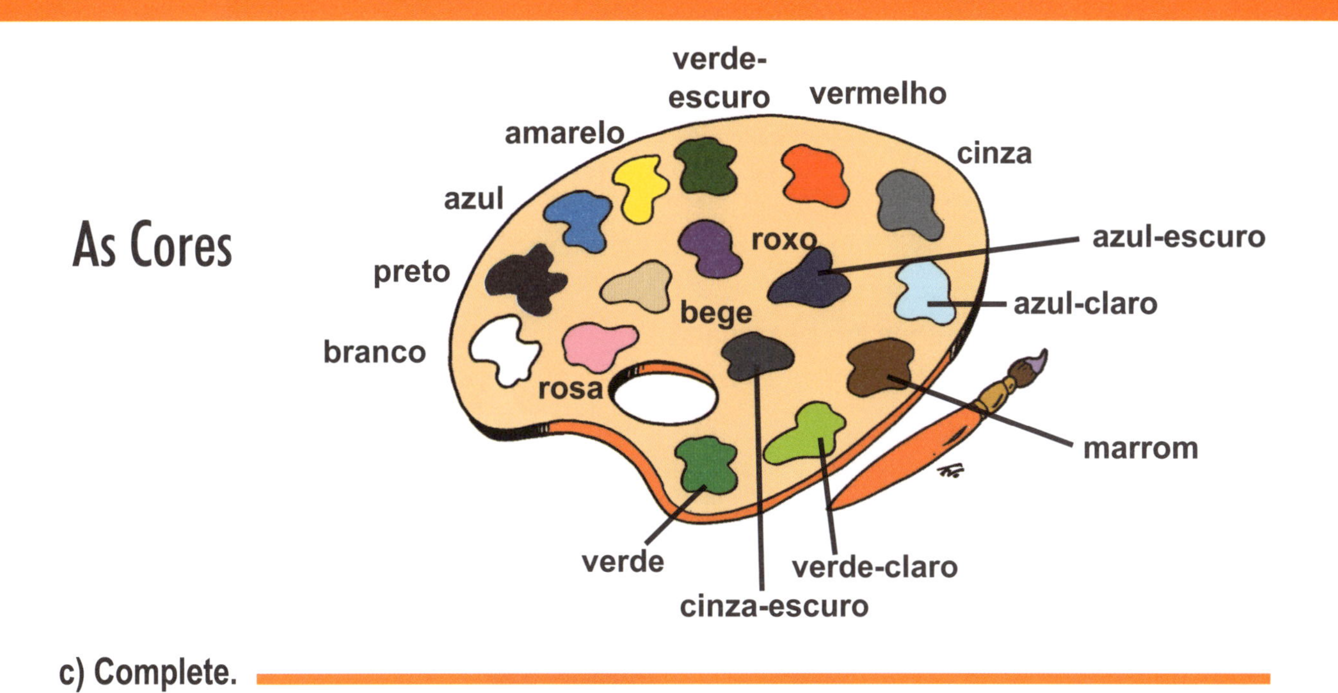

c) Complete.

__________ como a neve

__________ como o céu

__________ como carvão

__________ como a floresta

__________ como o mar

__________ como sangue

__________ como ouro

Artesanato (Bahiatursa)
Praças de São Paulo (Cleodenir)

Presente do Indicativo - Pretérito Perfeito do Indicativo

Nunca se **sabe**.
Eu nunca lhe **peço** nada.

Saber				Pedir			
Eu	**sei**	Eu	**soube**	Eu	**peço**	Eu	**pedi**
Você / Ele / Ela	**sabe**	Você / Ele / Ela	**soube**	Você / Ele / Ela	**pede**	Você / Ele / Ela	**pediu**
Nós	**sabemos**	Nós	**soubemos**	Nós	**pedimos**	Nós	**pedimos**
Vocês / Eles / Elas	**sabem**	Vocês / Eles / Elas	**souberam**	Vocês / Eles / Elas	**pedem**	Vocês / Eles / Elas	**pediram**

Ouvir				Medir			
Eu	**ouço**	Eu	**ouvi**	Eu	**meço**	Eu	**medi**
Você / Ele / Ela	**ouve**	Você / Ele / Ela	**ouviu**	Você / Ele / Ela	**mede**	Você / Ele / Ela	**mediu**
Nós	**ouvimos**	Nós	**ouvimos**	Nós	**medimos**	Nós	**medimos**
Vocês / Eles / Elas	**ouvem**	Vocês / Eles / Elas	**ouviram**	Vocês / Eles / Elas	**medem**	Vocês / Eles / Elas	**mediram**

Pronomes indefinidos

— **Alguém** sabe?
— Não, **ninguém** sabe.
— **Algum** problema?
— Não, **nenhum**.
— **Tudo** está em ordem?
— Não, **nada** está em ordem.
Várias lojas do *Shopping* estão em liquidação.
Vista a roupa certa para **cada** ocasião!

alguém — **tudo**
ninguém — **nada**

algum, alguns, alguma(s)
nenhum, nenhuma
vários, várias
cada

Dupla negativa

Eu **nunca** lhe peço **nada**.

Não tenho **nenhuma** roupa adequada para vestir.

Desculpe, mas **não** temos **nada** assim.

Presente e Pretérito Perfeito do Indicativo

B2 aplicando o que aprendeu

a) Complete as frases com o presente.

1. (saber) Quantos metros de tecido são necessários?
   Eu não ______________. A costureira não disse.
2. (saber) Vocês_______ quando ele vem?
   Não, nós não ________.
3. (saber) Você _______ o endereço da loja? Não, não _______ .
4. (ouvir) Eles nunca _________ rádio no carro.
5. (ouvir) Você ________ a CBN? Sim, eu _______ sempre que posso.
6. (ouvir) Nós __________ a Eldorado. Há bons programas musicais.
7. (medir) Quanto você _________? Eu _________1,70 m.
8. (pedir) O que você _________ quando está com sede? Eu
   ________ guaraná. E vocês? O que vocês ___________ ?
9. (medir) A costureira _________ o tecido, antes de cortar.
10. (pedir) Eu só _________ ajuda quando é necessário.

b) Complete as frases com o presente ou o perfeito.

Exemplo: (saber) Ela <u>soube</u> do desfile com um mês de antecedência.
Eles sempre <u>sabem</u> o preço das roupas.

1. (pedir) Eu sempre ________ para minha mulher escolher a gravata.
2. (ouvir) Eles sempre ___________ as notícias com atenção. Eu também ________.
3. (saber) Nós ainda não __________ quantas pessoas virão à reunião.
4. (medir) Ele já _________ o comprimento do paletó.
5. (medir) Eu __________ 1,75 m. E você, quanto você _________?
6. (saber) Eu ________ que ele virá. Ele não falta aos compromissos.
7. (pedir) Vocês já ___________ ajuda? Sim, nós já _________ .
8. (ouvir) Eu não _______ o que você diz. As pessoas aqui estão gritando.
9. (ouvir) Por favor, fiquem quietos! Eles não ________ muito bem.
10. (saber) Eles só _________do terremoto porque deu na televisão.

Indefinidos

a) Complete com cada.

1. _________ convidado receberá um brinde.
2. Sei que estas frutas são caras, mas não sei quanto custa ________.
3. Ponha _________ coisa em seu lugar!
4. ________ um de nós vai fazer uma parte do trabalho.

b) Complete com tudo, nada, vários, várias.

Ela queria comprar _________ no *shopping*. Seria mais prático. Mas o fato é que não encontrou __________ interessante. Ela entrou em __________ lojas, experimentou __________ roupas, _________ sapatos. __________ lhe agradou. E _________ era muito caro. Desistiu.

c) Complete com alguém, algum, alguma, alguns, algumas.

A festa foi um desastre desde o início. Por causa de ___________ problemas de organização, a cerimônia começou com muito atraso. Além disso, convidaram gente demais e o local era pequeno. __________ pessoas saíram depois de __________ minutos. Na hora do discurso, _________ falou _________ coisa, mas ninguém ouviu. Você ouviu ___________ comentário sobre a festa?

d) Responda negativamente. Siga o exemplo.

— Quem veio nos visitar ontem?
— **Ninguém** veio.

1. — Quantas pessoas mandaram *e-mails*?
   — ___________ pessoa mandou.
2. — Quantos amigos telefonaram?
   — ____________ amigo telefonou.
3. — Quem mandou flores?
   — ______________ mandou.
4. — Mas, afinal, o que aconteceu aqui ontem?
   — ____________ aconteceu.

e) Complete com ninguém, nenhum, nenhuma, nada.

Você quer informações sobre essa firma? Pois não. Vou tentar ajudá-lo. O problema é que não conheço ___________ de lá pessoalmente. Mas até hoje não ouvi _________ de negativo sobre ela. Acho que eles não têm problema com ___________ banco. Nem com o Governo. Não há _____________ reclamação contra eles. Não há _________ contra eles.

f) Passe a frase para a forma negativa. Siga o exemplo.

Eu quero tudo.
Eu não quero nada.

1. Eu conheço alguém em Manaus.

____

2. Eu comprei tudo.

____

3. Nós recebemos alguns folhetos da loja.

____

4. Nós vimos todo mundo ontem.

____

5. Eu convidei algumas amigas para almoçar.

____

6. Diga alguma coisa!

____

g) Responda negativamente. Siga o exemplo.

- Eu quero tudo. E você?
- Eu não quero nada.

1. Eu conheço todo mundo aqui. E você?

____

2. Eu comprei algumas roupas nessa loja. E você?

____

3. Eu disse tudo. E você?

____

4. Eles têm alguns problemas com o banco. E você?

____

5. Eu vou escrever para todos. E você?

____

6. Eu vi alguém no jardim. E você?

____

h) Complete o texto abaixo, de acordo com o sentido.

Quando cheguei ao Brasil, não conhecia __________ . Durante vários meses, não fiz _________ amigo e não tinha __________ para fazer nos fins de semana. Ia à praia, mas não falava com ninguém em especial. Precisava de _________ para me ajudar. Sabia _________ sobre a cidade onde devia trabalhar, mas não via _________ de interessante nela. Só depois de vários meses comecei a ter alguns amigos e a ter vários programas em fim de semana. Só que agora não tenho mais ____________ tempo livre para mim. Não é mole, não!

C1 trocando ideias

No Brasil, temos verão quase o ano todo. Nossa maneira de vestir é, geralmente, descontraída e esportiva. De preferência, roupa leve para os homens. Roupa simples, de cor alegre para as mulheres.
Ir ao cinema, a determinadas inaugurações, a *vernissages*, ao teatro e até mesmo a enterros não significa vestir-se de maneira mais formal.

É assim que um estrangeiro nos vê?
E nas praias do Brasil, o que se usa? Maiôs, *shorts* ... Como são eles?

Rua 25 de Março - SP/SP (Folha)

Shopping - SP/SP (Folha)

Foto: Walmir Pinheiro. Porto da Barra. Salvador/BA.

C2 chegando lá

É assim que você passa suas férias?
Inverno na neve, verão ao sol.

Num país em que as estações são definidas, como é o guarda-roupa de seus habitantes?
Como você se veste?
Você é uma pessoa formal ou descontraída?
Fale um pouco sobre seu estilo.

Compreensão de texto

a) Leia o texto.

A moda entra em cena

Antes da Idade Média, o vestuário era uma variação de trajes nacionais. A moda só começou a reinventar-se periodicamente por volta de 1350. "Um bom alfaiate ontem não vale nada hoje", lamentava-se um artesão em 1380. "Cortes e estilos mudam depressa demais."

Vários fatores influíram na mudança de atitude com relação às roupas. Um deles foi a volta dos Cruzados com um item diferente nas vestimentas: o botão, que tinham visto na roupa de turcos e mongóis. Os alfaiates da Corte usaram botões para ajustar as roupas, acentuando as diferenças entre o corpo dos homens e das mulheres ...

Outro fator, a ascensão do capitalismo mercantil, permitiu a uma nova classe rica vestir-se como a nobreza. O ritmo com que os estilos caíam de moda mostra também o desejo da realeza de manter-se sempre adiante da burguesia.

Não há modismo ou inventividade; no entanto, para explicar o gosto arrebatado por novidades tais como sapatos pontiagudos, mangas arrastando no chão e túnicas que não cobriam as partes mais íntimas dos cavalheiros.

O vestuário passou de distintivo grupal para uma forma de autoexpressão. As roupas não eram simplesmente funcionais ou ritualmente significativas - eram fonte de divertimento e prazer.

(*Especial do Milênio* - VEJA, p. 45)

b) Certo ou errado? De acordo com o texto

	certo	errado
1. A maneira de vestir-se sempre foi uma forma de autoexpressão.	☐	☐
2. Cortes e estilos de roupas mudam com o tempo.	☐	☐
3. As roupas devem ser funcionais, práticas.	☐	☐
4. Antigamente, o vestuário era uma variação de trajes nacionais.	☐	☐
5. A moda nunca foi fonte de divertimento e prazer.	☐	☐

c) Responda.

1. Quais os fatores que contribuíram para a mudança do vestuário a partir da Idade Média?

____

2. O que os alfaiates da Corte fizeram com os botões?

____

3. Que classe social passou a vestir-se como a nobreza?

____

4. Como era o vestuário antes da Idade Média?

____

____

5. Explique como são os trajes nacionais de seu país.

____

____

____

d) Relacione.

trajes nacionais	costureiro
sapatos pontiagudos	desejo de conservar o *status*
mudança rápida da moda entre os nobres	forma de autoexpressão
artesão da moda	modismo
moda da Idade Média em diante	distintivo grupal

Vocabulário

a) Relacione as palavras da 2ª coluna com as da 1ª, de acordo com o sentido.

(1) marcar	( ) fora
(2) viajar	( ) hora marcada
(3) pedir	( ) uma reunião
(4) reservar	( ) o contrato
(5) tomar	( ) uma fotografia
(6) procurar	( ) com fome
(7) tirar	( ) o cardápio
(8) ter	( ) uma injeção
(9) almoçar	( ) a negócios
(10) estar	( ) casa
(11) assinar	( ) regime
(12) fazer	( ) um voo

b) Relacione os antônimos.

(1) confirmar	( ) estar livre
(2) ter compromisso	( ) chegar
(3) fazer bem à saúde	( ) atrasado
(4) partir	( ) cancelar
(5) adiantado	( ) fazer mal à saúde
(6) marcar	( ) desmarcar

c) Agrupe as palavras da 2ª coluna, de acordo com as categorias indicadas na 1ª coluna.

(1) cidade

(2) trânsito

(3) comércio local

(4) alimentação

(5) moradia

( ) o inquilino, o locatário
( ) a Prefeitura
( ) o zelador
( ) a periferia
( ) a zona azul
( ) o bairro
( ) a hora do *rush*
( ) a lanchonete
( ) o vizinho
( ) o armarinho
( ) o calçadão
( ) a sapataria
( ) a refeição
( ) estacionamento proibido
( ) o condomínio
( ) a cantina
( ) a papelaria
( ) contramão

d) Agrupe as palavras da 2ª coluna por categorias, como na questão anterior.

(1) esportes

(2) saúde

(3) vestuário

(4) vida econômica

( ) o time
( ) o terno
( ) a torcida
( ) os investimentos
( ) o estresse
( ) o imposto de renda
( ) o estádio
( ) o vestido
( ) a pressão alta
( ) o agasalho
( ) o Procon
( ) o vôlei
( ) o algodão
( ) o campeonato
( ) a gravata
( ) o colesterol

Tempos verbais

a) Passe para o Presente do Indicativo.

1. Os jovens não se vestiam como os adultos.

____

2. As roupas eram fonte de divertimento e prazer.

____

3. A moda existia para todos, ricos e pobres.

____

4. Todos queriam estar na moda.

____

5. Ideias novas traziam novos hábitos.

____

6. Eu sempre me vestia assim.

____

7. Eu não fazia distinção entre estilos de roupas.

____

8. Eu não podia aceitar esses modismos.

____

9. Eu sempre trazia novas ideias.

____

10. Nós éramos pelas roupas práticas, funcionais.

____

b) Complete com o Presente do Indicativo.

1. (vir) Ele sempre ________ aqui, mas eu nunca __________ .
2. (pôr) Eu não _________ dinheiro neste banco. Quem _______ ?
3. (trazer) Eu ________ o jornal. Quem __________ as revistas?
4. (vestir) Eu não _________ roupa pesada no verão. Quem ________ ?
5. (ouvir) Vocês __________ este programa todo dia. Eu também ______ .
6. (pedir) No bar, eles __________ caipirinha. Eu também _________ .
7. (poder/sentir) Eu não ________ dizer o que _________ .
8. (sair/ler) Eu ________ pouco e ________ muito.
9. (medir) Eu penso antes de falar, por isso eu _________ minhas palavras
10. (mentir/dizer/sentir) Eu nunca _______ . Eu sempre ________ o que eu ______.

c) Complete com o Pretérito Perfeito do Indicativo.

1. (ir) Você ______ lá, mas eu não _______ .
2. (querer) Eles não _________ ficar, mas ela ________ .
3. (poder) Ele não ________ ajudar. Eu também não ________.
4. (fazer) Eu ________ tudo errado. Ele também ________ .
5. (dizer) Você _______ não, mas nós ___________ sim.
6. (trazer) Eu não _________ boas notícias. Eles _________ ?

7. (vir) Quem ________ aqui ontem? Você _______ ? Eu não ________.
   Eles também não __________.
8. (pôr) Eu não _________ nada na gaveta. Eu acho que ninguém
   ______. Você ________ ? E elas? Você acha que elas __________?
9. (ver) Quem ________ Joana? Eu não a _______. Você _______ ?
10. (saber) Como vocês ___________ ? Alguém mais __________ ?

d) Complete com o Mais-que-perfeito composto. Siga o exemplo.

(falar) Ele não falou nada porque ela já tinha falado.

1. (fazer) Ele estava contente porque _______________ um bom negócio.
2. (dizer) Ele estava bravo porque o chefe _______________ “não”.
3. (vir) A sala de reuniões estava vazia porque ninguém _____________ trabalhar naquele dia.
4. (pôr) A secretária não sabia dizer onde o chefe _______________ os documentos.
5. (ver) Eu nunca ________________ o Presidente da companhia. Achei simpático.
6. (escrever) O chefe queria saber quem _______________ aquele contrato.
7. (pagar) Ele estava preocupado porque não _____________ o aluguel.
8. (abrir) Eu já _____________ uma conta no Bradesco quando o Itaú me telefonou.

e) Responda às perguntas abaixo, na forma afirmativa.

— Ana, você viu os novos documentos?

— ___________, sim.

— Você já os leu?

— ____________, sim.

— Você os pôs em ordem alfabética?

— __________.

— Você soube quem os enviou?

— __________ .

— E você pôde selecionar os mais importantes?
— ___________ .

— Você fez um memorando para todos os departamentos?
— ___________ .

— Só mais uma informação. Você foi à reunião ontem?
— __________ .

— Acho que agora é só. Ah!, você me faz o favor de mandar uma cópia para a filial do Rio?
— ___________

Uso dos tempos verbais

a) Complete com o tempo adequado.

Na semana passada, eu (estar) _________________ em Blumenau, Santa Catarina. Nossa empresa (ter) ______________ clientes importantes lá. Eu (ir) ________ visitar alguns. Eu nunca (estar) ___________ em Blumenau antes. (ser) ______ uma cidade muito interessante, com suas casas em estilo alemão e sua população muito loira. Eu (gostar) ______________ de passar alguns dias lá, mas minha esposa já (planejar) ________________ nossas férias. Nós (passar) _____________ o mês de julho em Petrópolis, uma cidade nas montanhas, perto do Rio.

b) Perfeito ou Imperfeito?

— Por que você não (vir) ___________ ontem?

— Porque eu (ver) _________ que (chover) ___________ quando eu (abrir) __________a porta do apartamento para sair.

— E por que não (telefonar) _____________?

— Eu (ir) _________ telefonar, mas eu não (ter) __________ o número. Acho que eu o (perder) ____________.

— Boa desculpa!

— E como (ser) __________ ontem? Vocês (trabalhar) __________ muito?

— Um horror! O telefone não (parar) __________ de tocar. Enquanto eu (atender) __________um cliente, outro (ligar) __________. A situação só (melhorar) ___________ à tarde. Antigamente, as coisas (ser) _________ mais tranquilas no escritório.

c) Perfeito ou Mais-que-perfeito?

1. Ele estava contente porque (receber) ____________uma boa notícia.
2. Ninguém sabia onde ela (pôr) ___________ a chave.
3. Eu não (fazer) ______________ o trabalho porque ele já (fazer)_______.
4. Eu ia dar gorjeta para o menino, mas o Paulo já (dar) _______________. Por isso, eu não (dar) ___________ .
5. Quando eu (telefonar) ___________, ele não estava no escritório. Ele (sair) ________________ para visitar um cliente.
6. Ninguém sabia dizer quem (escrever) _________________ aquela carta tão absurda.

d) Coloque o texto abaixo na ordem correta, numerando as frases.

☐ Joaquim de Camargo viveu vários anos na mesma cidade e na mesma casa onde nasceu.

☐ Naturalmente, a vida aí seria mais difícil, mas ele achava também que seria mais confortável.

☐ Aliás, seus pais moraram aí até morrer.

☐ Como Joaquim já tinha trabalhado na Telefônica de sua cidade, não foi difícil entrar em contato com uma firma de Telecomunicações.

☐ Depois da morte de seus pais, mudou-se para Campinas.

☐ Suas expectativas para o futuro eram muitas, mas ele sabia que teria coragem para realizá-las.

Gênero

No texto abaixo, coloque as palavras entre parênteses na forma correta.
O brasileiro e a brasileira vistos pelos estrangeiros.

A mulher brasileira típica não é nem (alto) ___________ nem (baixo) ___________.

Ela tem altura e peso (regular) _____________, isto é, ela mede entre 1,58 m e 1,65 m e pesa entre 55 e 60 quilos. Cabelos (escuro) ___________, pele (moreno) ____________, quadris (largo) ______ e pernas (grosso) ___________ . Está sempre (alegre) _________ e (sorridente) ___________ .

O homem brasileiro é (otimista) ___________, cheio de (bom) ___________ intenções. Ele também não é (alto) _________: estatura (médio) ___________.

Ele é (alegre) __________. Para ele, problemas (sério) ___________ ficam para o dia seguinte, o que não é (mau) _________ ideia.

Brasileiros típicos?

Pronomes pessoais

Complete as frases com as formas adequadas dos pronomes pessoais, precedidas ou não de preposições. Faça as modificações necessárias.

1. (eu) Ele trouxe as passagens_________ e também_____ trouxe o roteiro da viagem.
2. (você) Tiago, não ______ mostrei ainda os quadros que comprei na exposição.
3. (nós) O gerente do banco já __________telefonou duas vezes. Acho que ele quer falar ___________ .
4. (ele) Este trabalho? Quando tenho de terminar __________ ?
5. (eu) Sérgio trabalha __________ na firma há cinco anos. Ele sempre ________ consulta quando tem algum problema.
6. (eu) Helena, você pode _________ fazer um favorzinho? Diga ao Vítor para telefonar ____________ o mais urgente possível.
7. (ela) A mesa que comprei está com defeito. Vou devolver _______ hoje mesmo.

Pronomes indefinidos

Complete com os pronomes *alguém/ninguém/nenhum/nenhuma/todo(s), toda(s)/tudo/nada/algum/alguma/alguns/algumas.*

Seu Francisco vai se aposentar, após 40 anos de trabalho na firma. O senhor Tavares, seu chefe, pede ao RH para lhe mandar a ficha de Seu Francisco e recebe uma resposta surpreendente:

Tavares: — Como? Não acharam nada sobre ele?

RH: — Não. ___________ ficha, __________ documento.

Tavares: — Não é possível! Alguém deve saber _________ coisa.

RH: — __________ sabe _______.

Tavares: — ________ colega pode dizer alguma coisa?

RH: — Já tentamos tudo. ___________ colega se lembra de quando ele começou.

Tavares: — Vejam no "arquivo morto". Certamente, lá encontrarão __________ as informações.

RH: — O senhor tem razão. ________ o que queremos deve estar lá.

Mais tarde

RH: — Seu Tavares, verificamos o arquivo morto. O seu Francisco estava lá. Encontramos_______________os seus documentos.

Unidade 11: Pondo o pé na estrada

VIAGEM E TURISMO

Férias brasileiras

faixa 58 CD 1

De tênis, bermuda e camiseta, você viaja o ano todo por quase todo o Brasil

SAMIRA IUNES

Por ser um país de dimensões continentais, o Brasil exerce uma autêntica fascinação sobre as pessoas que buscam lugares exóticos, cidades coloniais ou regiões onde a natureza ainda está preservada.
Nosso país é um verdadeiro paraíso. Tropical? Bem, o Norte e o Nordeste são tropicais: floresta amazônica, rios imensos, praias paradisíacas, mar cor de esmeralda, palmeiras ...
Não perca a oportunidade de conhecer Fernando de Noronha. A Bahia colonial — Salvador — e as cidades históricas de Minas Gerais — Ouro Preto, Tiradentes, Congonhas do Campo, Sabará — são um espetáculo que emociona.

Na região quase desértica do Planalto Central, o Pantanal é um verdadeiro oásis. Jacarés, tamanduás, aves raras estão por todo lado. Sem falar nos rios caudalosos e na pesca abundante.
No Sul e Sudeste, a região de montanhas tem clima quase europeu. Aí, é possível que faça calor de manhã, que chova à tarde e que de noite faça frio.
No Brasil, a variedade de opções é muito grande. Talvez o turista tenha dificuldade de escolher um roteiro, até que conheça melhor o país.
Reúna a família e, de tênis, bermuda e camiseta, um *jeans*, para variar, ponha o pé na estrada e descubra o Brasil, você também.

a) Responda.

1. Por que é possível viajar pelo Brasil, levando pouca bagagem?

____

____

2. Quais as vantagens das dimensões continentais do país para o turismo brasileiro?

____

____

3. O Brasil é um país de clima inteiramente tropical? Explique.

____

____

4. Por que o Pantanal é considerado um oásis?

____

____

5. O que você entende por: “Descubra o Brasil, você também“?

____

____

b) Explique o significado, no texto, das expressões:

— país de dimensões continentais:

____

____

— uma autêntica fascinação:

____

____

— um espetáculo que emociona:

____

____

— <u>sem falar</u> nos rios caudalosos:

____

____

— um *jeans*, para variar:

____

____

Ainda não sabemos o que fazer

faixa 59 CD 1

Robert: — As crianças vão entrar em férias no mês que vem e eu também. É incrível, mas ainda não sabemos o que fazer. Este país é grande demais ... Ir para onde? Para a praia? Para a Amazônia? Você que vive viajando, Otávio, talvez possa dar alguma ideia.

Otávio: — É, eu sei como é. É difícil escolher, mesmo para você que já conhece algumas regiões. Que tipo de viagem você gostaria de fazer? Você gostaria de ir a vários lugares ou ficar o tempo todo num lugar só? Temos hotéis maravilhosos em ilhas, em praias exclusivas. Um luxo só!

Foto: Dirceu Tortorello. Igreja de São Francisco. Paraíba.

Robert: — Pensando bem, já que minha família nunca viajou pelo Brasil, é melhor conhecer vários lugares, paisagens diferentes.

Otávio: — Excursão? Há excursões ótimas para o Nordeste, para as cidades históricas de Minas Gerais, para as serras gaúchas, no Sul.

Robert: — Um dia, vamos fazer uma excursão dessas. Mas agora, prefiro pegar meu carro e minha família e sair por aí, fazer várias paradas, dormindo hoje aqui, amanhã lá. É mais divertido, embora seja mais cansativo. E também é mais barato. Voar pelo Brasil é muito caro.

Otávio: — É, sem dúvida. Mas é necessário que você organize o roteiro com muito cuidado, para que não tenha dor de cabeça. Convém também que você cheque as condições das estradas.

Foto: Aristides Alves. Baía de Todos os Santos. Bahia.

Vamos para a Bahia

faixa 60 CD 1

Robert: — Decidimos, Otávio. Vamos para a Bahia.

Otávio: — Ótimo! Vocês podem conhecer inclusive o Rio e o Espírito Santo. Há praias lindas em Vitória, em Guarapari. E a Bahia, você já sabe, é especial. É outro mundo!

Robert: — É. Mesmo viajando a negócios, adorei Salvador, suas praias, suas casas coloniais, seu porto. Vou fazer tudo para que minha família não perca nada do que a Bahia oferece. E vamos mesmo de carro. Preciso de um bom guia. Alguém me disse para comprar o Guia Quatro Rodas.

Otávio: — Sim, é bom que você compre esse guia. Ele traz mapas e informações de todo tipo. Distâncias, estradas principais, desvios, hotéis, restaurantes, postos de gasolina, o que vale a pena ver ...

Natal / RN (SETUR)

Luxo ou simplicidade

faixa 61 CD 1

Robert: — Hotel ou pousada?
Otávio: — Pra mim, pousada.
Robert: — Pra mim também. É mais descontraído, mais sossegado. O que eu quero é paz.

Um sol de rachar

faixa 62 CD 1

Natal / RN (SETUR)

Robert: — É difícil imaginar: no Canadá, em janeiro, faz muito frio e tem muito vento. A gente se cobre da cabeça aos pés com roupa quente. Lá, neva o tempo todo. Um desastre! E nós, em janeiro, aqui no Brasil, vamos estar na praia, com muito sol e pouca roupa, andando a pé, de bicicleta.
Otávio: — Com certeza. Aqui, em janeiro, faz muito, muito calor. Muitas vezes, 40 graus centígrados. E faz um sol de rachar! Mas a umidade é muito grande também.
Robert: — Mesmo assim é uma maravilha!

A5 ampliando o vocabulário

Carro/automóvel

O carro e a viagem. Risque o intruso.

a) Componentes do carro
- ☐ o volante, a direção
- ☐ o câmbio
- ☐ o acelerador
- ☐ os freios
- ☐ o porta-malas
- ☐ as luvas
- ☐ a buzina
- ☐ os faróis
- ☐ o para-brisa
- ☐ o para-choque
- ☐ a marcha à ré
- ☐ o banco do passageiro

b) Os acessórios indispensáveis
- ☐ o estepe
- ☐ o macaco
- ☐ as ferramentas
- ☐ o triângulo
- ☐ o cinto de segurança
- ☐ o ar-condicionado

c) Preparativos para a viagem
- ☐ encher o tanque
- ☐ trocar o óleo
- ☐ verificar a bateria
- ☐ trancar a porta
- ☐ calibrar os pneus
- ☐ fazer acampamento

d) Os serviços
- ☐ o posto de gasolina
- ☐ a oficina mecânica
- ☐ o posto de saúde
- ☐ o borracheiro
- ☐ o pedágio
- ☐ o autoelétrico

Os animais, Brasil afora

Animais selvagens
1) anta
2) cobra
3) jabuti/tartaruga
4) jacaré
5) macaco (mico-leão)
6) onça-pintada

1 2 3 4 5 6

Aves
7) arara
8) galo/galinha
9) ganso
10) papagaio
11) pato
12) pintinho
13) peru
14) tucano

7 8 9 10 11 12 13 14

Animais Domésticos
15) cachorro/cão
16) coelho
17) gato

15 16 17

Insetos
18) borboleta
19) formiga
20) mosca
21) mosquito/pernilongo

18 19 20 21 18

Tucano (Folha)
Jabuti. Foto: Fernando Torres de Andrade
Macaco-prego (Folha)
Formiga Saúva (pragasonline.com.br)
Formiga. Foto: Fernando Torres de Andrade
Formiga (pragasonline.com.br)
Galo. Foto: Fernando Torres de Andrade
Onça pintada. Foto: Fernando T. Andrade
Papagaio. Foto: Fernando Torres de Andrade
Cobra. Foto: Fernando Torres de Andrade
Jacaré. Foto: Fernando Torres de Andrade
Araras (Folha)
Mosca (pragasonline.com.br)
Mosquito (pragasonline.com.br)
Mosquito Aedes (pragasonline.com.br)

Presente do Subjuntivo

É bom que você **compre** esse guia.

O turista pode ter dificuldade de escolher, até que **conheça** melhor o país.

Antes que você **parta,** convém checar as condições das estradas.

Formação

O presente do subjuntivo forma-se a partir da 1ª pessoa do singular do presente do indicativo.

Comprar
(eu compr**o** - que eu compr**e**)

Que eu	compre
Que você Que ele Que ela	compre
Que nós	compremos
Que vocês Que eles Que elas	comprem

Conhecer
(eu conheç**o** - que eu conheç**a**)

Que eu	conheça
Que você Que ele Que ela	conheça
Que nós	conheçamos
Que vocês Que eles Que elas	conheçam

Partir
(eu part**o** - que eu part**a**)

Que eu	parta
Que você Que ele Que ela	parta
Que nós	partamos
Que vocês Que eles Que elas	partam

Ter
(eu tenh**o** - que eu tenh**a**)

Que eu	tenha
Que você Que ele Que ela	tenha
Que nós	tenhamos
Que vocês Que eles Que elas	tenham

Poder
(eu poss**o** - que eu poss**a**)

Que eu	possa
Que você Que ele Que ela	possa
Que nós	possamos
Que vocês Que eles Que elas	possam

Vir
(eu venh**o** - que eu venh**a**)

Que eu	venha
Que você Que ele Que ela	venha
Que nós	venhamos
Que vocês Que eles Que elas	venham

Atenção! São irregulares:

É mais divertido, embora **seja** mais cansativo.

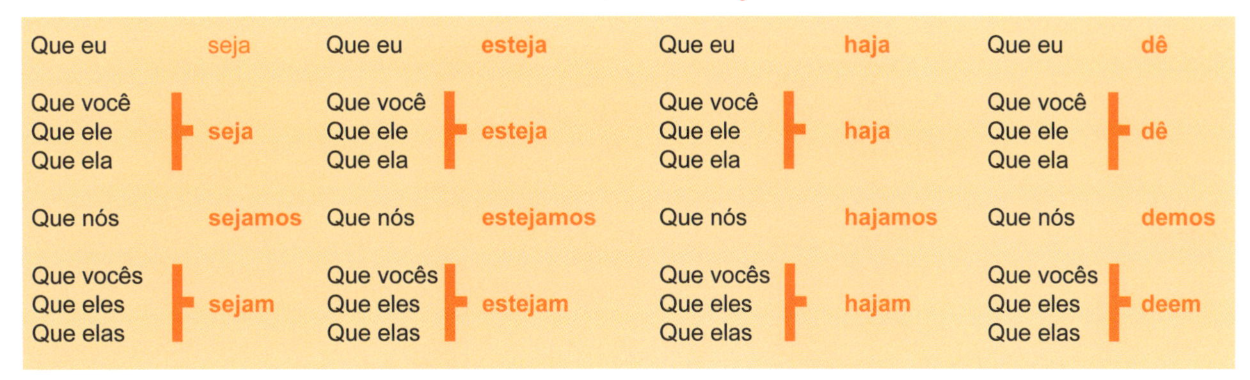

Ser		Estar		Haver		Dar	
Que eu	seja	Que eu	esteja	Que eu	haja	Que eu	dê
Que você Que ele Que ela	seja	Que você Que ele Que ela	esteja	Que você Que ele Que ela	haja	Que você Que ele Que ela	dê
Que nós	sejamos	Que nós	estejamos	Que nós	hajamos	Que nós	demos
Que vocês Que eles Que elas	sejam	Que vocês Que eles Que elas	estejam	Que vocês Que eles Que elas	hajam	Que vocês Que eles Que elas	deem

Ir		Saber		Querer	
Que eu	vá	Que eu	saiba	Que eu	queira
Que você Que ele Que ela	vá	Que você Que ele Que ela	saiba	Que você Que ele Que ela	queira
Que nós	vamos	Que nós	saibamos	Que nós	queiramos
Que vocês Que eles Que elas	vão	Que vocês Que eles Que elas	saibam	Que vocês Que eles Que elas	queiram

Presente do Indicativo

Perder		Dormir		Cobrir	
Eu	perco	**Eu**	durmo	**Eu**	cubro
Você **Ele** **Ela**	perde	**Você** **Ele** **Ela**	dorme	**Você** **Ele** **Ela**	cobre
Nós	perdemos	**Nós**	dormimos	**Nós**	cobrimos
Vocês **Eles** **Elas**	perdem	**Vocês** **Eles** **Elas**	dormem	**Vocês** **Eles** **Elas**	cobrem

Vou fazer tudo para que minha família não **perca** nada.

Não é bom que eu **durma** na direção.

Convém que você **cubra** bem o bagageiro.

Emprego (1)

O presente do subjuntivo pode ser introduzido por expressões impessoais + que e por certas conjunções.

É possível que faça calor amanhã.
É bom que *você* ***compre*** esse guia.
É necessário que *você* ***organize*** o roteiro com muito cuidado.

Vou fazer de tudo ***para que*** minha família não ***perca*** nada do que a Bahia oferece.
É divertido, ***embora seja*** mais cansativo.
Talvez, o turista tenha dificuldade de escolher, ***até que conheça*** melhor o país.

Expressões impessoais

É possível que
É provável que
É bom que
É aconselhável que
É difícil que
É importante que
É necessário que
Convém que
Basta que

Presente do subjuntivo

eles **partam** bem cedo.

Certas Conjunções

Organize o roteiro com cuidado	**para que = a fim de que**	não **tenha** dor de cabeça.
É mais divertido	**embora**	**seja** mais cansativo.
Os turistas terão dificuldade	**até que**	**conheçam** melhor o país
Vamos chegar à pousada	**antes que**	**comece** a chover?
Vamos ficar num hotel,	**caso**	não **haja** lugar na pousada.
Ele não vai poder viajar agora,	**por mais que**	ele **queira**!

Outras conjunções que exigem presente do subjuntivo:

a não ser que **contanto que** **mesmo que** **sem que**

Expressões referentes a clima

Em janeiro, **faz muito frio** no Canadá.
Está fazendo muito frio.
Lá **neva** o tempo todo.
A **neve** está caindo. **Está nevando.**
Aqui, em janeiro, **faz muito, muito calor. Faz um sol de rachar!**
Está fazendo muito calor. **Está fazendo um sol de rachar!**
No verão, **chove muito.**
Está chovendo muito.
Há **nuvens** no céu. O dia **está nublado, cinzento.**
Está caindo uma chuva fina. Está garoando.
Está relampejando.

Presente do subjuntivo

a) Dê a forma do presente do indicativo e do presente do subjuntivo.

Exemplo: (andar) eu __ando______ que eu __ande_____

1. perguntar eu ____________ que eu ____________
2. responder eu ____________ que eu ____________
3. discutir eu ____________ que eu ____________
4. insistir eu ____________ que eu ____________
5. poder eu ____________ que eu ____________
6. dizer eu ____________ que eu ____________
7. pôr eu ____________ que eu ____________
8. ter eu ____________ que eu ____________
9. fazer eu ____________ que eu ____________
10. perder eu ____________ que eu ____________
11. sentir eu ____________ que eu ____________
12. trazer eu ____________ que eu ____________
13. ouvir eu ____________ que eu ____________
14. vir eu ____________ que eu ____________
15. ver eu ____________ que eu ____________

b) Complete as frases com o Presente do Indicativo e o Presente do Subjuntivo.

1. (perder) Eu nunca _________ a hora. É importante que eu não__________ a hora.
2. (fazer) Eles __________ muitas viagens. É necessário que eles _________ muitas viagens.
3. (dormir) Você _________ bem? É bom que você __________ bem.
4. (ter) Ela __________ dúvidas. É provável que ela________ dúvidas.
5. (descobrir) Nós sempre __________uma saída. Convém que nós ____________ uma saída.
6. (haver) Não ________ lugar para todos. É possível que não ___________ lugar para todos.

c) Complete as frases com o Presente do Subjuntivo.

1. (perder) Convém que eles partam bem cedo para que não ____________ o avião.
2. (dar) Planeje bem a viagem a fim de que tudo ________ certo.
3. (estar) Vamos partir agora, embora __________ chovendo.
4. (saber) Ele conversa com todo mundo, embora não __________ o nome de ninguém.
5. (acabar) Compre as passagens de ida e volta antes que __________ .
6. (dar) Vou insistir até que o hotel me ________ um apartamento com vista para o mar.
7. (ser) Vou ficar neste hotel, caso a diária não ________ absurda.
8. (ser) Façam alguma coisa, antes que ___________ tarde demais.
9. (querer) Ele não pode viajar amanhã, embora ele _________ .
10. (ter) Podemos chamar o carregador caso você __________ muitas malas.

d) Complete a ideia das frases. Use o Presente do Subjuntivo.

Exemplo: (ter - nós) É provável que _____________

É provável que tenhamos um dia mais calmo hoje.

1. (estar - nós) É necessário que _________________________________.
2. (vir - ele) Eu vou sair antes que ______________________________.
3. (dormir - elas) Elas nunca estão cansadas, embora_________________.
4. (perder - eu) Não é possível que ________________________________.
5. (ter - você) Você vai trabalhar no sábado para que ________________.
6. (partir - nós) Nós lhe telefonaremos, caso _______________________.
7. (fazer - eu) É conveniente que _________________________________.

8. (querer - elas) É muito importante que _______________________________.
9. (ir - você) Eu vou esperar aqui, até que __________________________.
10. (saber - nós) É bom que ____.

e) Presente do Indicativo ou Presente do Subjuntivo? Faça a escolha adequada.

1. (fazer/perder) Sempre que _______ muito frio, eu _______ a hora.
2. (poder/estar) Nós não ________ ir à praia hoje, embora____________ um belo dia.
3. (dar/ir) Antes que vocês me _________ mais trabalho para fazer, eu ______ embora!
4. (estar nevando/estar fazendo) É provável que _______________ em Londres. Mas no Rio ______________ muito calor.
5. (fazer/planejar) Para que a gente_________ uma viagem tranquila, é necessário que a gente __________ tudo com antecedência.
6. (chover/molhar-se) Quando _________, sem guarda-chuva, a gente _________.

Expressões impessoais referentes a clima

a) Identifique as condições climáticas. Siga o exemplo.

Está fazendo muito frio.
____

____

____

____

____

b) Escolha cinco situações climáticas do exercício anterior e faça frases, empregando o Presente do Subjuntivo. Siga o exemplo.

(Está fazendo muito frio.) Embora esteja fazendo muito frio no Canadá, não desistirei da viagem.

1. ____

2. ____

3. ____

4. ____

5. ____

c) Numere de acordo com a situação.

Em janeiro,

no Brasil (1)	**e**	**na Europa (2)**
( ) faz sol de rachar		( ) faz frio
( ) faz 3 °C negativos		( ) faz mais de 30 °C
( ) os dias são quentes		( ) os dias são curtos
( ) neva o tempo todo		( ) faz calor

d) Associe, pelo sentido.

(1) Está chovendo	( ) nuvem
(2) Está relampejando	( ) trovão
(3) Está nublado	( ) eletricidade
(4) Está trovejando	( ) muita água
(5) Está garoando	( ) barulho
(6) Está chovendo forte	( ) água
	( ) raio, relâmpago
	( ) chuva fina

Raio cai no centro de São Paulo/SP (Folha)

Inundação no Centro de São Paulo/SP (Folha)

Farol Natal (SETUR - RN)

C1 trocando ideias

Existem os mais variados tipos de turistas. Há aqueles que querem ver o máximo possível de coisas no espaço mínimo de tempo. São do tipo que diz: "- Não perco tempo, não durmo em viagem e cubro o maior número de quilômetros por dia, de carro, avião ... ou de ônibus."
Mas há também aqueles que preferem ver pouca coisa, conhecer poucas cidades, mas bem. Esses são do tipo que dizem: "- É preferível que eu veja com calma os lugares mais interessantes, para que possa aproveitar melhor a viagem."

Para os primeiros, um pacote do tipo "Conheça o Brasil em 10 dias" seria uma maravilha. Para os outros, "Venha descobrir as tradições religiosas e a cozinha de origem africana da Bahia "Conheça a influência espanhola na região das Missões, no Rio Grande do Sul", é o ideal. Levando em consideração a extensão do território brasileiro e o tempo disponível para conhecê-lo — pouco ou muito —, que tipo de turista você seria?

- Quantas vezes você já esteve no Brasil?
- Suas viagens ao Brasil são só a negócios?
- O que você já conhece do Brasil?

C2 chegando lá

No seu país, o turismo é uma atividade bem organizada? Uma grande fonte de renda?
Qual é a melhor maneira de se pôr o pé na estrada no seu país?
Imaginando que o turismo interno é um negócio bem desenvolvido, qual é a maneira ideal para se conhecer o seu país:

- escolher uma região, pegar o carro e sair com espírito de aventura?
- escolher uma região, ler a respeito, planejar o roteiro e só então pôr o pé na estrada?

No seu país, o turismo é caro?
É possível viajar com conforto, de forma econômica?

Unidade 12: Vendo, ouvindo, lendo ... e escolhendo

IMPRENSA ESCRITA: CINCO SÉCULOS DE DOMÍNIO ABSOLUTO.

SÉCULO XX: RÁDIO, TELEVISÃO E INTERNET REVOLUCIONAM A COMUNICAÇÃO

QUANTIDADE X QUALIDADE: O GRANDE DESAFIO.

SÉCULO XXI: NOVA REVOLUÇÃO ?

A VOZ DE CAMPINAS

A mídia brasileira

faixa 63 CD 1

Do rádio à *Internet*, mais uma grande revolução

OLÍVIO DUMONT

Até o século XX, a comunicação se fazia basicamente pelos meios impressos. O século XX assistiu a uma verdadeira revolução nessa área, graças ao extraordinário avanço tecnológico.
Primeiro foi o rádio, muito importante no Brasil, até hoje. Depois, a televisão. Em seguida, veio a *Internet*, que cresceu a uma velocidade incrível e invadiu todos os espaços da atividade humana.
No Brasil, como no resto do mundo, até a *Internet*, nenhum veículo de comunicação venceu o espaço com tamanho impacto como a televisão. A presença da informação audiovisual no dia a dia é um dos mais fortes traços socioculturais do final do século XX.
A televisão envolve o telespectador, dando-lhe a ilusão de domínio e a sensação de protagonista dos fatos. Ninguém foge ao seu encantamento. Há, porém, uma polêmica quanto à influência da televisão no comportamento das pessoas.
O fascínio que ela exerce pode tornar o telespectador passivo, sem crítica diante dos programas a que assiste. E isso pode levar a uma queda no nível da programação.
É o que acontece na televisão brasileira. Embora haja programas de alta qualidade, frequentemente a violência e a vulgaridade estão presentes, o que exige da sociedade uma postura mais crítica e a cobrança de providências. Crescer, sem perder a qualidade, eis o grande desafio.
Em matéria de comunicação, o século XXI não fugirá, certamente, ao caráter revolucionário que marcou o século XX.

a) Certo ou errado?

	Certo	Errado
1. No século XX, os meios impressos de comunicação foram a grande revolução.	☐	☐
2. No Brasil, o rádio é um dos grandes veículos de comunicação popular.	☐	☐
3. A *Internet* é o único meio de comunicação com alto nível de qualidade.	☐	☐
4. A televisão cria o espectador passivo, sem crítica.	☐	☐
5. Crescer sem perder a qualidade é o grande desafio.	☐	☐

b) Responda, de acordo com o texto dado.

1. O que caracterizou o século XX, em matéria de comunicação?

____

____

2. No Brasil, quais os meios de comunicação e informação mais populares?

____

____

3. Por que a televisão dá ao espectador a ilusão de domínio dos fatos?

____

____

BBC AMERICA

4. Por que programas de baixo nível de qualidade têm audiência?

____

____

5. Pode a sociedade cobrar qualidade dos meios de comunicação? Explique.

____

____

A4 dialogando

Rádio ou televisão?

faixa 64 CD 1

Locutor Ciro: — Estamos entrevistando alguns ouvintes. O tema de hoje são os meios de comunicação: rádio, televisão, imprensa, cinema. Vamos ouvir primeiro o nosso ouvinte Mário Eduardo Santana, de Jundiaí. Mário, eu quero que você diga o que você prefere, rádio ou televisão?

Rádio, sem dúvida

faixa 65 CD 1

Mário: — É um prazer participar de seu programa. Um ótimo programa. Parabéns! Prefiro rádio, Ciro, sem dúvida.

Ciro: — Por quê?

Mário: — Porque é muito mais interessante. Rádio eu ouço em qualquer lugar, no carro, em casa, no jardim ... Há programas de notícias, de música popular, de música clássica. Há debates, comentários.

Ciro: — E o que mais?

Mário: — O rádio também presta serviços à população. Por exemplo, orienta os ouvintes para que fujam de congestionamentos. Transmite apelos, protestos. Ele é muito mais útil do que a televisão. A gente perde muito tempo sentado no sofá, diante da televisão. E, geralmente, os programas não valem a pena. Rádio, sem dúvida, Ciro.

Televisão, claro

faixa 66 CD 1

Ciro: — Vamos ouvir agora a opinião de Dona Maria Cecília da Silva, de Itu. Dona Maria Cecília, rádio ou televisão?

Maria Cecília: — Televisão, claro, Ciro. Rádio é coisa antiga. As pessoas falam, falam e não dizem nada. Música, tudo bem, gosto muito de música, mas nunca ouço música agradável, no rádio. E há muita propaganda, uma atrás da outra. Não tenho paciência para ouvir rádio.

Ciro: — Então a senhora prefere mesmo a televisão?

Maria Cecília: — Prefiro. A gente vê filmes, notícias, novelas, *shows*, esporte, entrevistas, programas de auditório, tudo sem sair de casa. Tudo é moderno, colorido, bonito. Teatro, programas infantis, documentários ... Rádio? Coisa antiga, secundária.

Foto: Walter Carvalho. *Central do Brasil*. Riofilme/Videofilmes.

Prefiro ler jornal

faixa 67 CD 1

Ciro: — E o senhor, Dr. Geraldo Madureira? Rádio ou televisão?

Geraldo: — Nem um, nem outro. Prefiro ler jornal. Leio três jornais por dia. O Estado de S. Paulo, o Jornal do Brasil e a Gazeta Mercantil. Preciso estar bem informado. Duvido que a televisão e o rádio sejam tão importantes quanto o jornal.

Foto: Walter Carvalho. *Central do Brasil*. Riofilme/Videofilmes.

Adoro cinema!

faixa 68 CD 1

Ciro: — Então você, Juliana, você prefere cinema, certo?

Juliana: — Certo. Vou muito ao cinema: filmes de arte, filmes policiais, filmes de bangue-bangue, de suspense, comédias... Gosto de tudo. Adoro filmes antigos, branco e preto ...

Ciro: — Então diga alguma coisa sobre o cinema brasileiro.

Juliana: — Temos gente muito boa fazendo grandes filmes. Alguns, de grande bilheteria. É pena que seja tão complicado e tão trabalhoso fazer bom cinema aqui no Brasil. ***Central do Brasil, Gaigin***, você viu esses filmes?

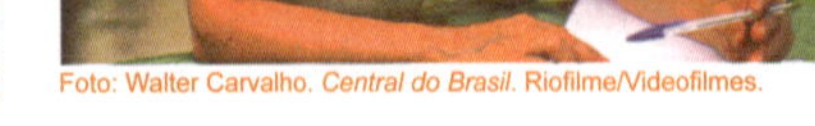

Foto: Walter Carvalho. *Central do Brasil*. Riofilme/Videofilmes.

Foto: Walter Carvalho. *Central do Brasil*. Riofilme/Videofilmes.

A televisão

o canal, a emissora
sintonizar um canal
a imagem
o telespectador
o horário nobre
o filme dublado
o filme com legenda
TV aberta
TV a cabo
programas
o programa ao vivo
o programa gravado
o *replay*
o comercial
o intervalo comercial

O rádio

a estação, a rádio
sintonizar uma estação
AM: amplitude modulada
FM: frequência modulada
o som
o ouvinte

A rede nacional de rádio e televisão
Horário político
A audiência
A censura

O nível dos programas: alto / bom / baixo

> IBOPE: Instituto Brasileiro de Opinião Pública e Estatística
>
> O ibope: o índice de audiência, prestígio,
> A última novela não deu o ibope esperado.

Redes de televisão no Brasil

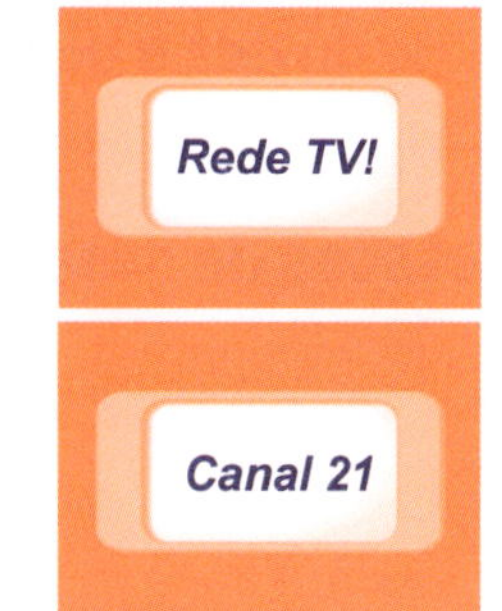
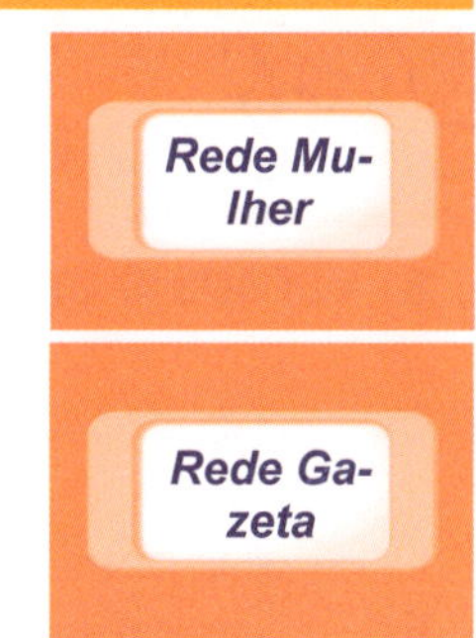

Rede Cultura	Rede Globo	Rede Band	Rede TV!	Rede Mulher
SBT	Rede Record	MTV	Canal 21	Rede Gazeta

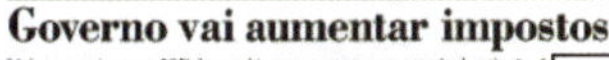

JORNAL DO BRASIL
Governo vai aumentar impostos
Três assaltos só na tarde de ontem.
A GAZETA
19 mortes violentas em 15 dias
8 foram em acidentes de trânsito
FOLHA DE S.PAULO
Imposto sobe para compensar CPMF
CORREIO BRAZILIENSE
ESTADO DE MINAS
Governo aumenta imposto para compensar a CPMF
Aliados de Ciro Gomes tentam apoio do PFL
IMAGENS DA ANARQUIA
O GLOBO
ZERO HORA
Impostos consomem 32% da renda de porto-alegrenses
O ESTADO DE S. PAULO
Governo elevará o IOF e outros impostos para compensar CPMF
DIÁRIO CATARINENSE
GOVERNO AUMENTA IOF PARA COBRIR PERDAS COM A CPMF

O jornal

a tiragem
o exemplar
a venda em banca

o jornaleiro

a venda por assinatura
o assinante
o jornalista
o repórter

os classificados
o suplemento (agrícola, feminino etc.)
a manchete
o artigo
o editorial
a reportagem
o "furo" jornalístico

Principais jornais:

Rio de Janeiro
Jornal do Brasil
O Globo

São Paulo
O Estado de São Paulo
A Folha de São Paulo

Brasília
Correio Braziliense

O cinema

o filme
o curta-metragem
o longa-metragem
o filme dublado
o filme legendado
o cineasta
os atores
a estreia, o lançamento
o *trailer*
a sessão
o espectador

JORNAL DO BRASIL
Trânsito mata sete em SC
DIÁRIO CATARINENSE
ZERO HORA
ESTADO DE MINAS
O GLOBO
O ESTADO DE S. PAULO
FOLHA DE S.PAULO
CORREIO BRAZILIENSE

Presente do Subjuntivo

Emprego (2)

O presente do subjuntivo pode ser introduzido por verbos de desejo, de dúvida e de sentimento + que

a) Verbos e expressões de desejo + que

Eu **quero que** / **desejo que** / **espero que** / **peço que** / **proíbo que** / **permito que** / **prefiro que** você **fale.**

Tomara que você **fale**!

b) Verbos e expressões de dúvida + que

Ele **duvida que** / **não tem certeza que** / **não está certo que** / **não acha que** eu **possa** viajar.

Talvez, eu **possa** viajar.

c) Verbos e expressões de sentimento + que

Eu **sinto muito que** / **estou triste que** / **tenho medo que** / **estou contente que** / **tenho esperança que** ele **volte** amanhã.

Que pena que ele não volte mais!

Verbos fugir - subir

Presente do Indicativo

Fugir		Subir	
Eu	fujo	Eu	subo
Você / Ele / Ela	foge	Você / Ele / Ela	sobe
Nós	fugimos	Nós	subimos
Vocês / Eles / Elas	fogem	Vocês / Eles / Elas	sobem

Presente do Subjuntivo

Fugir		Subir	
Que eu	fuja	Que eu	suba
Que você / Que ele / Que ela	fuja	Que você / Que ele / Que ela	suba
Que nós	fujamos	Que nós	subamos
Que vocês / Que eles / Que elas	fujam	Que vocês / Que eles / Que elas	subam

Atenção! Nos demais tempos e modos, os verbos **fugir** e **subir** são **regulares**.

Pronomes relativos simples

a) **Invariáveis:**

que	Veio a *Internet*, **que** cresceu a uma velocidade incrível ... O rapaz **que** está lá fora quer falar com você.
quem	O rapaz com **quem** viajamos é do Rio.
onde	A cidade **onde** ele mora é muito bonita.

b) **Variáveis:** **cujo, cuja, cujos, cujas**

O apresentador de TV, **cujo** programa tem grande audiência, recebeu um prêmio extra.

Aquela cantora, **cuja** música não deu ibope, não se apresentou mais.

Os jornais **cujas** reportagens são bem cuidadas atraem muitos leitores.

Nem sempre as empresas **cujos** anúncios são sofisticados têm os melhores produtos.

Subjuntivo com verbos de desejo, sentimento, dúvida

B2 aplicando o que aprendeu

a) Complete com os verbos indicados entre parênteses.

1. (gravar) Quero que meus filhos __________ o programa de amanhã.
2. (permanecer) Duvido que ele _______________ no cargo.
3. (dividir) Não é provável que a firma____________ os lucros com os acionistas.
4. (ouvir) Espero que vocês ___________ bem, no fundo da sala.
5. (trazer) Esperamos que eles nos ____________ boas notícias.
6. (vir) Espero que eles _______________ nos ver amanhã.

b) Complete com os verbos indicados, no modo e no tempo corretos.

Siga o exemplo. **(fazer)** Ele quer que eu faça uma viagem ao exterior.
Com certeza, eu farei meu trabalho sozinho.

1. (convidar) Eu duvido que ela me ___________ para jantar.
2. (atender) Estou certo de que ele me _____________ amanhã de manhã.
3. (perceber) Espero que ele _____________ o erro que está cometendo.
4. (enviar) Quero que você ____________a notícia para a imprensa ainda hoje.
5. (receber) Tenho medo que nós _____________ más notícias sobre o contrato.
6. (dar) Temos certeza de que os jornais ____________ a notícia com detalhes.

7. (dizer) Duvido que eles nos ____________ a verdade sobre o crime.
8. (ser) Eles vão se casar? Desejo que o casal __________ feliz.
9. (ser) Eles vão se casar? Sei que ___________ felizes.
10. (ser) Sinto muito que tudo _________ tão difícil!

Verbos fugir e subir

a) Complete as frases com os verbos indicados, no Presente do Indicativo.

1. (subir) Todos os dias eles ____________ até o 5º andar pelas escadas.
2. (subir) Eu _________ sempre de elevador. Eu não ____ nem dez degraus.
3. (fugir) Vocês gostam de filmes violentos? Nós, não. Nós ___________ deles como o diabo __________ da cruz!
4. (fugir) Você ___________ dos restaurantes cheios e eu ________dos vazios!
5. (subir) O cartaz daquela atriz ______ a cada dia que passa.

b) Use o Indicativo ou o Subjuntivo, conforme o caso.

1. (subir) Ele não quer que você __________ agora. Ele está muito ocupado.
2. (fugir) Sempre que possível, nós ____________ para o litoral.
3. (fugir) Espero que eles ___________ do frio!
4. (fugir) Eu sempre __________ do calor.
5. (subir) Ele tem medo que nós ____________ a pé esta ladeira. Ele só ___________ de carro.

Pronomes relativos simples — Invariáveis: que, quem, onde

a) Complete com que ou quem.

1. O programa _________ vimos ontem não foi interessante.
2. Eu não conheço a família _________ chegou.
3. Luís, em _________ ela pensa sempre, não pensa nela.
4. Você viu a reportagem _________ fala sobre a violência na TV?
5. O repórter _________ o Canal 18 contratou é bem jovem.
6. Na novela, o rapaz de ________ela gosta, gosta dela também.
7. Você não viu? A novela teve um fim _________ninguém esperava!
8. Ele não gosta do diretor com ________ vai trabalhar no próximo filme.
9. Veja, esse é o ator de ________ lhe falei ontem.
10. Veja, essa é a reportagem _________ foi anunciada ontem.

b) Transforme as frases, empregando que ou quem, conforme os exemplos.

Ele gosta muito deste programa de auditório. Este programa dá bons prêmios.
Ele gosta muito deste programa de auditório, que dá bons prêmios.

Ele gosta muito do apresentador. Eu lhe falei dele ontem.
Ele gosta muito deste apresentador, de quem lhe falei ontem.

1. Não conheço a nova atriz. Ela vai substituir a antiga.

2. Não conheço a nova atriz. Ele vai trabalhar com ela nos próximos capítulos.

3. Talvez, você conheça o fim da novela. Ela vai terminar amanhã.

4. Talvez, você conheça o diretor sueco. Ela vai trabalhar para ele.

5. Ele está compondo uma música. Ela vai concorrer no Festival de Música Popular.

6. Eu sempre assisto a este programa de entrevistas.
   Ele apresenta gente famosa de teatro.

7. Ontem, revi um amigo de infância. Sempre penso nele.

8. Não conheço o proprietário da casa. Comprei a casa dele.

9. Você pode descrever o novo cliente? Ele esteve aqui ontem.

10. Você conhece aquele ator? Ele recusou o prêmio da Academia.

c) Transforme, como no exemplo.

A rua é muito comprida. Ele mora **nessa rua**.

A rua **onde** ele mora é muito comprida.

1. A academia de ginástica é muito conhecida. Ele faz ginástica **nessa academia**.

____

____

2. Não conheço a nova sala de espetáculos. O concerto será **lá**.

____

____

3. Porto Seguro é uma cidade da Bahia. Os portugueses chegaram **lá** em 1500.

____

____

4. Ouro Preto é uma bela cidade histórica. Quero ir **para Ouro Preto** nos próximos feriados.

____

____

5. Comprei este Guia sobre a América do Sul. Achei informações interessantes **nesse Guia**.

____

____

____

____

____

____

Farol / BA (Bahiatursa)

Pronomes relativos variáveis : cujo, cuja, cujos, cujas

a) Transforme, como no exemplo.

O título **do livro** deu nome ao programa. O livro foi um sucesso.

O livro, **cujo** título deu nome ao programa, foi um sucesso.

1. O prêmio é internacional. O valor **do prêmio** é fantástico.

____

2. As novas empresas estão investindo alto. Os *sites* **das novas empresas** estão cada vez mais sofisticados.

____

3. Este jornal é sensacionalista. As manchetes **deste jornal** atraem muitos leitores.

____

____

4. Esta rádio comunitária tem a cada dia mais ouvintes. A publicidade **desta rádio** é muito benfeita.

____

____

5. Essa emissora tem grande audiência. Os programas culturais **dessa emissora** são muito bons.

____

____

6. Esta novela agradou ao público. Os atores **desta novela** são excelentes!

____

____

b) Complete com o pronome relativo adequado: que, quem, cujo(s), cuja(s), onde.

1. Gostaria de saber ________ ele mora e com _______ trabalha.

2. Meu carro, ________ motor está velho, não vale quase nada.

3. Eu conheço bem o rapaz de ________ vocês estão falando.

4. Eu já assisti ao programa de ________ vocês estão falando.

5. É importante participar desse movimento ________ objetivo é incentivar a solidariedade.

6. Você sabe para ________ ele trabalha, com ________ ele sai e do _______ ele vive. Mas você não conhece os problemas _______ ele tem.

7. O ladrão _________ roubou seu relógio levou meus documentos também.

8. Os juros _______ este banco cobra são muito altos! Quem pode pagar?

C1 trocando ideias

Rádio, TV e *Internet* são meios de comunicação muito desenvolvidos no Brasil. Deles, o rádio é o veículo de maior alcance: suas ondas chegam aos rincões mais remotos desse país imenso, sendo, frequentemente, o único contato de lugares muito isolados com o resto do país.

A TV cobre, também, todo o território nacional, proporcionando lazer e informação e influenciando linguagem e costumes.

A *Internet*, por sua vez, é acessada diariamente por mais de 40 milhões de pessoas, de todas as classes sociais. No entanto, a tecnologia de comunicação que mais cresce no país é a do telefone móvel. Com uma população de cerca de 190 milhões de habitantes, há no Brasil 205 milhões de linhas de telefonia celular, mais de um celular por habitante.

Que papel têm o rádio, a TV e a *Internet* em seu dia a dia?

Em sua opinião, o telefone celular é mesmo indispensável? Explique.

C2 chegando lá

Na televisão brasileira, os programas de auditório, *shows*, telenovelas e programas esportivos têm grande aceitação popular. Também são muito apreciados os telejornais e documentários.

Como é a televisão no seu país?
Quais os programas preferidos pela população?
Você é um telespectador assíduo? Que tipo de programas você prefere?
"Quando as imagens dizem mais do que as palavras." Comente esta ideia.
E o rádio? Como é visto em seu país? Quais os programas de maior audiência?
A *Internet* chegou ao seu país para ficar? Qual é a sua opinião?
O que representam para você, em sua vida pessoal, o rádio, a TV e a *Internet*? Explique.

Unidade 13: Pintando e bordando

A1 pensando sobre o assunto

A2 lendo o texto

Agenda Cultural

Vocação brasileira: alegria!

De janeiro a dezembro, uma agenda repleta de eventos

faixa 69 CD 1

RICARDO SAMY

"Dizem que a alma de um povo se revela quando ele se encontra para celebrar."

No Brasil, de norte a sul, de janeiro a dezembro, centenas de festas populares acontecem. Festas aos santos católicos e às entidades do candomblé, festas juninas, festas regionais.

A disposição dos brasileiros para festejar é herança deixada pelos colonizadores, escravos e imigrantes.

A música acompanha todas as manifestações populares. Cantar e dançar está no sangue do brasileiro. Ritmo é com ele.

São muitas as opções. Faça a sua!

Marques de Sapucai. Foha Imagem.

Pelourinho. BA. Bahiatursa. Foto: Marisa Vianna

Festas o ano todo!

Festa do Peão de Boiadeiro

Barretos (SP)
De 19 a 29 de agosto

No Parque do Peão, os melhores peões boiadeiros do Brasil e de outros países apresentam-se em um emocionante espetáculo, para um público estimado em 1,5 milhão de pessoas.
Entre as atrações de peso, o *show* da dupla sertaneja Chitãozinho & Xororó.

Festival MPB

Estádio do Maracanã (RJ)
De 7 a 11 de julho

Durante 5 dias, os maiores nomes da música popular brasileira!
Você vai ver e ouvir: Chico Buarque, Caetano Veloso, Milton Nascimento, Toquinho e Maria Bethânia.
O espetáculo será transmitido pela TV.
Lotação esgotada

Vá ver o desfile da ***Mangueira***, do ***Salgueiro***, da ***Imperatriz Leopoldinense***, da ***Portela*** ...
Vá ao Rio. Você volta outro!

Em São Paulo, as escolas de samba ***Vai-vai***, ***Camisa Verde*** e ***Gaviões da Fiel*** disputam a preferência popular.

Na Bahia, cante e dance pelas ruas. "Atrás do **Trio Elétrico** só não vai quem já morreu."

Em Recife, é o ***frevo***. As ruas pegam fogo no carnaval.

Carnaval no Campo Grande. BA. Bahiatursa. Foto: Jota Freita

Bumba meu boi /MA (Folha)

No Maranhão, o ***Bumba meu boi***, com seu cortejo de personagens humanos, animais e figuras fantásticas, arrasta a multidão de curiosos.

Procissão do Divino São Luis do Paraitinga (Folha)

Em Goiás, depois da ***Festa do Divino***, o *forró* espera por você. Entrada grátis.

Festa de Iemanjá — BA (Bahiatursa)

A3 voltando ao texto

a) Responda

1. No Brasil, existem períodos especiais para as festas populares?

2. Quais são os tipos de festas populares?

3. Qual é o elemento presente em todas as festas populares brasileiras?

4. Por que os brasileiros têm inclinação para festas?

5. Você gostaria de assistir a uma festa popular brasileira? Qual? Por quê?

b) Explique

- festas juninas
- festas natalinas
- entidades do candomblé
- ritmo é com ele
- agenda repleta de eventos

c) Escolha três fotos e descreva

1. o que você vê:

- cores/formas:
- movimento:
- expressão visual:

2. o que você pode perceber:

- alegria/tristeza:
- riqueza/pobreza:
- arte/espetáculo:
- folclore/expressão nacional:

Bumba meu boi - MA (Folha imagem)

Folclore - Alagoas (SECON)

Festa do Bonfim . Foto: Artur Ikishima / BA (Bahiatursa)

Festa de São João. Foto: Robert Ostrowski. Paraíba (PBTUR)

Reisado (Dança Folclórica). Secretaria de Turismo de Natal

A4 dialogando

Se eu pudesse, ficaria aqui a vida inteira ...

faixa 70 CD 1

Jorge: — Se eu pudesse, ficaria aqui a vida inteira, ouvindo você tocar violão. É tão bom ... A gente esquece da vida ouvindo esses sambas, essas modas sertanejas, essas valsinhas de antigamente. Não sei como a gente viveria se não tivesse música para ouvir. Não sei.

Otávio: — Nem eu.

Festas juninas: tão simples, tão alegres, tão brasileiras!

faixas 71/72 CD 1

Robert: — No sábado, um vizinho nos convidou para uma festa típica. Foi na chácara dele, aqui perto de Campinas. Ele insistiu muito. Ele queria muito que a gente conhecesse uma festa junina. Foi muito interessante. As crianças se divertiram pra valer. Nós também.

Otávio: — Que bom! Então você gostou.

Robert: — Gostei muito. É uma festa bem brasileira, não é?

Otávio: — É. É festa do Brasil de antigamente, festa das pessoas simples do campo, dos caipiras. Eu também gosto muito de festa junina, das roupas típicas, da música, da comida, do quentão, da quadrilha, do casamento, da fogueira, dos rojões ... É tudo tão simples, tão alegre, tão brasileiro ...

Robert: — É, é muito alegre. Valeu a pena. Foi bom que meu vizinho insistisse. Muito bom.

CUNVITE

Nóis tamo convidano ocê pra comemorá
o São João cum a gente. Vai sê no dia
23 de junho, no arraiá do Bom Jesus,
no Sítio das Treis Menina.
Vai tê quentão, pipoca, mio cozido e bolo de fubá.
Vai tê sanfonero dus bão, foguera, rojão e balão.
Ocê num pode perdê.
Vem memo e traiz a patroa e a fiarada.

Vai sê bão dimais!

Pintores?

faixa 73 CD 1

Robert: — Pintores?

Vieira: — Portinari, Di Cavalcanti, Carybé, Tarsila ... Há muitos, de vários estilos, de épocas diferentes. Por acaso você conhece a pintura primitiva brasileira?

Robert: — Não.

Vieira: — É muito interessante. É pintura popular, ingênua, sem preocupação com perspectiva. Geralmente, retrata festas populares (como a festa junina, por exemplo), brincadeiras infantis, procissões ...

Robert: — Onde posso ver quadros desse tipo?

Abaporu/Tarsila do Amaral

Os Retirantes/Portinari

Bandeirinhas de Volpi

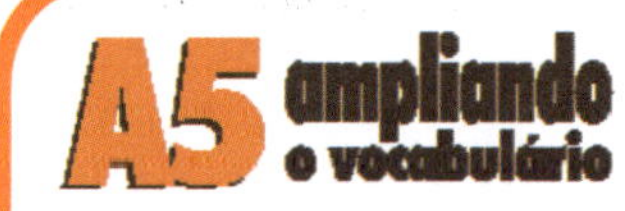

Festas

convidar **o convite** **o convidado** **o anfitrião, a anfitriã**

festejar
celebrar
comemorar
o forró

o rodeio

o baile **a reunião** **o coquetel**

O artista

o autor
o pintor
o escultor
o escritor
o poeta
o compositor
o cantor
o violeiro
o artesão

A arte

a obra
a pintura
a escultura
a literatura
a poesia
a composição
a canção, o canto
a música de viola
o artesanato

Imperfeito do Subjuntivo

O público queria que ela **cantasse** mais.
A agência incluiu o Nordeste no roteiro, para que eles **conhecessem** o frevo.
Era provável que ele **partisse** antes do *show*.

Formação

O **Imperfeito do Subjuntivo** forma-se a partir da 3ª pessoa do plural do **Perfeito do Indicativo.**

Cantar
(Eles cantaram - eu cantasse)

Se eu	**cantasse**
Se você / Se ele / Se ela	**cantasse**
Se nós	**cantássemos**
Se vocês / Se eles / Se elas	**cantassem**

Conhecer
(Eles conheceram - eu conhecesse)

Se eu	**conhecesse**
Se você / Se ele / Se ela	**conhecesse**
Se nós	**conhecêssemos**
Se vocês / Se eles / Se elas	**conhecessem**

Partir
(Eles partiram - eu partisse)

Se eu	**partisse**
Se você / Se ele / Se ela	**partisse**
Se nós	**partíssemos**
Se vocês / Se eles / Se elas	**partissem**

Ser
(Eles foram Eu fosse)

Se eu	**fosse**
Se você / Se ele / Se ela	**fosse**
Se nós	**fôssemos**
Se vocês / Se eles / Se elas	**fossem**

Ter
(Eles tiveram Eu tivesse)

Se eu	**tivesse**
Se você / Se ele / Se ela	**tivesse**
Se nós	**tivéssemos**
Se vocês / Se eles / Se elas	**tivessem**

Emprego

O **imperfeito do subjuntivo** é empregado nos mesmos casos do presente do subjuntivo — com verbos de desejo, dúvida, sentimento, expressões impessoais e certas conjunções.

O verbo da oração principal deverá estar no imperfeito, perfeito, mais-que-perfeito ou futuro do pretérito.

Ex: O público **queria** ... A agência **incluiu** ... **Era** provável ...

- com verbos de desejo:

Ela **queria** que a gente **conhecesse** uma festa junina.

Ela **esperava** que ele **chegasse** a tempo.

- com verbos de dúvida:

Ele **não tinha certeza** de que a exposição **estivesse** aberta.

Ele **duvidava** que os turistas **gostassem** do carnaval.

- com verbos de sentimento:

Eles **tiveram medo** de que você **perdesse** seu lugar na plateia.

Fiquei contente que ele **falasse** português.

- com expressões impessoais:

Era provável que ele **partisse** antes do *show*.

Foi bom que ele **insistisse**.

- com certas conjunções:

A agência **incluiu** o Nordeste no roteiro **para que** eles **conhecessem** o frevo.

Os artistas **ficaram** no palco **até que** os aplausos **terminassem**.

Verbo caber

Eu não **caibo** neste elevador. Já está lotado.
O livro não **coube** na pasta.
Ele quer que as caixas de som **caibam** no palco.
Ele duvidou que as caixas de som **coubessem** no palco.

Presente do Indicativo		Perfeito do Indicativo	
Eu	**caibo**	Eu	**coube**
Você / Ele / Ela	**cabe**	Você / Ele / Ela	**coube**
Nós	**cabemos**	Nós	**coubemos**
Vocês / Eles / Elas	**cabem**	Vocês / Eles / Elas	**couberam**

Presente do Subjuntivo		Imperfeito do Subjuntivo	
Que eu	**caiba**	Se eu	**coubesse**
Que você / Que ele / Que ela	**caiba**	Se você / Se ele / Se ela	**coubesse**
Que nós	**caibamos**	Se nós	**coubéssemos**
Que vocês / Que eles / Que ela	**caibam**	Se vocês / Se eles / Se elas	**coubessem**

Orações condicionais

Se eu **pudesse**, **ficaria** aqui a vida inteira ...
O Festival **seria** um sucesso **se** Maria Bethânia **cantasse**.
Não sei como a gente **viveria se não tivesse** música para ouvir.
Todos **ficariam** bem acomodados **se** eles **alugassem** um chalé.
Eu **iria** ao teatro **se não estivesse** chovendo.

As orações condicionais exprimem uma condição, uma hipótese. São introduzidas, geralmente, pela conjunção **se**. Com o verbo da oração principal no **futuro do pretérito**, o verbo da oração condicional irá para o **imperfeito do subjuntivo**.

Advérbios de modo

As escolas de samba de São Paulo desfilaram **bem**.
Algumas pessoas cantavam **alto**, **de propósito**.
De repente, todos ficaram **em silêncio**.
Após o espetáculo, o público deixou **rapidamente** o teatro.
Por acaso você conhece a pintura primitiva?

bem	**mal**
alto	**baixo**
de propósito	**sem querer, por acaso, casualmente**
rapidamente	**lentamente**

Formação dos advérbios de modo em -mente:

adjetivo masculino	→ adjetivo feminino	+ mente = advérbio
calmo	**calma**	**calmamente**
silencioso	**silenciosa**	**silenciosamente**
rápido	**rápida**	**rapidamente**
lento	**lenta**	**lentamente**

Preposições e locuções prepositivas

a) Recordando algumas preposições de tempo e lugar

De janeiro **a** dezembro, uma agenda repleta de eventos. Dezenas de festas populares.
Cantar e dançar está **no** sangue dos brasileiros.
Durante 5 dias, os maiores nomes da música popular brasileira!
Em Recife, é o frevo. As ruas pegam fogo no carnaval.
Em Goiás, **depois da** Festa do Divino, o forró espera por você.

b) Estudando mais algumas preposições

Rodeio em Barretos - SP (Folha)

A disposição dos brasileiros **para** festejar é herança deixada pelos colonizadores, escravos e imigrantes.

O Bumba meu boi, **com** seu cortejo de personagens, arrasta a multidão de curiosos.

Eles dançam **conforme** a música.

Segundo os amigos, ele não perde um bom forró.

Além do rodeio, outra grande atração são os *shows* **como** os de música sertaneja.

Preposições simples	Outras preposições
com contra **para por** **sem sob sobre**	**conforme, segundo = de acordo com** **além de**

Imperfeito do Subjuntivo

a) Dê o Imperfeito do Subjuntivo:

ser	Se eu ____________	perceber	Se eu ____________
estar	Se eu ____________	atender	Se eu ____________
andar	Se eu ____________	investir	Se eu ____________
falar	Se eu ____________	permitir	Se eu ____________

querer	Se eu ____________	ver	Se eu ____________
trazer	Se ele ____________	vir	Se eles ____________
poder	Se nós ____________	ir	Se elas ____________
saber	Se vocês ____________	dar	Se a gente ____________
fazer	Se ela ____________	perder	Se eu ____________
dizer	Se você ____________	ter	Se nós ____________
pôr	Se nós ____________	caber	Se ele ____________

b) Passe as frases para o Imperfeito do Subjuntivo. Faça como no exemplo.

Cartazes da Bienal de Arte de São Paulo

Quero que ele fale comigo.

Queria que ele falasse comigo.

1. Eu insisto que ele venha me ver.

____

2. Peço que vocês fiquem aqui.

____

3. Solicito que você me envie dois exemplares da revista.

____

4. Queremos que todos façam uma boa viagem.

____

5. Duvido que os preços dos carros diminuam.

____

6. Eu não estou certo de que ele saiba o que fazer.

____

7. Fico contente que você queira viajar conosco.

____

8. Temos medo que todos prefiram tirar férias em janeiro.

____

9. Que pena que ele esteja doente!

____

10. Talvez você possa nos ajudar.

____

11. Os artistas pedem que o governo os ajude.

____

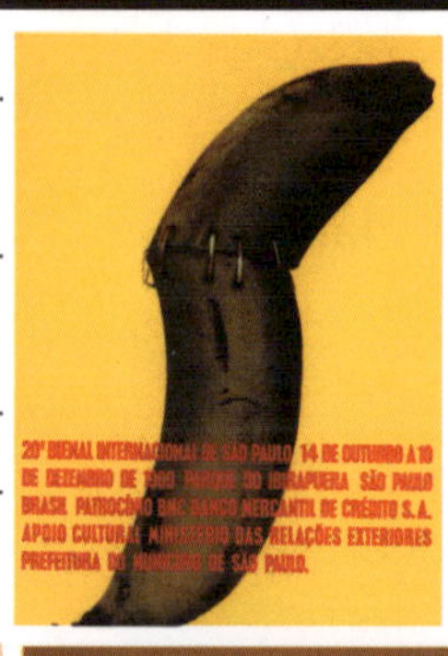

12. Os assinantes duvidam que o jornal ponha a notícia na 1ª página.

____

13. Tenho medo que o coquetel seja adiado.

____

____

14. Duvido que os pacotes caibam no porta-malas

____

____

____

____

c) Complete com o Presente ou com Imperfeito do Subjuntivo.

1. (vir/querer) Não quis que ele __________ hoje. Duvido que ele __________ vir amanhã.
2. (dizer) Preferi que ele __________ tudo. Espero que ele __________ .
3. (ter) Desejei muito que vocês __________ sorte na entrevista.
4. (ouvir) Pus a televisão bem alto para que vocês __________ o noticiário. Tomara que vocês __________ !
5. (pedir) Fiz o que pude para que ele me __________ desculpas. Espero que ele __________ .
6. (trazer) Foi preciso que nós __________ nossos móveis do Canadá. Agora, é preciso que eu __________ o carro também.
7. (poder) Fiquei triste que meus amigos não __________ ir ao jogo comigo ontem. Talvez, eles __________ ir amanhã.
8. (vestir) Por causa do frio, foi necessário que eu __________ um pulôver. Espero que ela __________ um, também.

Orações condicionais

a) Complete as orações, usando o Imperfeito do Subjuntivo dos verbos dados. Siga o exemplo.

(ter) Eu iria ao *show*, se __________ tempo.

Eu iria ao *show* se tivesse tempo.

1. (conhecer) Ela poderia cantar, se __________ a música.
2. (conhecer) Vocês seriam bem recebidos, se __________ o novo diretor.
3. (ter) Nós enviaríamos os ingressos, se __________ portador.
4. (ter) Eu viajaria com você em dezembro se __________ férias.
5. (caber) Ela não trocaria os móveis antigos se eles __________ na casa nova.
6. (caber) Ela só compraria um piano se ele __________ no seu apartamento.
7. (partir) Você chegaria ao Rio ainda de manhã, se __________ de madrugada.
8. (partir) Nós aproveitaríamos melhor o dia, se __________ bem cedo.
9. (representar) O diretor o contrataria se você __________ bem.
10. (vir) Cantar e pular! Você rasgaria sua fantasia se __________ ao Rio, no carnaval.

b) Faça frases, usando a oração condicional. Siga o exemplo.

(eu) ficar contente/poder viajar para Paris

Eu ficaria contente se pudesse viajar para Paris.

1. (ele) comprar uma fazenda/ter muito dinheiro

____

2. (nós) assistir ao *show*/ser convidado

____

3. (eles) desfilar na Gaviões da Fiel/ser corintiano

____

4. (você) produzir mais/não estar cansado

____

5. (eu) não chegar atrasado ao estúdio/levantar cedo

____

6. (você) evitar problemas no trânsito/dirigir com cuidado

____

7. (o diretor) escolher os melhores artistas/poder

____

8. (nós - a firma) aceitar a oferta/paga bem

____

9. (vocês) jamais ir lá/conhecer o lugar

____

10. (nós) poder jantar com vocês/sair mais cedo do escritório

____

Advérbios de modo

a) Complete as frases com os advérbios de modo em -mente correspondentes aos adjetivos indicados.

1. (lento)	Como ela anda na rua?	Ela anda ______________ .
2. (correto)	Como ele escreve?	Ele escreve ______________ .
3. (simples)	Como ela se veste?	Ela se veste ______________ .
4. (fácil)	Como ele resolveu seu problema?	Ele resolveu ______________ .
5. (cuidadoso)	Como ele dirige?	Ele dirige ______________ .
6. (econômico)	Como eles vivem?	Eles vivem ______________ .
7. (claro)	Como você falou com ele?	Eu falei ______________ .
8. (leve)	Como são as pinturas, coloridas?	Sim, elas são ________coloridas.
9. (duro)	Como eles trataram os grevistas?	Eles os trataram ___________ .
10. (inteligente)	Como ele respondeu às perguntas delicadas?	Ele respondeu ____________ .

b) Complete com o advérbio adequado.

1. Ele fala tão _________ que ninguém consegue ouvir!
2. Desculpe-me, foi ______________ !
3. _____________, o céu escureceu e uma chuva forte começou a cair.
4. A peça não teve sucesso. Foi _________ recebida pela crítica.
5. Ele fez isso ______________ ? Não, ele fez ____________ !
6. Que susto eles levaram! ______________, o estrago não foi grande.

Preposições e locuções prepositivas

Complete com a preposição ou locução prepositiva adequada.

1. Ele vai ________ você, mas não poderá ficar lá ______ muito tempo.

2. _______ quase todo o Nordeste, os trabalhos com areia em vidro são sempre um sucesso de vendas.

3. ____________ o relatório, só alguns funcionários serão promovidos.

4. Ele gasta tudo. _______ isso, está sempre ________ dinheiro!

5. ____________ de revistas, ela também assina jornais.

6. _______ eles, tudo é válido!

Artesanato - Natal / RN (SETUR / Natal)

C1 trocando ideias

É incrível! Frequentemente, para não dizer diariamente, os jornais noticiam festas populares, festivais de música, festas religiosas em todo o país.
Cantar é com o brasileiro mesmo. Se fosse possível, nós cantaríamos em todos os lugares.
Exagero, é claro.
Somos conhecidos pela música no mundo todo. Ela faz parte de nossa tradição.

Você saberia explicar por que gostamos tanto de cantar e dançar?
Na sua opinião, a música e o ritmo brasileiro lembram muito o ritmo africano?
Você gosta de samba? Ou de algum outro ritmo brasileiro?

João Gilberto

"QUEM NÃO GOSTA DE SAMBA,
BOM SUJEITO NÃO É.
É RUIM DA CABEÇA
OU DOENTE DO PÉ! "

Você conhece a bossa nova? Que músicas você conhece?
Você conhece algum cantor brasileiro? Tem preferência por algum?

C2 chegando lá

Que tipo de música é mais difundido em seu país:
a clássica ou a popular?
A música popular é muito desenvolvida?
Ela sofre influência da música de outros países?

E você, que tipo de música você prefere?

Como são as festas populares tradicionais de seu país? São muito importantes? Fale sobre elas.

Unidade 14: Procurando emprego

CADERNO DE ECONOMIA

O mercado de trabalho brasileiro: perspectivas

faixa 01 CD 2

Economia mais aquecida já cria novos empregos, mas sem carteira assinada

M. CHAMUZEAU

Estudos sobre a evolução do mercado de trabalho brasileiro mostram que a oferta de empregos tem aumentado nos últimos anos. O problema é que a maioria dos novos postos de trabalho tem aparecido no mercado informal, ou seja, sem carteira assinada, sem garantia.
Apesar do aquecimento da economia e de sua abertura para novos setores, o desemprego continua afetando milhões de brasileiros.
No mercado formal, os setores que mais têm empregado são os de alta tecnologia. Mas as inovações tecnológicas acrescentam mais um problema ao mercado de trabalho: a qualificação profissional. Não basta ao trabalhador um bom desempenho. Se ele quiser manter o seu emprego, é necessário que ele seja igualmente criativo, capaz de sugerir novas ideias e soluções. Nas áreas de informática e de telecomunicações, por exemplo, que têm oferecido boas oportunidades de trabalho, as tecnologias se renovam rapidamente. Os profissionais dessas áreas não podem parar de estudar. Eles são obrigados a atualizar-se permanentemente. Só os estudiosos têm chance.
As exigências do mercado formal tendem a aumentar nas próximas décadas. Mais do que nunca, a instrução, a capacitação profissional passam a ser de vital importância como via de acesso ao trabalho e de manutenção do emprego.

a) Certo ou errado?

	Certo	Errado
1. No mercado de trabalho brasileiro, a oferta de empregos está estável.	[ ]	[ ]
2. A criação de empregos só aumentou no mercado informal.	[ ]	[ ]
3. Graças ao aquecimento da economia, logo mais o desemprego não será problema.	[ ]	[ ]
4. No mercado formal, a maior oferta se dá nas áreas de alta tecnologia.	[ ]	[ ]
5. No mercado formal, as exigências de qualificação são cada vez maiores.	[ ]	[ ]

b) Responda.

1. O que caracteriza o mercado informal?

____

____

2. Qual a consequência direta do aquecimento da economia?

____

____

3. Este aquecimento trouxe o equilíbrio entre oferta e demanda de emprego?

____

____

4. Que setores da economia formal possibilitaram a criação de novos empregos?

____

____

5. Que tipo de problema as inovações tecnológicas podem trazer para o trabalhador?

____

____

6. Quais as principais exigências para os profissionais que atuam nas áreas de informática e de telecomunicações?

____

O Mercado de Trabalho

A4 dialogando

População ocupada, por ramos de atividade Brasil (em %)

faixa 02 CD 2

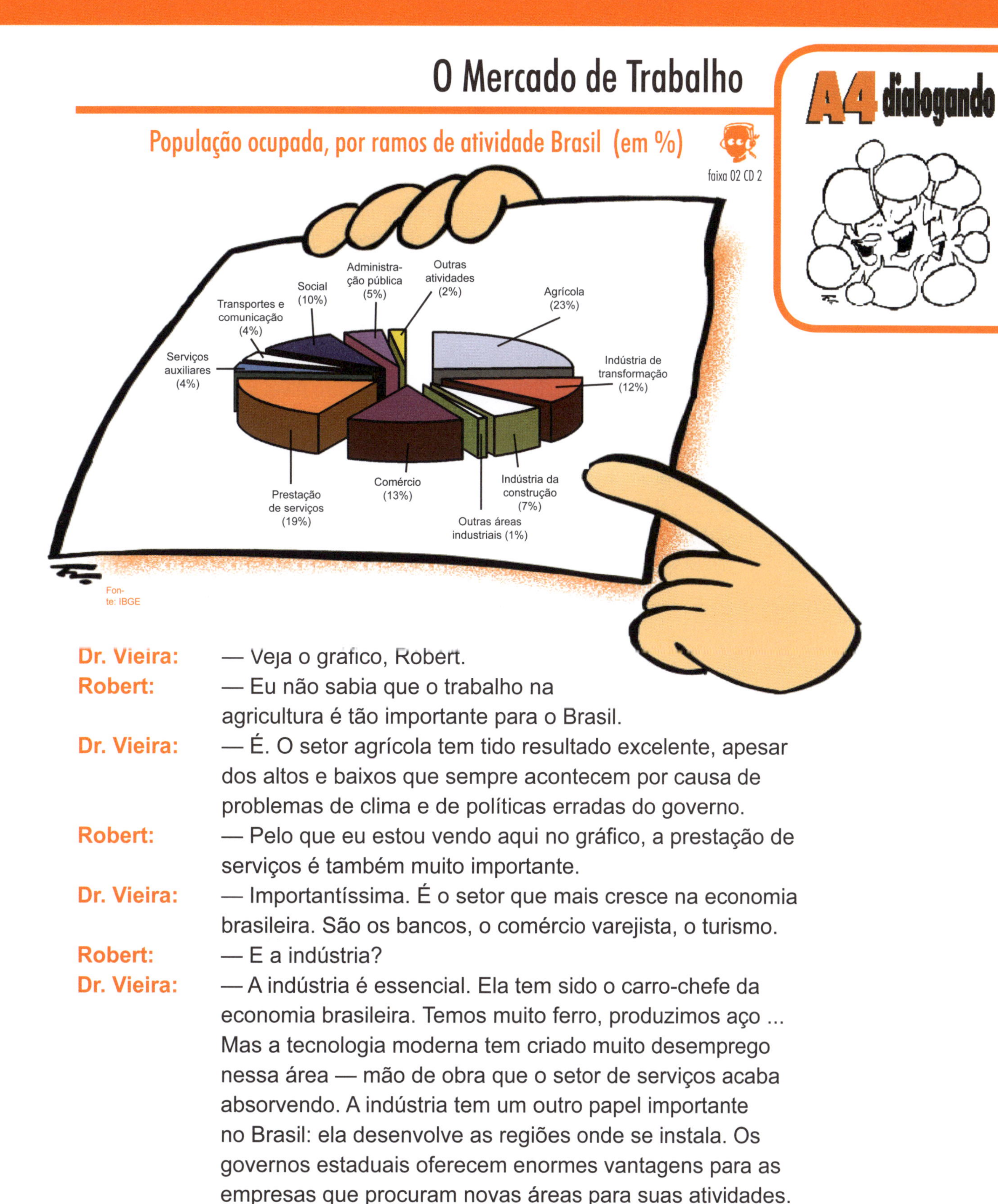

Fonte: IBGE

Dr. Vieira: — Veja o gráfico, Robert.

Robert: — Eu não sabia que o trabalho na agricultura é tão importante para o Brasil.

Dr. Vieira: — É. O setor agrícola tem tido resultado excelente, apesar dos altos e baixos que sempre acontecem por causa de problemas de clima e de políticas erradas do governo.

Robert: — Pelo que eu estou vendo aqui no gráfico, a prestação de serviços é também muito importante.

Dr. Vieira: — Importantíssima. É o setor que mais cresce na economia brasileira. São os bancos, o comércio varejista, o turismo.

Robert: — E a indústria?

Dr. Vieira: — A indústria é essencial. Ela tem sido o carro-chefe da economia brasileira. Temos muito ferro, produzimos aço ... Mas a tecnologia moderna tem criado muito desemprego nessa área — mão de obra que o setor de serviços acaba absorvendo. A indústria tem um outro papel importante no Brasil: ela desenvolve as regiões onde se instala. Os governos estaduais oferecem enormes vantagens para as empresas que procuram novas áreas para suas atividades. Foi o que aconteceu em Minas, por exemplo. Se o governo mineiro não tivesse oferecido grandes vantagens a novas empresas, Minas não teria tido tanto progresso.

Salários no Brasil

faixa 03 CD 2

Robert: — Uma curiosidade minha: o Brasil é tão grande e as regiões tão diferentes umas das outras. Como são os salários? Iguais em todo o Brasil?

Jorge: — Não, não. As empresas na área da Grande São Paulo pagam os salários mais altos. Nas cidades médias do interior do estado e nas maiores cidades das regiões Sudeste e Sul, os salários variam entre um terço e um quinto dos salários da região da Grande São Paulo.

Robert: — Não dá para entender essa diferença tão grande.

Jorge: — É que em São Paulo a mão de obra é mais desenvolvida por causa da presença das multinacionais. É gente com nível técnico mais alto, mais treinada, mais competitiva. E há os sindicatos dos trabalhadores. Muitos de seus membros pertencem ao PT, o Partido dos Trabalhadores, um partido socialista. Os sindicatos mais organizados estão na Grande São Paulo.

Robert: — E nas regiões Norte e Nordeste?

Jorge: — Lá, os salários são os mais baixos do país. Mas isso está mudando. Essas regiões estão se desenvolvendo.

As Leis Trabalhistas Brasileiras

Uma informação

faixa 04 CD 2

Na Constituição Brasileira, as leis trabalhistas são um sistema complexo, inflexível e caro. Elas impõem ao empregador uma série de obrigações que protegem os empregados.
O custo total por empregado é, aproximadamente, o dobro do seu salário mensal, sem contar os benefícios não obrigatórios que o empregador decide oferecer. Quem não segue a lei, pode pagar multas pesadíssimas.

Robert: — Imagino o problema que isso traz ao orçamento das empresas.

Jorge: — É, o problema é grande. Muitas empresas pequenas não registram seus empregados. É o que chamamos trabalho informal — mau para o empregado e para seu empregador.

Robert: — Então, o que fazer?

Jorge: — Empresas modernas encontraram novas formas legais de empregar pessoas.

Robert: — Como?

Jorge: — Admitindo trabalhadores temporários ou autônomos, terceirizando serviços, contratando estudantes como estagiários. Muita gente acha que o desemprego no Brasil diminuirá quando o Governo modificar as leis trabalhistas.

a grande, a média, a pequena empresa

a microempresa

o funcionário mensalista | o funcionário horista
o turno de trabalho
o trabalhador qualificado | o trabalhador não qualificado

o sindicato, a política sindical | a assembleia dos trabalhadores
a greve
a reivindicação

a admissão na empresa | admitir, contratar
a demissão | demitir, pedir demissão
ser demitido/ser despedido por justa causa/sem justa causa

o salário/o ordenado | os benefícios
as mordomias

a indústria pesada | a indústria têxtil
a indústria química | a montadora

o trabalhador urbano | o trabalhador rural
o boia-fria

o subemprego

Futuro do Subjuntivo

Elas nunca trabalharam numa grande empresa. Mas, quando **trabalharem**, certamente terão um salário melhor.

Se o trabalhador **quiser** um bom emprego, precisará estudar.

Formação

O futuro do subjuntivo forma-se a partir da 3ª pessoa do plural do perfeito do indicativo.

Trabalhar	Conhecer	Partir
Eles **trabalhar**am	Eles **conhecer**am	Eles **partir**am
Quando eu **trabalhar**	Quando eu **conhecer**	Quando eu **partir**

Quando eu	**trabalhar**	Quando eu	**conhecer**	Quando eu	**partir**
Quando você Quando ele Quando ela	**trabalhar**	Quando você Quando ele Quando ela	**conhecer**	Quando você Quando ele Quando ela	**partir**
Quando nós	**trabalharmos**	Quando nós	**conhecermos**	Quando nós	**partirmos**
Quando vocês Quando eles Quando elas	**trabalharem**	Quando vocês Quando eles Quando elas	**conhecerem**	Quando vocês Quando eles Quando elas	**partirem**

Ser	eles **for**am	quando eu **for**
Estar	eles **estiver**am	quando eu **estiver**

Fazer	eles **fizer**am	quando eu **fizer**
Dizer	eles **disser**am	quando eu **disser**
Trazer	eles **trouxer**am	quando eu **trouxer**
Ter	eles **tiver**am	quando eu **tiver**
Ir	eles **for**am	quando eu **for**
Poder	eles **puder**am	quando eu **puder**
Querer	eles **quiser**am	quando eu **quiser**
Saber	eles **souber**am	quando eu **souber**
pôr	eles **puser**am	quando eu **puser**
Vir	eles **vier**am	quando eu **vier**
Ver	eles **vir**am	quando eu **vir**

Emprego

O **futuro do subjuntivo** emprega-se depois de certas conjunções para indicar ação futura.
O verbo da oração principal deve estar no imperativo ou no futuro do indicativo.

Ex: O desemprego no Brasil **diminuirá**, **quando** o governo **modificar** as leis trabalhistas.
Cheguem mais cedo **se quiserem** sair mais cedo.

Oração principal	Conjunções + futuro do subjuntivo
Atenderei os funcionários,	**quando chegar** à fábrica. **se pedirem** por escrito. **logo que (= assim que) tiver** tempo. **depois que** eles **estiverem** mais calmos. **enquanto puder.**

Outras conjunções

como (conforme)	-	**Faça como quiser**
sempre que	-	**Irei sempre que puder**
à medida que	-	**Atenderemos os candidatos à medida que chegarem.**

Note a diferença:

Ação no futuro	Ação acabada no futuro
Atenderei os funcionários, quando **terminar** o trabalho.	Atenderei os funcionários, quando **tiver terminado** o trabalho.
Tudo vai melhorar, assim que ele **chegar**.	Tudo vai melhorar, assim que ele **tiver chegado.**

Orações condicionais com "se"

Essas orações exprimem possibilidade ou impossibilidade.

1. Futuro do indicativo	se	**Futuro do subjuntivo**
A região se desenvolverá	**se**	o governo oferecer vantagens a novas empresas. **Possibilidade: talvez ofereça**

2. Futuro do pretérito	se	**Imperfeito do subjuntivo**
A região se desenvolveria	**se**	a indústria fosse o carro-chefe. **Impossibilidade: mas não é**

3. Futuro do pretérito composto	se	**Mais-que-perfeito do subjuntivo**
A região se teria desenvolvido	**se**	o governo tivesse oferecido vantagens a novas empresas. **Impossibilidade no passado: mas não ofereceu**

Perfeito Composto do Indicativo

Formação

Este tempo é formado com o presente do indicativo de ter + particípio do verbo principal.
Ex: Eu tenho trabalhado muito ultimamente

Trabalhar

Eu	**tenho trabalhado**.
Você Ele Ela	**tem trabalhado.**
Nós	**temos trabalhado.**
Vocês Eles Elas	**têm trabalhado.**

Emprego

Exprime uma ação que começa no passado e chega até o presente.

Exemplos: A oferta de empregos **tem aumentado.**
A informática **tem feito** progressos notáveis.

Perfeito Composto do Subjuntivo

Formação

Este tempo é formado com o presente do subjuntivo de ter + particípio do verbo principal.

Ex: Ela duvida que eu tenha trabalhado muito.

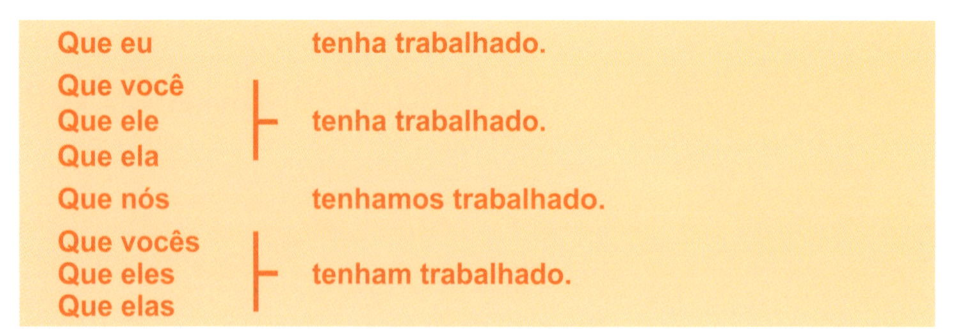

Que eu	**tenha trabalhado.**
Que você **Que ele** **Que ela**	**tenha trabalhado.**
Que nós	**tenhamos trabalhado.**
Que vocês **Que eles** **Que elas**	**tenham trabalhado.**

Emprego

Este tempo é usado nas mesmas condições do presente do subjuntivo, mas indica ação terminada.

Duvido **que ele tenha lido** a notícia ontem.
É possível **que ela tenha visto** o programa ontem.
É pena **que você não o tenha encontrado** ontem.
Ele está contente que tudo **tenha dado** certo ontem.

Futuro do Subjuntivo

a) Dê a forma do futuro do subjuntivo.

Exemplo: chegar (eles chegaram) **quando eu chegar**

1. comprar (______________) quando eu __________________
2. procurar (______________) quando você ________________
3. crescer (______________) quando nós _________________
4. demitir (________________) quando eles _________________
5. ir (____________________) quando a gente ______________
6. vir (___________________) quando vocês _______________
7. saber (________________) quando todo mundo __________
8. querer (________________) quando elas ________________
9. ver (___________________) quando nós _________________
10. pôr (__________________) quando eu __________________

b) Complete com o futuro do subjuntivo simples ou composto.

Exemplo: (ir) Amanhã, quando vocês **forem** ao banco, peçam todas as informações.

1. (ir) Amanhã, se você ______________ à cidade, irei com você.
2. (sair) Fechem a porta logo que vocês __________________ .
3. (receber) Tomaremos uma decisão, depois que______________ autorização.
4. (querer) Trabalhe com método se ________ bom resultado.
5. (estar) Não me interrompa enquanto eu ___________ falando.
6. (ver) Nós o reconheceremos, assim que o _____________ .
7. (poder) Telefone-me quando _______________ .
8. (fazer) Eles só poderão descansar, depois que ____________ o trabalho. Antes, nunca. Jamais!

c) Passe as frases para o futuro.

Exemplo: Nós assistimos à televisão, quando temos tempo.

Nós assistiremos/vamos assistir à televisão, quando **tivermos** tempo.

1. Eles nos visitam quando vêm a São Paulo.

____

2. Todo mundo fica feliz quando tem trabalho.

____

3. Eu saí logo que eles chegaram.

____

4. Eu fiquei contente quando recebi o certificado no fim do curso.

____

5. Eles sempre trocavam ideias quando tinham problemas.

____

6. Ele apareceu, logo que eu entrei na sala.

____

7. Nós começamos a construção assim que o contrato foi assinado.

____

8. Eu aguentei enquanto tive paciência.

____

Orações condicionais com "se"

a) Faça a frase completa, usando o futuro. Depois, transforme-a, como no exemplo.

Ter tempo/fazer o trabalho

Amanhã, se eu **tiver** tempo, **farei** o trabalho.

Agora, se eu **tivesse** tempo, **faria** o trabalho.

Ontem, se eu **tivesse tido** tempo, **teria feito** o trabalho.

1. esforçar-se/receber uma boa promoção

No futuro, se eu _______________________________________

Agora, _______________________________________

Ontem, _______________________________________

2. expandir seus mercados/haver mais oferta de emprego

No futuro, se o país _______________________________________

Agora, _______________________________________

Ontem, _______________________________________

3. mandar o currículo/receber boas propostas de trabalho.

No futuro, se eles ______________________________

Agora, ______________________________

Ontem, ______________________________

4. explicar o problema/os funcionários não criar confusão

Amanhã, se nós ______________________________

Agora, ______________________________

Ontem, ______________________________

5. ler o aviso/não fazer bobagem

Amanhã, se você ______________________________

Agora, ______________________________

Ontem, ______________________________

b) Faça como no exemplo.

Ele não **vem**, porque não **quer.**
Se quisesse, ele **viria**.

1. Ele não fala porque não sabe.
   Se ______________________________
2. Nós não trazemos o dicionário, porque não cabe na pasta.
   Se ______________________________
3. Eles não põem gasolina porque não têm dinheiro.
   Se ______________________________
4. Eles não vão à festa porque não conhecem o caminho.
   Se ______________________________
5. Eu não vou ver este filme porque não gosto do ator.
   Se ______________________________
6. Eu cometo erros porque não presto atenção.
   Se ______________________________

c) Faça como no exemplo.

Ele **caiu** no buraco porque não **viu** a placa de advertência.
Se **tivesse visto**, não **teria caído**.

1. Vocês pediram água? Eu não trouxe porque não ouvi.
   Se ______________________________
2. Ela pediu para esperar? Não esperamos porque não sabíamos.
   Se ______________________________

3. Os funcionários foram embora porque não viram o aviso.

Se ____

4. A empresa não aumentou os salários porque fez dívidas.

Se ____

5. Ele não entregou o relatório porque o computador quebrou.

Se ____

6. Nós perdemos a chance porque enviamos o formulário de inscrição ao concurso fora do prazo.

Se ____

d) Complete com o Imperfeito do Subjuntivo ou com o Futuro do Subjuntivo, de acordo com o sentido.

O diretor para o jornalista:

Nossa indústria passa por um período delicado. Se ela (conseguir) ______________ superar a crise, vai criar muitos empregos. Mas, se nós não (fazer) ______________ um grande esforço, e muita economia, não venceremos a crise.

Se nós (ter) ______________ mão de obra especializada e tecnologia de ponta, resolveríamos logo o problema. Mas, não temos.

Porém, logo que (sair) ________________ da crise, poderemos contratar novos funcionários.

Perfeito Composto do Indicativo

Complete as frases, empregando o Perfeito Composto do Indicativo.

1. **(fazer)** Desde que começou a trabalhar aqui, ele ______________ progresso.
2. **(ver)** Não consigo falar com o Bernardo. Você o ____________ ultimamente?
3. **(abrir)** O setor agrícola ______________ novas frentes de trabalho nos últimos anos.
4. **(vir)** Não sei por que o Arnaldo não ________________ mais aqui.
5. **(viajar)** Desde que entramos para a empresa, _____________ muito.
6. **(estudar)** Desde que se candidatou ao emprego ____________ à noite.

Perfeito Composto do Subjuntivo

Responda às perguntas. Siga o exemplo.

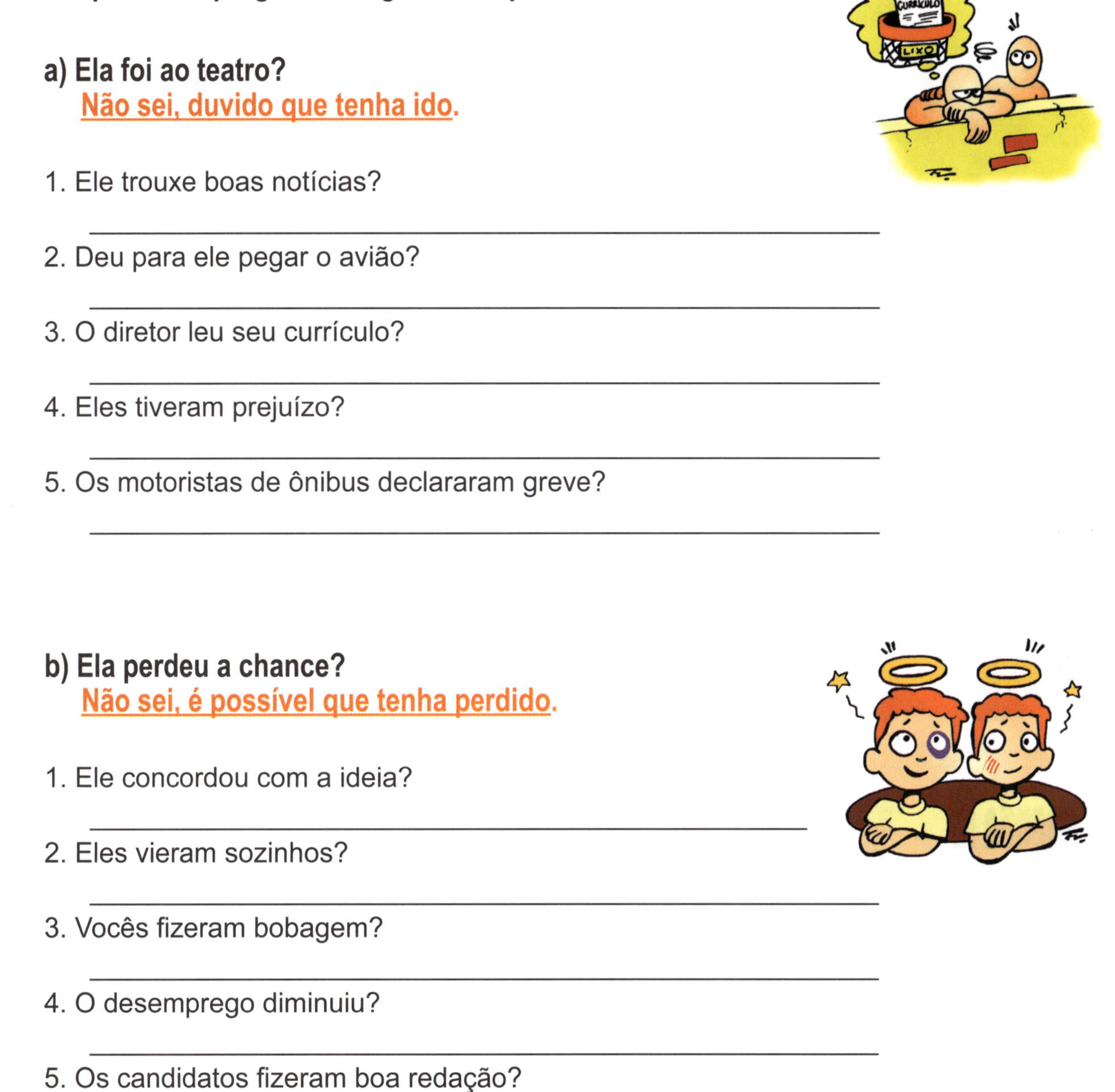

a) Ela foi ao teatro?
Não sei, duvido que tenha ido.

1. Ele trouxe boas notícias?
____
2. Deu para ele pegar o avião?
____
3. O diretor leu seu currículo?
____
4. Eles tiveram prejuízo?
____
5. Os motoristas de ônibus declararam greve?
____

b) Ela perdeu a chance?
Não sei, é possível que tenha perdido.

1. Ele concordou com a ideia?
____
2. Eles vieram sozinhos?
____
3. Vocês fizeram bobagem?
____
4. O desemprego diminuiu?
____
5. Os candidatos fizeram boa redação?
____

C1 trocando ideias

Na última década do século XX, a economia mundial sofreu o grande impacto da *Internet* e do mercado virtual. Por causa dele, quase todos os setores das empresas, tais como planejamento, publicidade e *marketing*, vendas, finanças, modificaram-se profundamente. Novos postos de trabalho ganharam espaço, substituindo rapidamente postos tradicionais. O Relatório Visão 2010: Projetando a Organização de Amanhã ou do Futuro apresenta o resultado de uma pesquisa, em nível internacional, com 350 executivos de diversas empresas. Os executivos veem com preocupação essas mudanças em ritmo tão acelerado. Os que quiserem estar na ativa em dez anos terão de melhorar suas habilidades em comunicação. Boa comunicação será sinônimo de gerência.

Você concorda com o resultado dessa pesquisa? Explique.

Que setores da economia brasileira você conhece melhor?

Como você vê o mercado brasileiro, quanto às oportunidades de trabalho para a população mais jovem?

C2 chegando lá

Uma das áreas que vem se beneficiando com a revolução trazida pela *Internet* é a área de turismo. *Sites* de empresas de turismo na *Internet* oferecem passagens aéreas, pacotes de viagens, reservas de hotéis, aluguel de carro. Fotos das cidades turísticas e de seus principais atrativos também são oferecidos.

Como funciona, em seu país, o mercado virtual?

Quais os setores da economia que empregam mais, em seu país?

Qual a dimensão do problema do desemprego? Existe equilíbrio entre oferta e demanda?

Unidade 15: Conquistando seu espaço

CADERNO DE ECONOMIA

O Brasil tem futuro

faixa 05 CD 2

No mundo globalizado, o que esperar da economia brasileira?

M. CHAMUZEAU

O Brasil vive uma relativa estabilidade econômica. As várias reformas em curso, especialmente nas áreas social e econômica, mantêm nosso país em posição privilegiada na América Latina. O Brasil lidera o processo de integração regional e atrai investidores.

Têm contribuído para isso, entre outros, os seguintes fatores:

- demanda crescente de consumo interno. Com a estabilidade dos anos 90, novos consumidores passaram a integrar o mercado, e esse número vem crescendo cada vez mais;
- o esforço de privatização. O Governo vem investindo no processo de privatização, para melhorar as finanças públicas e viabilizar investimentos que o setor público não consegue fazer;
- melhoria da infraestrutura. Transporte, comunicações, energia, educação e saúde são os setores que têm sido privilegiados pelas políticas públicas.

Entretanto, para competir no mundo globalizado, o Brasil precisa aumentar sua capacidade de exportar. Isso exige mudanças nas taxas que incidem sobre as exportações.

As empresas estrangeiras são ainda atraídas por outras vantagens que o Brasil oferece, se comparado a outras economias emergentes. O povo brasileiro pensa à moda ocidental. Não é difícil para um investidor compreender o ambiente de negócios no Brasil, o que não acontece em muitos países da Ásia e na Índia. Além disso, de norte a sul, fala-se uma só língua: o português do Brasil. Outra vantagem: ao contrário da maioria dos países em desenvolvimento, suas instituições são estáveis, não há guerras, movimentos separatistas e sangrentos conflitos religiosos ou étnicos.

Os problemas políticos e sociais existentes não devem tirar nosso país do caminho democrático.

a) Relacione.

(1) demanda crescente de consumo interno
(2) melhoria da infraestrutura
(3) processo de integração regional
(4) capacidade de exportar
(5) caminho democrático

( ) mudança nas taxas de exportações
( ) liderança do Brasil
( ) estabilidade das instituições
( ) mercado interno integrado por novos consumidores
( ) investimentos em transportes, comunicações, energia, saúde

b) Responda, de acordo com o texto.

1. Que fatores da economia brasileira contribuem para atrair os investidores estrangeiros?

____
____
____
____

2. Quais os setores privilegiados pelas políticas públicas?

____
____
____
____

3. Por que o Brasil precisa exportar mais?

____
____
____
____

4. Comparado a outros países em desenvolvimento, que vantagens o Brasil oferece aos investidores estrangeiros?

____
____
____
____

O brasileiro: seu jeito de viver, de trabalhar e de fazer negócios

O bombeiro

faixa 06 CD 2

No Brasil, o herói da empresa é o apagador de incêndios, o resolvedor de emergências. Admira-se quem reage depressa, quem descobre saídas. O planejador, ao contrário, é considerado burocrático, sonhador, fora da realidade.

Victor: (engenheiro recém-chegado do Canadá) — E isto é verdade?

Robert: — É. Por isso o brasileiro é flexível, criativo. Ele vive em um ambiente instável, com regras que podem mudar a qualquer momento, com leis que "pegam" e leis que não "pegam". Na empresa, os executivos precisam ser ágeis, precisam fazer planos de contingência.

Victor: — Então imagino que os planos são implantados nas empresas com mais facilidade.

Robert: — Claro. O brasileiro se adapta rapidamente a novas situações. Aprende a ser esperto, vivo. E há também o jeitinho brasileiro, uma forma positiva de simplificar as coisas, de eliminar obstáculos.

Victor: — Assim tudo fica mais fácil, tudo dá certo.

Robert: — Nem sempre, Victor. Veja os pontos negativos. Por ser muito flexível, o brasileiro, em geral, detesta regras e minúcias. O "jeitinho", uma maneira tão simpática de facilitar a vida, às vezes pode ser desonesto. E a autoconfiança excessiva e o otimismo permanente são um perigo ...

O homem cordial

faixa 07 CD 2

No Brasil, a criação de um clima psicológico favorável é essencial para o desenvolvimento de qualquer atividade. O trabalho é também uma forma de fazer amigos. Vida profissional e vida pessoal se confundem. A ênfase nas relações pessoais nas empresas cria uma maior disposição para colaborar.

Victor: — Mas isto é ótimo!

André: — É. Aliás, há empresas multinacionais tentando utilizar em outros países essa prática de trabalhar, baseada no relacionamento pessoal dentro da companhia. Mas isso tem seu lado negativo.

Victor: — Como assim?

André: — Na vida pessoal e profissional, o brasileiro tem dificuldade de tratar conflitos diretos. Nem sempre ele diz tudo o que pensa e não sabe ser objetivo. A franqueza e a objetividade, tão normais no relacionamento profissional de outros povos, chocam o brasileiro. Ele se ofende facilmente.

faixa 07 CD 2

Victor: — Credo! Sinceramente vocês brasileiros são muitos complicados.

André: — Talvez sejamos. Mas não esqueça, Victor, para fazer negócios com um brasileiro, você precisa conversar, ouvir histórias, contar as suas. E há os tapinhas nas costas, os abraços entre os homens, os beijinhos entre as mulheres. Tudo isso faz parte de um estilo de trabalho dirigido mais pela emoção. Muitas vezes, o estrangeiro pode ter problemas ...

O cacique

faixa 08 CD 2

Na empresa brasileira, o chefe exerce uma liderança forte. Em seu setor, ele centraliza tudo. Todos dependem dele. A consulta a outras áreas de poder dentro da companhia é baixa, às vezes apenas simbólica.

Victor: — Explique, por favor.

Robert: — A figura do chefe é como a do pai de antigamente. O chefe é responsável por tudo, deve saber todas as respostas. Os subordinados não têm autonomia. Eles estão mais acostumados a cumprir ordens do que a dar opinião. Criticar o chefe? Argumentar? Nem pensar! Chefe é chefe!

faixa 09 CD 2

Uma pedra no caminho

Victor: — Somos muito diferentes dos brasileiros ...

André: — Não concordo. No fundo, no fundo, somos todos iguais. Queremos as mesmas coisas, gostamos das mesmas coisas. As diferenças culturais não devem e nem podem ser uma pedra no meio do caminho de nossa vida e de nosso trabalho.

(Baseado em *Gestão à brasileira,* Exame, 19/04/2000, p. 200)

Trabalho

o superior hierárquico	
o alto executivo	
o subordinado	
as técnicas de administração	a diferença cultural
o individualismo	o coletivismo
o time ou equipe de trabalho	o trabalho em equipe
o planejamento estratégico	os resultados funcionar/surtir efeito
as políticas da empresa	
delegar tarefas	a delegação de tarefas
a falta de autonomia	a falta de controle
o ambiente profissional o desempenho	 a avaliação
o modelo de gestão	
o autoritarismo	o paternalismo o jogo de cintura

Regência verbal

Os verbos e suas preposições

depender de — Todos dependem do chefe.

Verbo	+ substantivo	+ preposição + substantivo ou pronome	+ preposição + infinitivo
acabar	o trabalho		de fazer o trabalho
acreditar		em tudo	
ajudar	o amigo		a preparar a festa
aprender	inglês		a falar inglês
começar	a reunião		a discutir
concordar		com a ideia	em esperar
continuar	a reunião		a discutir
depender		de nós	de receber informações
desistir		de tudo	de esperar
discordar		do colega	
ensinar	Português		a falar português
esquecer	o nome		de fazer o relatório
esquecer-se		da infância	de pagar as contas
gostar		de tudo	de estudar
insistir		no plano	em falar com ele
investir	dinheiro	em infraestrutura	
lembrar	o nome		de fazer as compras
lembrar-se		do passado	de escrever
morrer		de gripe	de trabalhar
mudar	o plano	de casa	
parar	a discussão		de discutir
pedir	licença		para sair
pensar		em você	em tirar férias
pertencer		a você	
precisar		de dinheiro	
telefonar		para alguém	
tentar	a sorte		
terminar	a reunião		de explicar

Regência nominal

Adjetivo	+ preposição + substantivo ou pronome	+ preposição + infinitivo
ansioso	por notícias	por receber notícias
apto	ao trabalho, para o trabalho	a fazer o trabalho
cansado	de tudo	de esperar
capaz	de qualquer coisa	de resolver o problema
contente, alegre	com a notícia	por receber o prêmio
contrário	ao chefe	a fechar o negócio
difícil		de acreditar
duro		de convencer
fácil		de fazer
igual, parecido	ao pai, com o pai	
interessado	por, em cinema	em assinar o contrato
prejudicial	à saúde	
satisfeito	com o resultado	em, por ajudar
triste	com a situação	em, por não poder ajudar

Voz ativa e voz passiva

Voz ativa:

sujeito	→	pratica a ação
O **mercado brasileiro**		**atrai** investidores.

Voz passiva:

sujeito	←	recebe a ação
Investidores		**são atraídos** pelo mercado brasileiro.
O **planejador**		**é considerado** burocrático.

Voz passiva

Formação

A voz passiva é formada pelo verbo auxiliar **ser**, conjugado em todos os tempos e modos, seguido do **particípio** do **verbo principal**.
O particípio concorda em gênero e **número** com o sujeito.

Exemplos: Os planos são **implantados** nas empresas com mais facilidade.
As empresas são **atraídas** por outras vantagens.

Presente do Indicativo

Ser considerado		Ser atraído	
Eu	sou considerado(a)	Eu	sou atraído(a)
Você	é considerado(a)	Você	é atraído(a)
Ele	é considerado	Ele	é atraído
Ela	é considerada	Ela	é atraída
Nós	somos considerados(as)	Nós	somos atraídos(as)
Vocês	são considerados(as)	Vocês	são atraídos(as)
Eles	são considerados	Eles	são atraídos
Elas	são consideradas	Elas	são atraídas

Dois tipos de frase

Na voz passiva, há dois tipos de frase:

O planejador é considerado burocrático. (pelas pessoas)

informação não necessária

As empresas estrangeiras são atraídas por outras vantagens.

informação necessária

Da voz ativa para a passiva

Pode-se passar uma frase da voz ativa para a passiva, sem alterar seu sentido.

Voz ativa:	Outras vantagens atraem as empresas estrangeiras.
Voz passiva:	As empresas estrangeiras são atraídas por outras vantagens.

Pode-se, igualmente, passar uma frase da voz passiva para a ativa, sem alterar seu sentido.

Voz passiva:	Novos planos foram implantados pela direção da empresa.
Voz ativa:	A direção da empresa implantou novos planos.

Discurso direto e indireto

- Credo! Vocês, brasileiros, são muito complicados. (discurso direto)

O que Victor, do Canadá, diz a André?

Ele lhe diz que nós, brasileiros, somos muito complicados. (discurso indireto)

Discurso indireto com o verbo introdutório no presente

1. Declaração: Ele **diz que ...** Ele **afirma que ...**

Exemplos:

— O Brasil vive uma relativa estabilidade econômica.
A jornalista **diz que** o Brasil vive uma relativa estabilidade econômica.

— Nós não queremos chegar atrasados ao teatro.
Eles **dizem (afirmam) que** não querem chegar atrasados ao teatro.

— Eu quero sair mais cedo hoje.
Ela **diz que** quer sair mais cedo hoje.

2. Interrogação: Ele **pergunta se ...** Ele **pergunta onde ...** **etc.**

Exemplos:

— E isto é verdade?
Ele **pergunta se** isso é verdade.

— Você conhece minha empresa?
Ele **pergunta se** ela conhece sua empresa. (a empresa dele)

— Está fazendo frio?
Ela **pergunta se** está fazendo frio.

— Onde estão os nossos documentos?
Eles **perguntam onde** estão os documentos deles.

— Onde ela viu o anúncio do emprego?
Eles **perguntam onde** ela viu o anúncio do emprego.

— Por que nós não pudemos pôr nosso carro na garagem?
Eles **perguntam por que** eles não puderam pôr o carro deles na garagem.

— Como vocês foram ao teatro?
Eles **perguntam como** nós fomos ao teatro.

3. Ordem, seguida de Infinitivo:

Ele **diz para ...** Ele **pede para ...** (**seguido de infinitivo**)

Exemplos:

— Não acredite em tudo. (imperativo)

Ele lhe **diz para não acreditar** em tudo.

— Por favor, faça o que eu disse. (imperativo)

Ele lhe **pede para fazer** o que ele disse.

Discurso indireto com o verbo introdutório no passado

Ele disse que ...

Discurso direto	Discurso indireto
- **Conheço** o Norte do Brasil.	**Passado**: Ele **disse** que **conhecia** o Norte do Brasil.
- **Conheci** o Norte do Brasil.	**Passado**: Ele **disse** que **tinha conhecido** o Norte do Brasil.
- **Conhecerei** o Norte do Brasil.	**Passado**: Ele **disse** que **conheceria** o Norte do Brasil.

Quando o verbo que introduz o discurso indireto está
no passado, há mudança de tempo na oração subordinada

Discurso direto	Discurso indireto	
Indicativo		**Indicativo**
Presente		**Imperfeito**
Eu **assino** esta revista.	Ele **afirmou** / Ele **afirmava**	que **assinava** aquela revista.
Perfeito		**Mais-que-perfeito**
Eu **assinei** esta revista.	Ele **afirmou** / Ele **afirmava**	que **tinha assinado** aquela revista.
Futuro		**Futuro do pretérito**
Eu **assinarei** esta revista.	Ele **afirmou** / Ele **afirmava**	que **assinaria** aquela revista.
Subjuntivo		**Subjuntivo**
Presente		**Imperfeito**
Que eu **assine** esta revista, ...	Ele **quis** / Ele **queria**	que eu **assinasse** aquela revista, ...
Futuro		**Imperfeito**
Quando eu **assinar** esta revista, ...	Ele **quis** / Ele **queria**	que, quando eu **assinasse** aquela revista, ...

B2 aplicando o que aprendeu

Regência verbal

Complete com uma preposição, se necessário, ou inutilize o espaço.

1. Desculpe, não posso ajudar _____ você. Isso não depende ____ mim.
   Acredite ______ mim. Mas não desista ______ encontrar uma solução.
2. O vendedor insistiu _______ mostrar seus produtos. Mas eu não tinha _____ tempo, por isso lhe pedi ______ deixar a demonstração para outro dia.
3. Não me lembro ____ seu nome, mas não posso esquecer ______ seu rosto. Penso sempre ____ conseguir seu endereço e escrever ____ ele.
4. Quero aprender ______ mexer nesse computador, mas ninguém quer ensinar-me _______ ligá-lo.
5. Não concordo _______ você. Não posso concordar ______ fazer o que você está pedindo. Por favor, desista ______ fazer isso. Não tente ______ convencer-me.

Regência nominal

Complete com uma preposição, se necessário, ou inutilize o espaço.

1. Não quero saber de mais nada. Estou cansado ______ ouvir sempre a mesma coisa. Não estou mais interessado _______ ideias desse tipo. São iguais _____ todas as outras. Não há nada de novo nisso.

2. Não sou contrário ______ ideias novas. De jeito nenhum. Apenas acho que ninguém é capaz ______ fazer o que você está propondo. O projeto é difícil _____ realizar e nossos clientes são duros _____ convencer.

3. Não, não estou triste _______ o sucesso de nosso concorrente. Aliás, estou contente ______ ele. Quanto mais sucesso ele tiver, tanto mais trabalharemos para não perder terreno no mercado. É um estímulo, não é? Realmente, estou satisfeito _______ isso.

Voz ativa e voz passiva

a) Passe para a voz passiva. Siga o exemplo.

O mercado brasileiro atrai investidores.
Investidores são atraídos pelo mercado brasileiro.

1. A estabilidade econômica beneficia todas as classes sociais.

____

2. O Brasil lidera a integração regional.

____

3. As políticas do governo favorecem as áreas econômicas.

____

4. Você não considerou o resultado da pesquisa.

____

5. Elas planejaram uma bela viagem de negócios.

____

6. Nós resolveremos os problemas da firma.

____

7. O chefe não delega poderes.

____

8. Ele sempre centralizou o poder na empresa.

____

9. Os subordinados não criticam seus chefes.

____

10. A empresa reduziu o número de funcionários.

____

b) Passe para a voz ativa. Siga o exemplo.

As secretárias foram convocadas pelo Diretor-Geral.
O Diretor-Geral convocou as secretárias.

1. O planejamento estratégico será implantado pela nossa empresa.

____

2. O desempenho dos funcionários foi avaliado pelo RH.

____

3. Um brasileiro foi escolhido para um estágio na matriz americana.

____

4. O trabalho em equipe é favorecido por um clima psicológico positivo.

____

5. Muitas barreiras são criadas por divergências culturais.

____

6. A falta de recursos foi compensada pela criatividade da população.

____

7. O brasileiro é considerado criativo pelos estrangeiros.

____

8. A agricultura será afetada pela falta de chuva.

____

9. A indústria brasileira será favorecida pelo aumento das exportações.

____

10. As atividades comerciais eram prejudicadas pelos pesados impostos.

____

c) Complete com o tempo adequado dos verbos, na voz passiva. Siga o exemplo.

(avaliar) Os resultados do novo plano ainda não foram avaliados.

1. (divulgar) Os lucros da empresa _______________ ontem.
2. (atrair) O investidor não _______________ por incentivos duvidosos.
3. (consultar) O Departamento de RH sempre _______________ .
4. (beneficiar) Todos os funcionários _______________ pelo novo plano de carreira.
5. (estabelecer) As normas _______________ para todos, sem exceção.
6. (transferir) No ano que vem, nós _______________ para a Matriz.
7. (discutir) Antigamente, os projetos nunca _______________ por nossa equipe.
8. (analisar) Todos os contratos _______________ pelo Jurídico.
9. (manter) Você _______________ no cargo.
10. (ver) A ausência de conflitos religiosos _______________ como vantagem.

Discurso direto e indireto

a) Complete as frases.

Discurso direto	Discurso indireto
1. Estou cansado.	Ele diz que ______________________
2. Vamos fechar o negócio amanhã.	Eles dizem que ______________________
3. Vocês querem conhecer a cidade?	Ele pergunta se ______________________
4. Afinal, onde você foi ontem?	Ele pergunta onde ______________________
5. Não feche esse negócio.	Ele me diz para ______________________
6. Dirija mais devagar.	Ele lhe pede para ______________________
7. Seja paciente.	Ele lhe diz para ______________________
8. Por que vocês saíram mais cedo?	Ele lhes pergunta por que ______________
9. Você vai embora?	Ele me pergunta ______________________
10. Por que vocês não saem de férias?	Ele lhes pergunta ______________________

b) O que Ernesto está dizendo?

ESCUTE O QUE LHE DIGO, PEDRO. O BRASIL NÃO GANHA ESSE JOGO, PORQUE O FUTEBOL, HOJE, É SÓ POLÍTICA.

EU NÃO ACHO. O BRASIL VAI GANHAR DE DOIS A ZERO.

Ernesto está dizendo para Pedro ____

____

____

c) Leia novamente o diálogo. O que Ernesto disse?

Ernesto disse para Pedro ____

____

(Mais tarde)

d) O que Pedro perguntou? O que Ernesto respondeu?

Pedro perguntou ______________________________________

Ernesto respondeu ____________________________________

____

(No dia seguinte) O comentário de Ernesto

e) O que Ernesto comentou, no dia seguinte?

Ernesto comentou que ___________________________________

____

____

C1 trocando ideias

O Brasil na América do Sul

O Brasil, além de ocupar um espaço físico de dimensão extraordinária, e de ter fronteiras com quase todos os países da América do Sul, desempenha um papel de liderança política e econômica no continente.
Único país a falar português num mundo espanhol, o Brasil conserva este idioma, dando a ele uma identidade brasileira, presente também em seus costumes e em sua mentalidade.
O Brasil destaca-se, assim, como um país diferente e consciente de sua personalidade na América Latina.

Responda

1. Por que o Brasil se destaca na América do Sul?
2. De que maneira o Brasil se destaca na América do Sul do ponto vista da língua?
3. Como você vê o Brasil? Explique.

O Brasil no Mercosul

Num mundo globalizado, os blocos comerciais tendem a se multiplicar e a fortalecer-se. As relações internacionais, hoje em dia, estão sendo marcadas cada vez mais pelas relações entre blocos. Na América do Sul, o Mercosul, tímido e indeciso no início, ganha forças e tem o Brasil como parceiro importante. O Mercosul atrai o interesse não só dos blocos norte-americanos, mas também da União Europeia (UE).

Responda, de acordo com o texto.

1. Por que os blocos comerciais ganham cada vez mais força?
2. Por que o Mercosul, nascido tímido e indeciso, tende a ganhar força?
3. O Mercosul é um bloco que se relaciona apenas com blocos da América?

C2 chegando lá

Você acredita que, num futuro próximo, as relações comerciais serão feitas só através dos grandes blocos comerciais?
Seu país pertence a algum bloco comercial?
Qual é a transação comercial mais importante do seu país? O que ele importa? O que exporta? O que ele fabrica?
Qual é a sua área de atuação? Fale do mercado interno e externo de seu país.

Compreensão de texto

Leia o texto:

Metalúrgica veste macacão e monta caminhões em SP

Homens e mulheres disputam, em condições de igualdade, um mercado especial

Todas as manhãs, Carla, de 32 anos, cumpre um ritual: depois do banho, verifica o estado das unhas, sempre pintadas de vermelho, passa batom, põe seu perfume predileto e segue para o trabalho. Até aí, nada seria fora do comum se fosse outro o dia a dia de Carla. Ocorre que o destino de Carla não é um escritório ou uma loja, mas sim, a linha de montagem de caminhões da Ford, em S. Paulo.

Embora seja muito vaidosa, Carla trabalha pesado, lado a lado com os homens, de macacão azul, sapato baixo, luvas grossas (que mesmo assim não impedem a sujeira de graxa nas mãos), óculos para impedir acidentes e protetor de ouvidos por causa do nível alto de ruído.

Apesar de casada, com uma filha de 15 anos, o trabalho dá a Carla profunda sensação de independência. Ela diz adorá-lo e sentir orgulho de ser metalúrgica, em uma montadora de caminhões. "Todos se espantam com a minha profissão, mas sem preconceito", afirma. Carla só lamenta que não tenha começado sua carreira antes. "Tudo teria sido mais fácil", diz.

Hoje, Carla se sente privilegiada. Não é para menos. Seu salário é mais alto do que o da maioria de seus vizinhos e parentes homens, e, com certeza, mais alto do que o de qualquer uma de suas amigas empregadas em lojas, em serviços de *telemarketing* ou como secretárias, em empresas.

Carla espera que sua filha tenha a mesma sorte quando quiser ingressar no mercado de trabalho.

Responda, de acordo com o texto.

1. Qual a profissão de Carla? Em que setor ela trabalha?

____

____

2. Como Carla considera seu trabalho?

____

____

3. Carla está satisfeita com o seu salário? Explique.

____

____

4. Nesse texto, temos exemplos de discurso direto.

a) Transcreva, a seguir, duas frases do texto em discurso direto:

____

____

____

b) Transforme as frases escolhidas em discurso indireto.

Comece assim:

Carla afirmou que ______________________________________

____

____

Discurso direto e indireto

a) Complete as frases, usando os verbos nos tempos adequados.

Discurso direto	**Discurso indireto**
1. Como vocês foram ao Rio, de carro?	Ele nos perguntou ________________
2. Mônica, onde estão as passagens?	Ele perguntou a Mônica ____________
3. Por que não vamos de metrô?	Ela me pergunta __________________
4. Não seja tão modesta!	Ele lhe pede______________________
5. Por favor, leia o contrato.	Ele me pediu _____________________
6. Onde será o jantar?	Ela pergunta _____________________
7. Ninguém viu minha agenda?	Ele perguntou ____________________
8. O Brasil será campeão!	Ele afirmou ______________________
9. Onde vocês deixavam o carro?	Ele perguntou ____________________
10. Por que Rui não veio com você?	Ela me pergunta __________________

b) Leia o diálogo.

Economista: — Quando o Brasil cumprir todas as metas econômicas, resolverá todos os problemas sociais.

Sociólogo: — Não creio. A solução dos problemas sociais não depende apenas da economia, depende principalmente de educação. Quando o Brasil investir seriamente em educação, aí, sim, os problemas sociais serão solucionados.

Passe para o discurso indireto, usando o verbo introdutório no presente:

O economista afirma que ________________________________

____

O sociólogo diz que ___________________________________

____

Passe para o discurso indireto, usando o verbo introdutório no passado:

O economista afirmou que _______________________________

____

O sociólogo disse que __________________________________

____

Vocabulário

a) Relacione as palavras da 1ª coluna com as da 2ª, de acordo com o sentido.

1. perder	( ) de rachar
2. as festas	( ) de viagem
3. excursão	( ) a negócios
4. filmes	( ) a chance
5. viajar	( ) nem outro
6. fazer um sol	( ) para o Pantanal
7. prestar	( ) um serviço
8. nem um	( ) férias
9. roteiro	( ) de bangue-bangue
10. tirar	( ) juninas

1. tocar	( ) da vida
2. fazer	( ) ordens
3. oferecer	( ) violão
4. impor	( ) uma nova situação
5. cumprir	( ) o dobro
6. ganhar	( ) um incêndio
7. apagar	( ) amigos
8. adaptar-se a	( ) mão de obra
9. esquecer-se	( ) sua opinião
10. de acordo com	( ) a lei

b) Relacione os antônimos.

1. diferente	( ) diminuir
2. o paraíso	( ) o inferno
3. melhorar	( ) a desvantagem
4. a oferta	( ) a instabilidade
5. aumentar	( ) a dificuldade
6. a estabilidade	( ) a demanda
7. o chefe	( ) o subordinado
8. a maioria	( ) piorar
9. a facilidade	( ) igual
10. a vantagem	( ) a minoria

c) Agrupe as palavras das colunas, de acordo com as categorias indicadas no quadro.

1. o turismo
2. o carro
3. a mídia
4. as artes
5. as festas populares
6. o mercado de trabalho
7. a economia

( ) o estepe	( ) o roteiro de viagem
( ) a pousada	( ) a reportagem
( ) as cidades históricas	( ) a novela
( ) o pedágio	( ) o escritor
( ) os lugares exóticos	( ) a Bahia colonial
( ) o locutor	( ) a pintura
( ) a assinatura	( ) a poesia
( ) o macaco	( ) a manchete
( ) o compositor	( ) o guia
( ) o ouvinte	( ) a buzina
( ) acampar	( ) o quadro
( ) o telespectador	( ) o volante
( ) o borracheiro	( ) o triângulo
( ) o programa de entrevistas	( ) o poema
( ) a imprensa	( ) a escultura
( ) o rodeio	( ) o Mercosul
( ) a procissão	( ) o violeiro
( ) a demissão	( ) o boia-fria
( ) o mercado consumidor	( ) o forró
( ) o rojão e o quentão	( ) a globalização
( ) a qualificação	( ) os benefícios
( ) o consumo interno	( ) as taxas
( ) as mordomias	( ) o subemprego
( ) o investidor	( ) o desfile das escolas de samba

a) Uma nova secretária.

Você precisa de uma nova secretária. Descreva ao funcionário do Departamento de Recursos Humanos o ***perfil*** da secretária que você está procurando.
Use **todas** as orações e palavras do quadro.

É importante que
É necessário que
Convém que
Eu desejo que
Eu duvido que
É pena que
Para que
Até que

Estou pensando em contratar uma nova secretária. Para facilitar seu trabalho, vou dizer o que eu quero.

É importante que ela ____________________
____
____
____
____
____

b) Imperfeito do Indicativo ou do Subjuntivo?

Complete o texto:

Ontem tive problemas com meu carro. Eu (estar) ____________ passando por uma rua deserta, quando o carro parou. Assim, de repente. Olhei em volta e tive medo que ninguém (aparecer) ____________ para me ajudar. Vi, então, uma pequena oficina mecânica. Ela ainda (estar) ___________ aberta. Talvez o dono (poder) ____________ resolver meu problema. Fui até lá. Um rapaz (estar) ___________ consertando um motor. Ele (ser) __________ simpático e atendeu-me muito bem, embora já (ser) ___________ tarde. Às vezes, a gente tem sorte.

c) Complete a ideia. Siga o exemplo.

Hoje não é domingo.
Se hoje **fosse domingo, eu poderia dormir até às dez**.

Eu não tenho muito dinheiro.
Se eu____

Ele não vem muito aqui.
Se ele ____

Eles não sabem o que está acontecendo.
Se eles ____

Nunca faz calor no Alasca.
Se ____

d) Você vai sair de férias. Deixe um bilhete para sua secretária, explicando-lhe o que deve fazer durante sua ausência.

Cara Odila,

Vou para Cancún e só voltarei no fim do mês. Aqui, estão algumas recomendações:
Cuide da correspondência diariamente quando (chegar) __________ ao escritório. Se (haver) __________ algum problema urgente, fale com o Danilo. Depois que (cuidar) __________ da correspondência, cuide das samambaias. Não esqueça: dê-lhes água sempre que (poder) __________, enquanto eu (estar) __________ fora. Logo que você (ter) __________ notícias de Júlia, ligue para mim. Estou preocupado com ela. Até a volta!

e) Faça como no exemplo.

Não sei se poderei ajudar. Se puder, será ótimo.
Não posso ajudar. Se eu pudesse, eu ajudaria.
Não pude ajudar. Se eu tivesse podido, eu teria ficado contente.

1. Não sei se faremos negócios com eles.
   Se ____________________
   Não fazemos negócios com eles.
   Se ____________________
   Não fizemos negócios com eles.
   Se ____________________

2. Não sei se ela vai fugir de nós.
   Se ____________________
   Ela sempre foge de nós.
   Se ela não ____________________
   Ela fugiu de nós.
   Se ela não ____________________

3. Não sei se minha mesa caberá naquela sala.
   Se ____________________
   Minha mesa não cabe naquela sala.
   Se ____________________
   Minha mesa não coube naquela sala.
   Se ____________________

f) Responda à pergunta. Observe o exemplo.

Ele não está feliz ultimamente. Por quê?

(ter) Porque ele tem tido problemas com a esposa ultimamente.

(dar errado) Porque ultimamente ______________________________

(ver) Porque ______________________________

(ganhar) Porque ______________________________

Pronomes relativos

a) Transforme as frases usando pronomes relativos.

1. Os funcionários da Alfândega não aceitaram seu passaporte.
O passaporte estava vencido.

____

2. Os executivos brasileiros têm boa reputação.
Eles são tão eficientes quanto seus colegas europeus.

____

3. Ela fala muito de Ricardo. Ricardo é seu colega de escritório.

____

4. A região Nordeste tem problemas com a agricultura. O clima do Nordeste é muito seco.

____

5. Os documentos foram traduzidos para o português. O Departamento de Recursos Humanos já tirou cópias deles.

____

b) Complete com um pronome relativo.

1. A peça que vi ontem, ____________ atores são ainda desconhecidos, está fazendo sucesso.
2. Jorge, meu amigo espanhol, com _________ tenho negócios, vem ao Brasil nas próximas férias de verão.
3. Ela gosta de _________não gosta dela.
4. O filme de ________ lhe falei entrou em cartaz hoje.
5. O jornal ___________ publicou nossa reclamação é de grande circulação.

c) Complete o texto abaixo com um pronome relativo, precedido ou não de preposição.

Quando os estrangeiros vêm pela primeira vez ao Brasil, nem sempre compreendem as características regionais. As cidades ____________ passam oferecem visões diferentes umas das outras.
Mas, existem paisagens ______________ nunca se esquecem: as Cataratas do Iguaçu e as praias de areia branca e fina. Muitos lugares têm nomes indígenas, ________ eles tentam repetir, nem sempre com sucesso. Esses nomes, _____________ pronúncia é complicada, reforçam a imagem de um país exótico.
As empresas de turismo, ___________ anúncios exploram essa imagem, organizam muitas viagens para cá.

Regências verbal e nominal

Complete com a preposição adequada, contraída ou não com um artigo, ou inutilize o espaço.

1. Quando viajamos, não gostamos _____ ficar muito tempo numa mesma cidade.
2. Quando vocês pretendem _______ sair de férias?
3. Todas as vezes que eles passam _______ Paris, levam algumas lembranças ________ amigos.
4. Antes de começar ______ trabalhar, nós íamos todo verão _________ a praia.
5. Todos nós precisamos _____ um pouco de divertimento para evitar o estresse.
6. Eu nem sempre concordo _________ as ideias _____ governo.
7. Meu filho está muito contente. Ele começa ________ um estágio amanhã.
8. Se você tem uma boa ideia, não desista _______ pô-la em prática.
9. O novo funcionário é bom. Ele aprendeu logo _______ fazer funcionar as máquinas e ________ controlar os gastos de eletricidade.
10. Nunca me lembro _____ nome dele.
11. É difícil ______ acreditar! Meu trabalho é difícil, mas não me queixo dele. Minha responsabilidade atual é igual ______ responsabilidade que eu tinha na outra firma. Fico satisfeito _______ poder ajudar os novos operários.
12. Há pessoas capazes ______ tudo para conseguir ______ promoção, mesmo que não estejam aptas _________ trabalho. Não estão interessadas _______ qualidade do trabalho, mas ______ promoção pessoal.
13. As ideias _____ quais eu acredito não são fáceis _______ aplicar.
14. Neste momento, só estou interessado ________ uma coisa: viajar!
15. Fazia muito tempo que não tínhamos notícias de casa, por isso ficamos contentes ______ o telefonema de nossa filha.

Voz passiva

Leia o texto e passe as frases, que estão na voz ativa, para a voz passiva, fazendo as modificações necessárias.

No Brasil, o chefe toma todas as decisões.

Ele decide tudo e não ouve muito a opinião de seus subordinados. Estes nunca o criticam abertamente. Talvez, no futuro, as novas técnicas de trabalho mudem isto.

Nota explicativa

As noções de fonética que se seguem têm por objetivo colocar o aluno diante dos sons mais importantes e mais constantes do Português do Brasil, quer sejam orais ou nasais, e auxiliá-lo na pronúncia. Não incluímos, aqui, uma descrição do sistema fonético, com regras de pronúncia.

Não pretendemos esgotar o assunto da pronúncia das palavras e do ritmo das frases brasileiras.

Ao elaborar este material pedagógico, concentramo-nos em certas confusões que os sons nasais ou orais podem oferecer e em algumas marcas fonéticas ausentes em determinadas línguas estrangeiras.

Os exercícios que acompanham a elaboração dos sons seguem o conceito de que não se deve ensiná-los de maneira isolada, mas integrá-los na complexidade da frase.

Tomamos por base a pronúncia **padrão** das grandes cidades da região Sudeste, dos principais jornais televisivos, tendo, contudo, o cuidado de assinalar algumas tendências regionais mais conhecidas, como, por exemplo: a pronúncia do –**r** e do –**s** cariocas, das vogais abertas do Nordeste e a influência italiana do –**t**, do -**d** e do ritmo "cantado" em São Paulo.

faixa 10 CD 2

1. VOGAIS

Os fonemas vocálicos orais em Português são sete (abertos e fechados)

/ a /	/ é /	/ ê /	/ i /	/ ó /	/ ô /	/ u /
[a]	[ε]	[e]	[i]	[⊃]	[o]	[u]

faixa 11 CD 2

1.1. Vogais orais - Quadro ortográfico e fonético:

Grafia	Som	Exemplos
/ a /, / á /, / à /	[a]	abacaxi, abacate, às, árvore, gaveta
/ a /+m / a /+n	[â]	chama(r), cama, fama, Ana, ano

faixa 12 CD 2

Grafia	Som	Exemplos
/ e /, / é /	[ε]	papel, café, aberto, América, exército

Grafia	Som	Exemplos
/ e /, / ê /	[e]	escada, você, academia cinema, diretor

faixa 13 CD 2

Grafia	Som	Exemplos
/ i /, / í /	[i]	ali, país, mínimo, finalidade, atividade
/ e / (final) =	[ι]	sanduíche, carne, peixe, nome, cheque

faixa 14 CD 2

Grafia	Som	Exemplos
/ o /, / ó /	[⊃]	modo, avó, porta, voto, ordem

/ o /, / ô /	[o]	corpo, pôr, todo \avô, senhor
/o/ (final) =	[ω]	todo, americano, novo, cinco, assunto

faixa 15 CD 2

Grafia	Som	Exemplos
/ u /, / ú /	[u]	tudo, alugar, útil, estudo, óculos

faixa 16 CD 2

1.2. Vogais orais - Exercícios

➡ **Sons [a]** **[â]**

A) Ouça o grupo de palavras e repita.

estado - plano
[a] [â]

fábrica - banana
[a] [â][â]

casado - vamos
[a] [a] [â]

secretária - semana
[a] [â]

mercado - ano
[a] [â]

faixa 17 CD 2

B) Ouça as frases e repita.

1. O empresário do ano.
[a] [â]

2. Os empresários do ramo.
[a] [â]

3. A caneta e a lapiseira de prata.
[â] [a][a] [a]

4. O salário do senhor Santana.
[a][a] [â]

5. Os amigos de dona Ana.
[a] [â]

faixa 18 CD 2

C) Ouça as palavras e assinale.

	[a]	[â]
amiga		
alface		
caneta		
cama		
nada		

faixa 19 CD 2

➡ **Sons [e]** [e]

A) Ouça o grupo de palavras e repita.

a espera - as férias
[e] [e] [e]

o sistema - o semestre
[e] [ɛ]

a empresa - o teste
[e] [ɛ]

a caneta - o cheque
[e] [e]

o economista - o colega
[e] [e]

faixa 20 CD 2

B) Ouça as frases e repita.

1. Ele quer receber o cheque.
[e] [e] [e][e][e] [e]

2. Você espera receber o cheque.
[e][e] [e] [e] [e] [e] [e]

3. Aquele telefone não toca.
[e] [e][e]

4. Aquela caneta não escreve.
[e] [e] [e] [e]

5. Ela come pera, ele bebe cerveja.
[e] [e] [e] [e] [e] [e]

faixa 21 CD 2

C) Ouça e assinale.

	[e]	[ε]
a festa do século		
quero café		
creme francês		
cerveja chilena		
o Sudeste e o Nordeste		

faixa 22 CD 2

➡ Sons [i] [ι]

A) Ouça o grupo de palavras e repita.

serviço - cheque
[i] [ι]

opinião - pobre
[i][i] [ι]

limite - parque
[i] [i] [ι]

minuto - equipe
[i] [i] [ι]

artigo - chefe
[i] [ι]

faixa 23 CD 2

B) Ouça e assinale.

	[i]	[ι]
come e dorme		
firma turística		
carne leve		
artigo literário		
final feliz		

faixa 24 CD 2

➡ Sons [o] [⊃] [ω]

A) Ouça o grupo de palavras e repita.

projeto - p o l o
[o] [ω] [⊃][ω]

moderno - c opo
[o] [ω] [⊃] [ω]

modesto - depósito
[o] [ω] [⊃] [ω]

econômico - escritório
[o] [o] [ω] [⊃][ω]

ovo - f oto
[o][ω] [⊃][ω]

gosto - modo
[o] [ω] [⊃][ω]

faixa 25 CD 2

B) Ouça as frases e repita.

1. Um sono pesado.
   [o][ω] [ω]

2. Um sorvete gostoso.
   [o] [o] [o][ω]

3. Uma torta gostosa.
   [⊃] [o] [⊃]

4. Uma coca morna.
   [⊃] [⊃]

5. Um programa social.
   [o] [o]

faixa 26 CD 2

C) Ouça e assinale.

	[o]	[⊃]	[ω]
Um estilo próprio			
Um começo famoso			
Uma produção comercial			
Uma aposta histórica			
O código morse			

➡ **Sons [u] [w]**

Ouça e assinale.

	[u]	[ω]
tudo escuro		
ano novo		
produção industrial		
sucesso português		
plano nulo		

faixa 27 CD 2

➡ **Sons de [a] a [u]**

A) Ouça e repita.

A porta está aberta.
Ele ama sua família.
O café está na xícara.
Ela se chama Ana.
Ele chega ao Brasil no próximo mês.

O mês de janeiro é o primeiro mês do ano.
A casa fica na outra esquina.
Eu não conheço a praia de Ipanema.
Os livros escolhidos são clássicos.
A fama de Copacabana é internacional.

faixa 28 CD 2

B) Leia e depois confira com o áudio.

fiz — fez
pus — pôs
pude — pôde
prefiro — prefere
sirvo — serve

porto — porta
durmo — dorme
pó — pé
onde — onda
o gosto — eu gosto

faixa 29 CD 2

1.3. Vogais nasais - Quadro ortográfico e fonético

As vogais nasais (sons vocálicos nasais) em Português são cinco:

Grafia	Som	Exemplos
/ ã / / am / an /	[ã]	amanh**ã**, cheg**an**do, C**am**pinas irm**ã**, **an**d**an**do

faixa 30 CD 2

Grafia	Som	Exemplos
/em /(não final) / en /	[ẽ]	**em**presa, qu**en**te, apartam**en**to, t**em**po, d**en**tro

faixa 31 CD 2

Grafia	Som	Exemplos
/ im / / in /	[ĩ]	jard**im**, s**im**, qu**in**ze, **im**portante, **in**ferior

faixa 32 CD 2

Grafia	Som	Exemplos
/ om / / on	[õ]	c**om**prar, **on**de, resp**on**der, **on**ze, m**on**tanha

faixa 33 CD 2

Grafia	Som	Exemplos
/ um / / un /	[ũ]	**um**, n**um**, m**un**do, f**un**do, seg**un**do

faixa 34 CD 2

1.4. Vogais nasais - Exercícios

A) Ouça as palavras e repita.

- **enfim** [ẽ] [ĩ]
- por m**im** [ĩ]
- **um** c**on**to [ũ] [õ]
- **um** p**on**to [ũ] [õ]
- **im**p**on**do [ĩ][õ]

faixa 35 CD 2

B) Ouça as frases e repita.

1. Uma **em**presa canad**en**se.
   [ẽ] [ẽ]
2. L**en**do o t**ex**to e pens**an**do no ass**un**to.
   [ẽ] [ẽ] [ã] [ũ]
3. **Um** **con**domínio **im**port**an**te.
   [ũ] [õ] [ĩ] [ã]
4. **On**tem, foi seg**un**da-feira.
   [õ] [ũ]
5. O espaço **in**terior é gr**an**de.
   [ĩ] [ã]

faixa 36 CD 2

C) Ouça e assinale.

➨ **Sons** [ã] [õ]

	[ã]	[õ]
bando		
banho		
tronco		
bondade		
abandono		

➨ **Sons** [ẽ] [ĩ]

	[ẽ]	[ĩ]
pressinto		
pressente		
simples		
sempre		
sente		

faixa 37 CD 2

2. Grupos vocálicos

2.1. Grupos vocálicos orais

Grafia	Som	Exemplos
[ae]	[ae] [aɛ]	aeroporto, aeronave, aeromoça, Caetano, Novaes

faixa 38 CD 2

Grafia	Som	Exemplos
/ ai /	[aj]	pai, vai, mais, praia, maio

faixa 39 CD 2

Grafia	Som	Exemplos
/ ao / / au /	[aω]	ao, caos, automóvel, causa, autoridade

faixa 40 CD 2

Grafia	Som	Exemplos
/ ea /	[ea]	realidade, real, reagrupar, ameaçar, nomear

faixa 41 CD 2

Grafia	Som	Exemplos
/ ei /	[ej]	falei, feira, dinheiro, cadeira, fevereiro

faixa 42 CD 2

Grafia	Som	Exemplos
/ eo /	[eo] [e⊃]	geografia, geométrico, leonino, teoria, meteoro

faixa 43 CD 2

Grafia	Som	Exemplos
/ e u /	[e w]	meu, percebeu, Europa, Mateus, reunião

faixa 44 CD 2

Grafia	Som	Exemplos
/ éu /	[eω]	céu, chapéu, Montevidéu, arranha-céu, véu

faixa 45 CD 2

Grafia	Som	Exemplos
/ ia /	[ia]	dia, diretoria, fria, fantasia, Maria

faixa 46 CD 2

Grafia	Som	Exemplos
/ ie /	[ιe] [ιe]	medieval, piedade, Marieta, dieta, viela

faixa 47 CD 2

Grafia	Som	Exemplos
/ io /	[ιo] [ιω]	biologia, delicioso, dicionário, frio, rio

faixa 48 CD 2

Grafia	Som	Exemplos
/ iu /	[iu]	caiu, saiu, ciúmes, triunfo, miúdo

faixa 49 CD 2

Grafia	Som	Exemplos
/ oa /	[oa]	boa, canoa, patroa, feijoada, garoa

faixa 50 CD 2

Grafia	Som	Exemplos
/ oe /	[oe] [oε]	joelho, coelho, coerente moeda, poeta

faixa 51 CD 2

Grafia	Som	Exemplos
/ oi / / ói /	[oj] [⊃j]	oito, noite, coisa, herói, dói

faixa 52 CD 2

Grafia	Som	Exemplos
/ ou /	[oω]	sou, pouco, falou, gostou, outono

faixa 53 CD 2

Grafia	Som	Exemplos
/ ua /	[ωa]	rua, lua, sua, água, duas

faixa 54 CD 2

Grafia	Som	Exemplos
/ ue /	[uj] [ʊε]	tênue, continue, ruela, suéter, sueco

faixa 55 CD 2

Grafia	Som	Exemplos
/ ui /	[uj]	fui, cuidado, polui, Rui, anuidade

faixa 56 CD 2

Grafia	Som	Exemplos
/ uo /	[uω]	continuo, recuo, flutuo, mútuo, árduo

faixa 57 CD 2

2.2. Grupos vocálicos nasais

Grafia	Som	Exemplos
/ ãe /	[ãj]	mãe, mamãe, alemães, cães, pães

faixa 58 CD 2

Grafia	Som	Exemplos
/ ão / am /(final)	[ãω]	mão, são, estação, falam, trabalham

faixa 59 CD 2

Grafia	Som	Exemplos
/ em /(final)	[ẽj]	bem, também, Belém, nem, ninguém

faixa 60 CD 2

Grafia	Som	Exemplos
/ õe /	[õj]	põe, põem, estações, coleções, eleições

faixa 61 CD 2

Grafia	Som	Exemplos
/ ui / ui+m /	[ũj]	muito, ruim, tuim

faixa 62 CD 2

2.3. Grupos vocálicos - Exercícios

A) Ouça e repita. (Oposição entre grupos orais e nasais)

pai - mãe
[aj] [ãj]

mais - pães
[aj] [ãj]

bairro - paina
[aj] [ãj]

veio - vem
[ejω] [ẽ j]

foi - põe
[oj] [õj]

faixa 63 CD 2

B) Ouça as palavras e repita. (pronuncie com mais intensidade a penúltima sílaba)

[ã]	[ẽ]
— Eles fal**am**	— Eles respond**em**
— Eles trabalh**am**	— Eles atend**em**
— Eles viaj**am**	— Eles receb**em**
— Eles compr**am**	— Eles perceb**em**
— Eles and**am**	— Eles consegu**em**

faixa 64 CD 2

C) Leia o grupo de palavras e depois confira com o áudio.

— Eles falavam.
— Eles viam.
— Eles pediam.
— Eles abriam.

— Eles falaram.
— Eles viram.
— Eles pediram.
— Eles abriram.

faixa 65 CD 2

D) Leia as frases e depois confira com o áudio.

- As ruas da cidade são muito feias.
- O aeroporto do Rio de Janeiro é moderno.
- A caipirinha é bebida bem brasileira.
- Na reunião, ele serviu feijoada.
- Ciúmes é um sentimento baixo.
- Ele ouve muito e fala pouco.
- Ele foi nomeado primeiro-ministro.

faixa 66 CD 2

E) Leia as frases e depois confira com o áudio.

Alguém não está se sentindo bem?
[ẽj] [ãω] [ẽ] [ẽj]

Eles são famosos, mas trabalham muito.
[ãω] [ãω]

A situação em Jerusalém não está tão bem.
[ãω] [ẽj] [ẽj] [ãω] [ãω] [ẽj]

Elas estão doentes, mas não faltam ao trabalho.
[ãω] [oẽ] [ãω] [ãω]

Eles põem cadeados nos portões.
[õj] [õj]

faixa 67 CD 2

3. Consoantes

As consoantes são pronunciadas com as vogais e podem ser surdas e sonoras.

3.1. Consoantes surdas e sonoras - Quadro ortográfico e fonético

Surdas

Grafia	Som	Exemplos
/ p /	[p]	para, apartamento, profissão, Pelé, pôr

faixa 68 CD 2

Sonoras

Grafia	Som	Exemplos
/ b /	[b]	trabalho, Brasil, banco, buraco, borboleta

Observação
O Português do Brasil tem tendência a acrescentar uma vogal depois do [p], considerado mudo (consoante plena)
- pneu ⟶ p(e)neu
- aptidão ⟶ ap(i)tdão
- optar ⟶ op(i)tar
- lapso ⟶ lap(i)so

Observação
O Português do Brasil tem tendência a acrescentar uma vogal depois do [b], considerado mudo.
- absurdo ⟶ ab(i)surdo
- absoluto ⟶ ab(i)soluto
- observar ⟶ ob(i)servar
- óbvio ⟶ ób(i)vio

Surdas

faixa 69 CD 2

Grafia	Som	Exemplos
/ t /	[t]	Telecomsat, todos, trabalho, teto, total

Sonoras

faixa 70 CD 2

Grafia	Som	Exemplos
/ d /	[d]	dedo, depois, doutor, dar, jogador

Observações
1. O Português do Brasil tem tendência a acrescentar uma vogal depois do [t] considerado mudo:
atmosfera ⟶ at(i)mosfera
2. Em certas regiões, o grupo / t / + / i /, / t / + / e / = [tʃ]
tio ⟶ tʃ o, contente ⟶ contentʃ,
eficiente ⟶ eficientʃ

Observações
1. O Português do Brasil tem tendência a acrescentar uma vogal depois do [d], considerado mudo:
- admirar ⟶ ad(i)mirar
2. Em certas regiões, o grupo / d / + / i /, / d / +/ e / = [dʒ]
- dia ⟶ dʒa -grande ⟶ grandʒ

faixa 71 CD 2

Surdas

Grafia	Som	Exemplos
/ c /, / q /	[k]	casa, copo, caipirinha, querer, quilo

faixa 72 CD 2

Sonoras

Grafia	Som	Exemplos
/ g /	[g]	gato, gostoso, agora, gordo, pagar

Observação

O Português do Brasil tem tendência a acrescentar uma vogal depois do [g], considerado mudo: segmento ➨ seg(ui)mento significado ➨ sig(ui)nificado

faixa 73 CD 2

Surdas

Grafia	Som	Exemplos
/ f /	[f]	família, fazer, telefone, Fortaleza, preferir

faixa 74 CD 2

Sonoras

Grafia	Som	Exemplos
/ v /	[v]	visto, dividir, governo, aperitivo, vender

faixa 75 CD 2

Surdas

Grafia	Som	Exemplos
/s/, /c/, /ç/, /z/, /x/, /ss/ /xc/	[s]	sinal, cidade, cabeça, luz, externo, exceção, máximo, essencial, intenso

faixa 76 CD 2

Sonoras

Grafia	Som	Exemplos
/z/ /s/ /x/	[z]	zero, vizinho, Brasil, vaso, exemplo

faixa 77 CD 2

Surdas

Grafia	Som	Exemplos
/ch/, /x/	[ʃ]	chave, cheque, xadrez, xícara, xampu

faixa 78 CD 2

Sonoras

Grafia	Som	Exemplos
/ g / j /	[ζ]	geral, agenda, janela, cerveja, jato

faixa 79 CD 2

Grafia	Som	Exemplos
/ l /	[l]	ler, lição, Alice, televisão, aluno

Observação:
No Brasil, em geral, o [ɫ] final de uma sílaba é pronunciado como uma vogal [ɫ] = Brasil [ɫ] alto [ɫ] confortável [ɫ] último [ɫ] alma [ɫ]

faixa 80 CD 2

Grafia	Som	Exemplos
/ lh /	[λ]	trabalhar, melhor, olhar, julho, folha

faixa 81 CD 2

Grafia	Som	Exemplos
/ m /	[m]	mar, mercado, móvel, comer, almoço

faixa 82 CD 2

Grafia	Som	Exemplos
/ n /	[n]	nada, ninguém, noite, janeiro, inverno

faixa 83 CD 2

Grafia	Som	Exemplos
/ nh /	[ɲ]	dinheiro, junho, minha, conhecer, Alemanha

faixa 84 CD 2

Grafia	Som	Exemplos
/ r /	[r]	caro, trabalho, precisar, sorte, preferir

faixa 85 CD 2

Grafia	Som	Exemplos
/ rr / r / inicial	[R]	carro, bairro, arroz, Rio, rua

Observação: No Estado do Rio de Janeiro, o [r] é arrastado.

faixa 86 CD 2

3.2. Consoantes - Exercícios

A) Ouça e repita: /lh/ = [λ]

1. O melhor trabalho de julho.
2. O empecilho para se chegar à ilha.
3. A falha da folha de pagamento.
4. O brilho da abelha no sol.
5. O espelho da sala e a palha da cadeira.

faixa 87 CD 2

B) Ouça e repita: /b/ = [b] /v/ = [v]

1. Vale a pena viver.
2. A bela bola do vizinho.
3. O cavalo selvagem do vaqueiro.
4. O imóvel velho da viúva.
5. O confortável salão oval.

faixa 88 CD 2

C) Ouça e repita: /l/ = [l] /l/ final de sílaba = [ɫ]

1. A beleza do alfabeto.
2. Uma palavra sutil.
3. O leite artificial.
4. O filme semanal.
5. A literatura belga.

faixa 89 CD 2

D) Ouça e repita: /qua/ = [kwa] /que/ = [ke] /qui/ = [ki]

/qua/ = [kwa]	/que/ = [ke] /qui/ = [ki]
quantidade	quilo
qualidade	aquilo
quase	quilômetro
quarenta	queijo
qualquer	questão

faixa 90 CD 2

E) Leia e confira com o áudio.

1. Ele pesa quase um quilo.
2. Eu quero a quantidade exata.
3. Quantos quilômetros ele andou?
4. Aquele café está muito quente.
5. Qual emprego ele quis?

faixa 91 CD 2

F) Consoantes e vogais alongadas

1. As‿cidades‿sulinas brasileiras.
   [s] [s]
2. As‿sessões das‿sete.
   [s] [s]
3. Os‿senhores responsáveis dos‿setores.
   [s] [s]
4. Quem veio‿ontem aqui?
   [o]
5. Esta‿aula‿atrasada.
   [a] [a]
6. Aquele‿estádio de futebol esteve‿em reforma.
   [e] [e]

faixa 92 CD 2

G) Junções

1. Os textos‿antigos raros.
   [z]
2. As‿empresas‿aéreas‿civis.
   [z] [z] [s]
3. Os‿sonhos‿infantis‿inocentes.
   [s] [z] [z]
4. As‿estradas‿asfaltadas.
   [z] [z]
5. As‿encomendas‿americanas.
   [z] [z]

faixa 93 CD 2

H) Leia os textos abaixo e confira com o áudio.

- A primeira fábrica vai ser em Campinas, no interior do Estado de São Paulo. Nos Estados Unidos, a empresa tem várias fábricas.
- Ele trabalha em vendas. Toda tarde, às três e meia, ele tem reunião. Sua agenda é completa, de segunda a sexta-feira. Ele não tem tempo para sair. Aos sábados, ele come feijoada.
- A área industrial de Campinas é grande. Presidentes de grandes empresas, por outro lado, querem estudar novos programas industriais.

faixa 94 CD 2

4.1. O enunciado da frase (a entonação) tem uma certa melodia.

A frase do Português do Brasil apresenta bastante oscilação ou melodia.
Geralmente, a última sílaba da palavra, no final da frase, é descendente.

Exemplos:

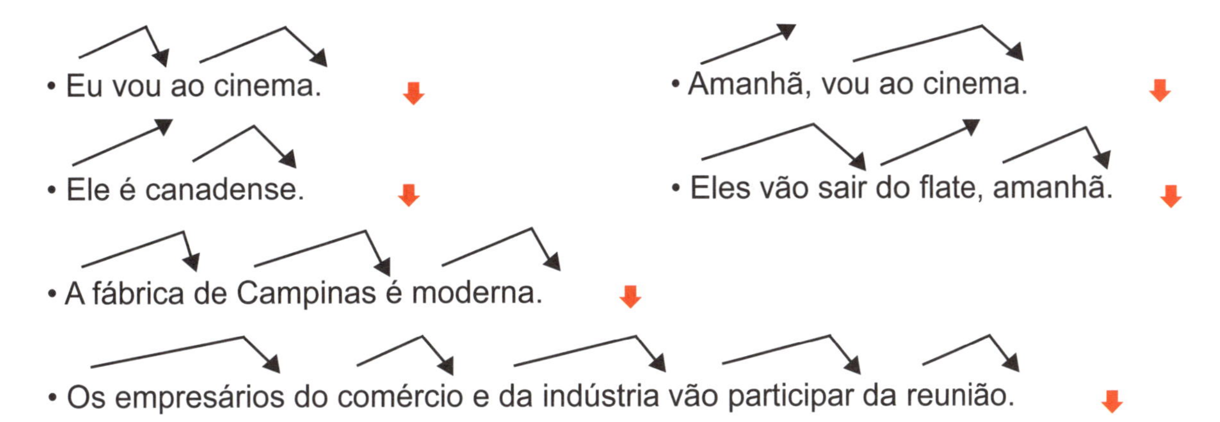

faixa 95 CD 2

4.2. O início da frase em português é sempre ascendente.

• Eu não gosto de viajar.

As entonações podem sofrer algumas alterações, de acordo com os sentimentos.

faixa 96 CD 2

4.3. Frases exclamativas

A frase é descendente.

• Como tudo mudou!

• Olhe, que lindo lugar!

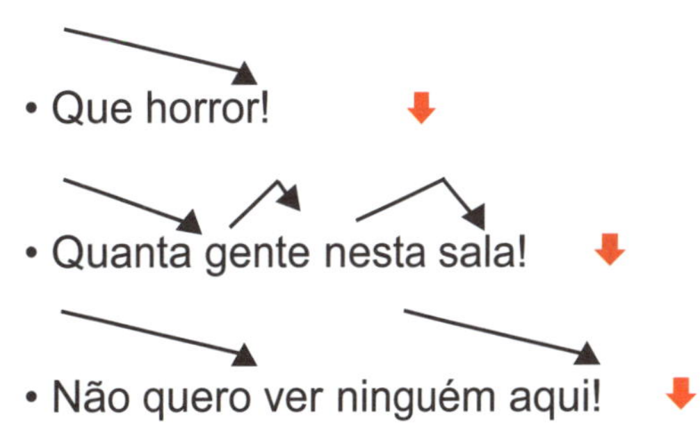

faixa 97 CD 2

4.4. Frases interrogativas

a) Com elemento interrogativo, a entonação é descendente.

- **Quem** chegou?
- **Por que** você não chegou mais cedo?
- **O que** ele quer de mim?
- **Como** vamos conseguir o dinheiro?
- **Onde** estão os documentos da fábrica?
- **Onde** estão os livros, a carteira e o dinheiro que deixei aqui?

b) Sem elemento interrogativo, a entonação é ascendente.

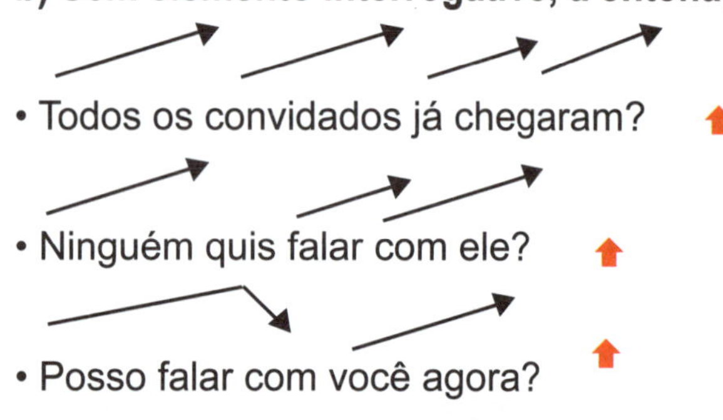

- Todos os convidados já chegaram?
- Ninguém quis falar com ele?
- Posso falar com você agora?

faixa 98 CD 2

4.5. Frases imperativas

O final da frase é descendente.

- Chegue mais cedo amanhã.
- Não saia daqui.
- Tenha calma.
- Feche a janela antes de sair.
- Não fale com ninguém na rua.

faixa 99 CD 2

5. Síntese

O alfabeto português e sua equivalência sonora

1	2	3	4	5	6	7
A, a	B, b	C, c	D, d	E, e	F, f	G, g
a	bê	cê	dê	ê/é	efe/fê	gê/guê

8	9	10	11	12	13	14
H, h	I, i	J, j	K, k	L, l	M, m	N, n
agá	i	jota/ji	ká	ele/lê	eme/mê	ene/nê

15	16	17	18	19	20	21
O, o	P, p	Q, q	R, r	S, s	T, t	U, u
ô/ó	pê	quê	erre/rê	esse/sê	tê	u

22	23	24	25	26		
V, v	w	X, x	y	Z, z		
vê	dabliu	xix	ipsilon	zê		

APÊNDICE GRAMATICAL
CONJUGAÇÃO VERBAL

Verbos regulares

Primeira conjugação: Verbos em -ar

Indicativo				*Subjuntivo*			
Tempos							
Simples		**Compostos**		**Simples**		**Compostos**	
Presente				Presente			
Eu	trabalho			Que eu	trabalhe		
Você/Ele	trabalha			Que você/ele	trabalhe		
Nós	trabalhamos			Que nós	trabalhemos		
Vocês/Eles	trabalham			Que vocês/eles	trabalhem		
Pretérito Imperfeito				Pretérito Imperfeito			
Eu	trabalhava			Se eu	trabalhasse		
Você/Ele	trabalhava			Se você/ele	trabalhasse		
Nós	trabalhávamos			Se nós	trabalhássemos		
Vocês/Eles	trabalhavam			Se vocês/eles	trabalhassem		
Pretérito Perfeito		Pretérito Perfeito				Pretérito Perfeito	
Eu	trabalhei	Eu	tenho trabalhado			Que eu	tenha trabalhado
Você/Ele	trabalhou	Você/Ele	tem trabalhado			Que você/ele	tenha trabalhado
Nós	trabalhamos	Nós	temos trabalhado			Que nós	tenhamos trabalhado
Vocês/Eles	trabalharam	Vocês/Eles	têm trabalhado			Que vocês/eles	tenham trabalhado
Pretérito Mais-que-perfeito		Pretérito Mais-que-perfeito				Pretérito Mais-que-perfeito	
Eu	trabalhara	Eu	tinha trabalhado			Se eu	tivesse trabalhado
Você/Ele	trabalhara	Você/Ele	tinha trabalhado			Se você/ele	tivesse trabalhado
Nós	trabalháramos	Nós	tínhamos trabalhado			Se nós	tivéssemos trabalhado
Vocês/Eles	trabalharam	Vocês/Eles	tinham trabalhado			Se vocês/eles	tivessem trabalhado
Futuro do Presente		Futuro do Presente		Futuro do Presente		Futuro do Presente	
Eu	trabalharei	Eu	terei trabalhado	Quando eu	trabalhar	Quando eu	tiver trabalhado
Você/Ele	trabalhará	Você/Ele	terá trabalhado	Quando você/ele	trabalhar	Quando você/ele	tiver trabalhado
Nós	trabalharemos	Nós	teremos trabalhado	Quando nós	trabalharmos	Quando nós	tivermos trabalhado
Vocês/Eles	trabalharão	Vocês/Eles	terão trabalhado	Quando vocês/eles	trabalharem	Que vocês/eles	tiverem trabalhado
Futuro do Pretérito		Futuro do Pretérito					
Eu	trabalharia	Eu	teria trabalhado				
Você/Ele	trabalharia	Você/Ele	teria trabalhado				
Nós	trabalharíamos	Nós	teríamos trabalhado				
Vocês/Eles	trabalhariam	Vocês/Eles	teriam trabalhado				

Imperativo

Trabalhe (você)
Trabalhemos (nós)
Trabalhem (vocês)

Infinitivo impessoal	*Infinitivo pessoal*	*Gerúndio*	*Particípio*
Trabalhar	Trabalhar Trabalhares Trabalhar Trabalharmos Trabalharem	Trabalhando	Trabalhado

Segunda conjugação: Verbos em -er

Indicativo		*Subjuntivo*	
	Tempos		
Simples	**Compostos**	**Simples**	**Compostos**
Presente Eu conheço Você/Ele conhece Nós conhecemos Vocês/Eles conhecem		Presente Que eu conheça Que você/ele conheça Que nós conheçamos Que vocês/eles conheçam	
Pretérito Imperfeito Eu conhecia Você/Ele conhecia Nós conhecíamos Vocês/Eles conheciam		Pretérito Imperfeito Se eu conhecesse Se você/ele conhecesse Se nós conhecêssemos Se vocês/eles conhecessem	
Pretérito Perfeito Eu conheci Você/Ele conheceu Nós conhecemos Vocês/Eles conheceram	Pretérito Perfeito Eu tenho conhecido Você/Ele tem conhecido Nós temos conhecido Vocês/Eles têm conhecido		Pretérito Perfeito Que eu tenha conhecido Que você/ele tenha conhecido Que nós tenhamos conhecido Que vocês/eles tenham conhecido
Pretérito Mais-que-perfeito Eu conhecera Você/Ele conhecera Nós conhecêramos Vocês/Eles conheceram	Pretérito Mais-que-perfeito Eu tinha conhecido Você/Ele tinha conhecido Nós tínhamos conhecido Vocês/Eles tinham conhecido		Pretérito Mais-que-perfeito Se eu tivesse conhecido Se você/ele tivesse conhecido Se nós tivéssemos conhecido Se vocês/eles tivessem conhecido
Futuro do presente Eu conhecerei Você/Ele conhecerá Nós conheceremos Vocês/Eles conhecerão	Futuro do Presente Eu terei conhecido Você/Ele terá conhecido Nós teremos conhecido Vocês/Eles terão conhecido	Futuro do Presente Quando eu conhecer Quando você/ele conhecer Quando nós conhecermos Quando vocês/eles conhecerem	Futuro do Presente Quando eu tiver conhecido Quando você/ele tiver conhecido Quando nós tivermos conhecido Quando vocês/eles tiverem conhecido
Futuro do pretérito Eu conheceria Você/Ele conheceria Nós conheceríamos Vocês/Eles conheceriam	Futuro do Pretérito Eu teria conhecido Você/Ele teria conhecido Nós teríamos conhecido Vocês/Eles teriam conhecido		

Imperativo

Conheça (você)
Conheçamos (nós)
Conheçam (vocês)

Infinitivo impessoal

Conhecer

Infinitivo pessoal

Conhecer
Conheceres
Conhecer
Conhecermos
Conhecerem

Gerúndio

Conhecendo

Particípio

Conhecido

Terceira conjugação: Verbos em -ir

Indicativo		*Subjuntivo*	
Tempos			
Simples	**Compostos**	**Simples**	**Compostos**
Presente Eu parto Você/Ele parte Nós partimos Vocês/Eles partem		**Presente** Que eu parta Que você/ele parta Que nós partamos Que vocês/eles partam	
Pretérito Imperfeito Eu partia Você/Ele partia Nós partíamos Vocês/Eles partiam		**Pretérito Imperfeito** Se eu partisse Se você/ele partisse Se nós partíssemos Se vocês/eles partissem	
Pretérito Perfeito Eu parti Você/Ele partiu Nós partimos Vocês/Eles partiram	Pretérito Perfeito Eu tenho partido Você/Ele tem partido Nós temos partido Vocês/Eles têm partido		Pretérito Perfeito Que eu tenha partido Que você/ele tenha partido Que nós tenhamos partido Que vocês/eles tenham partido
Pretérito Mais-que-perfeito Eu partira Você/Ele partira Nós partíramos Vocês/Eles partiram	Pretérito Mais-que-perfeito Eu tinha partido Você/Ele tinha partido Nós tínhamos partido Vocês/Eles tinham partido		Pretérito Mais-que-perfeito Se eu tivesse partido Se você/ele tivesse partido Se nós tivéssemos partido Se vocês/eles tivessem partido
Futuro do presente Eu partirei Você/Ele partirá Nós partiremos Vocês/Eles partirão	Futuro do presente Eu terei partido Você/Ele terá partido Nós teremos partido Vocês/Eles terão partido	Futuro do Presente Quando eu partir Que você/ele partir Quando nós partirmos Que vocês/eles partirem	Futuro do Presente Quando eu tiver partido Quando você/ele tiver partido Quando nós tivermos partido Quando vocês/eles tiverem partido
Futuro do pretérito Eu partiria Você/Ele partiria Nós partiríamos Vocês/Eles partiriam	Futuro do pretérito Eu teria partido Você/Ele teria partido Nós teríamos partido Vocês/Eles teriam partido		

Imperativo

Parta (você)
Partamos (nós)
Partam (vocês)

Infinitivo impessoal

Partir

Infinitivo pessoal

Partir
Partires
Partir
Partirmos
Partirem

Gerúndio

Partindo

Particípio

Partido

Verbos Auxiliares: ser, estar, ter, haver

Indicativo

Presente							
Eu	sou	Eu	estou	Eu	tenho	Eu	hei
Você/Ele	é	Você/Ele	está	Você/Ele	tem	Você/Ele	há
Nós	somos	Nós	estamos	Nós	temos	Nós	havemos
Vocês/Eles	são	Vocês/Eles	estão	Vocês/Eles	têm	Vocês/Eles	hão
Pretérito imperfeito							
Eu	era	Eu	estava	Eu	tinha	Eu	havia
Você/Ele	era	Você/Ele	estava	Você/Ele	tinha	Você/Ele	havia
Nós	éramos	Nós	estávamos	Nós	tínhamos	Nós	havíamos
Vocês/Eles	eram	Vocês/Eles	estavam	Vocês/Eles	tinham	Vocês/Eles	haviam
Pretérito perfeito							
Eu	fui	Eu	estive	Eu	tive	Eu	houve
Você/Ele	foi	Você/Ele	esteve	Você/Ele	teve	Você/Ele	houve
Nós	fomos	Nós	estivemos	Nós	tivemos	Nós	houvemos
Vocês/Eles	foram	Vocês/Eles	estiveram	Vocês/Eles	tiveram	Vocês/Eles	houveram
Pretérito mais-que-perfeito							
Eu	fora	Eu	estivera	Eu	tivera	Eu	houvera
Você/Ele	fora	Você/Ele	estivera	Você/Ele	tivera	Você/Ele	houvera
Nós	fôramos	Nós	estivéramos	Nós	tivéramos	Nós	houvéramos
Vocês/Eles	foram	Vocês/Eles	estiveram	Vocês/Eles	tiveram	Vocês/Eles	houveram
Futuro do presente							
Eu	serei	Eu	estarei	Eu	terei	Eu	haverei
Você/Ele	será	Você/Ele	estará	Você/Ele	terá	Você/Ele	haverá
Nós	seremos	Nós	estaremos	Nós	teremos	Nós	haveremos
Vocês/Eles	serão	Vocês/Eles	estarão	Vocês/Eles	terão	Vocês/Eles	haverão
Futuro do pretérito							
Eu	seria	Eu	estaria	Eu	teria	Eu	haveria
Você/Ele	seria	Você/Ele	estaria	Você/Ele	teria	Você/Ele	haveria
Nós	seríamos	Nós	estaríamos	Nós	teríamos	Nós	haveríamos
Vocês/Eles	seriam	Vocês/Eles	estariam	Vocês/Eles	teriam	Vocês/Eles	haveriam

Subjuntivo

Presente							
Que eu	seja	Que eu	esteja	Que eu	tenha	Que eu	haja
Que você/ele	seja	Que você/ele	esteja	Que você/ele	tenha	Que você/ele	haja
Que nós	sejamos	Que nós	estejamos	Que nós	tenhamos	Que nós	hajamos
Que vocês/eles	sejam	Que vocês/eles	estejam	Que vocês/eles	tenham	Que vocês/eles	hajam
Pretérito imperfeito							
Se eu	fosse	Se eu	estivesse	Se eu	tivesse	Se eu	houvesse
Se você/ele	fosse	Se você/ele	estivesse	Se você/ele	tivesse	Se você/ele	houvesse
Se nós	fôssemos	Se nós	estivéssemos	Se nós	tivéssemos	Se nós	houvéssemos
Se vocês/eles	fossem	Se vocês/eles	estivessem	Se vocês/eles	tivessem	Se vocês/eles	houvessem
Futuro do presente							
Quando eu	for	Quando eu	estiver	Quando eu	tiver	Quando eu	houver
Que você/ele	for	Quando você/ele	estiver	Quando você/ele	tiver	Quando você/ele	houver
Quando nós	formos	Quando nós	estivermos	Quando nós	tivermos	Quando nós	houvermos
Quando vocês/eles	forem	Quando vocês/eles	estiverem	Quando vocês/eles	tiverem	Quando vocês/eles	houverem

Imperativo

Seja (você)	Esteja (você)	Tenha (você)	Haja (você)
Sejamos (nós)	Estejamos (nós)	Tenhamos (nós)	Hajamos (nós)
Sejam (vocês)	Estejam (vocês)	Tenham (vocês)	Hajam (vocês)

Infinitivo impessoal

Ser Estar Ter Haver

Infinitivo pessoal

Ser	Estar	Ter	Haver
Seres	Estares	Teres	Haveres
Ser	Estar	Ter	Haver
Sermos	Estarmos	Termos	Havermos
Serem	Estarem	Terem	Haverem

Gerúndio

Sendo Estando Tendo Havendo

Particípio

Sido Estado Tido Havido

Verbos irregulares: caber, dar, dizer, dormir

Indicativo

Presente							
Eu	caibo	Eu	dou	Eu	digo	Eu	durmo
Você/Ele	cabe	Você/Ele	dá	Você/Ele	diz	Você/Ele	dorme
Nós	cabemos	Nós	damos	Nós	dizemos	Nós	dormimos
Vocês/Eles	cabem	Vocês/Eles	dão	Vocês/Eles	dizem	Vocês/Eles	dormem
Pretérito imperfeito							
Eu	cabia	Eu	dava	Eu	dizia	Eu	dormia
Você/Ele	cabia	Você/Ele	dava	Você/Ele	dizia	Você/Ele	dormia
Nós	cabíamos	Nós	dávamos	Nós	dizíamos	Nós	dormíamos
Vocês/Eles	cabiam	Vocês/Eles	davam	Vocês/Eles	diziam	Vocês/Eles	dormiam
Pretérito perfeito							
Eu	coube	Eu	dei	Eu	disse	Eu	dormi
Você/Ele	coube	Você/Ele	deu	Você/Ele	disse	Você/Ele	dormiu
Nós	coubemos	Nós	demos	Nós	dissemos	Nós	dormimos
Vocês/Eles	couberam	Vocês/Eles	deram	Vocês/Eles	disseram	Vocês/Eles	dormiram

Infinitivo:	Caber	Dar	Dizer	Dormir
Gerúndio:	Cabendo	Dando	Dizendo	Dormindo
Particípio:	Cabido	Dado	Dito	Dormido

Pretérito mais-que-perfeito							
Eu	coubera	Eu	dera	Eu	dissera	Eu	dormira
Você/Ele	coubera	Você/Ele	dera	Você/Ele	dissera	Você/Ele	dormira
Nós	coubéramos	Nós	déramos	Nós	disséramos	Nós	dormíramos
Vocês/Eles	couberam	Vocês/Eles	deram	Vocês/Eles	disseram	Vocês/Eles	dormiram
Futuro do presente							
Eu	caberei	Eu	darei	Eu	direi	Eu	dormirei
Você/Ele	caberá	Você/Ele	dará	Você/Ele	dirá	Você/Ele	dormirá
Nós	caberemos	Nós	daremos	Nós	diremos	Nós	dormiremos
Vocês/Eles	caberão	Vocês/Eles	darão	Vocês/Eles	dirão	Vocês/Eles	dormirão
Futuro do pretérito							
Eu	caberia	Eu	daria	Eu	diria	Eu	dormiria
Você/Ele	caberia	Você/Ele	daria	Você/Ele	diria	Você/Ele	dormiria
Nós	caberíamos	Nós	daríamos	Nós	diríamos	Nós	dormiríamos
Vocês/Eles	caberiam	Vocês/Eles	dariam	Vocês/Eles	diriam	Vocês/Eles	dormiriam

Subjuntivo

Presente							
Que eu	caiba	Que eu	dê	Que eu	diga	Que eu	durma
Que você/ele	caiba	Que você/ele	dê	Que você/ele	diga	Que você/ele	durma
Que nós	caibamos	Que nós	demos	Que nós	digamos	Que nós	durmamos
Que vocês/eles	caibam	Que vocês/eles	deem	Que vocês/eles	digam	Que vocês/eles	durmam
Pretérito imperfeito							
Se eu	coubesse	Se eu	desse	Se eu	dissesse	Se eu	dormisse
Se você/ele	coubesse	Se você/ele	desse	Se você/ele	dissesse	Se você/ele	dormisse
Se nós	coubéssemos	Se nós	déssemos	Se nós	disséssemos	Se nós	dormíssemos
Se vocês/eles	coubessem	Se vocês/eles	dessem	Se vocês/eles	dissessem	Se vocês/eles	dormissem
Futuro do presente							
Quando eu	couber	Quando eu	der	Quando eu	disser	Quando eu	dormir
Quando você/ele	couber	Quando você/ele	der	Quando você/ele	disser	Quando você/ele	dormir
Quando nós	coubermos	Quando nós	dermos	Quando nós	dissermos	Quando nós	dormirmos
Quando vocês/eles	couberem	Quando vocês/eles	derem	Quando vocês/eles	disserem	Quando vocês/eles	dormirem

Imperativo

Caiba (você)	Dê (você)	Diga (você)	Durma (você)
Caibamos (nós)	Demos (nós)	Digamos (nós)	Durmamos (nós)
Caibam (vocês)	Deem (vocês)	Digam (vocês)	Durmam (vocês)

Infinitivo impessoal

Caber Dar Dizer Dormir

Infinitivo pessoal

Caber	Dar	Dizer	Dormir
Caberes	Dares	Dizeres	Dormires
Caber	Dar	Dizer	Dormir
Cabermos	Darmos	Dizemos	Dormimos
Caberem	Darem	Dizerem	Dormirem

Gerúndio

Cabendo Dando Dizendo Dormindo

Particípio

Cabido Dado Dito Dormido

Verbos irregulares: fazer, fugir, ir, ler

Indicativo

Presente							
Eu	faço	Eu	fujo	Eu	vou	Eu	leio
Você/Ele	faz	Você/Ele	foge	Você/Ele	vai	Você/Ele	lê
Nós	fazemos	Nós	fugimos	Nós	vamos	Nós	lemos
Vocês/Eles	fazem	Vocês/Eles	fogem	Vocês/Eles	vão	Vocês/Eles	leem
Pretérito imperfeito							
Eu	fazia	Eu	fugia	Eu	ia	Eu	lia
Você/Ele	fazia	Você/Ele	fugia	Você/Ele	ia	Você/Ele	lia
Nós	fazíamos	Nós	fugíamos	Nós	íamos	Nós	líamos
Vocês/Eles	faziam	Vocês/Eles	fugiam	Vocês/Eles	iam	Vocês/Eles	liam
Pretérito perfeito							
Eu	fiz	Eu	fugi	Eu	fui	Eu	li
Você/Ele	fez	Você/Ele	fugiu	Você/Ele	foi	Você/Ele	leu
Nós	fizemos	Nós	fugimos	Nós	fomos	Nós	lemos
Vocês/Eles	fizeram	Vocês/Eles	fugiram	Vocês/Eles	foram	Vocês/Eles	leram
Pretérito mais-que-perfeito							
Eu	fizera	Eu	fugira	Eu	fora	Eu	lera
Você/Ele	fizera	Você/Ele	fugira	Você/Ele	fora	Você/Ele	lera
Nós	fizéramos	Nós	fugíramos	Nós	fôramos	Nós	lêramos
Vocês/Eles	fizeram	Vocês/Eles	fugiram	Vocês/Eles	foram	Vocês/Eles	leram
Futuro do presente							
Eu	farei	Eu	fugirei	Eu	irei	Eu	lerei
Você/Ele	fará	Você/Ele	fugirá	Você/Ele	irá	Você/Ele	lerá
Nós	faremos	Nós	fugiremos	Nós	iremos	Nós	leremos
Vocês/Eles	farão	Vocês/Eles	fugirão	Vocês/Eles	irão	Vocês/Eles	lerão
Futuro do pretérito							
Eu	faria	Eu	fugiria	Eu	iria	Eu	leria
Você/Ele	faria	Você/Ele	fugiria	Você/Ele	iria	Você/Ele	leria
Nós	faríamos	Nós	fugiríamos	Nós	iríamos	Nós	leríamos
Vocês/Eles	fariam	Vocês/Eles	fugiriam	Vocês/Eles	iriam	Vocês/Eles	leriam

Subjuntivo

Presente			
Que eu faça Que você/ele faça Que nós façamos Que vocês/eles façam	Que eu fuja Que você/ele fuja Que nós fujamos Que vocês/eles fujam	Que eu vá Que você/ele vá Que nós vamos Que vocês/eles vão	Que eu leia Que você/ele leia Que nós leiamos Que vocês/eles leiam
Pretérito imperfeito			
Se eu fizesse Se você/ele fizesse Se nós fizéssemos Se vocês/eles fizessem	Se eu fugisse Se você/ele fugisse Se nós fugíssemos Se vocês/eles fugissem	Se eu fosse Se você/ele fosse Se nós fôssemos Se vocês/eles fossem	Se eu lesse Se você/ele lesse Se nós lêssemos Se vocês/eles lessem
Futuro do presente			
Quando eu fizer Quando você/ele fizer Quando nós fizermos Quando vocês/eles fizerem	Quando eu fugir Quando você/ele fugir Quando nós fugirmos Quando vocês/eles fugirem	Quando eu for Quando você/ele for Quando nós formos Quando vocês/eles forem	Quando eu ler Quando você/ele ler Quando nós lermos Quando vocês/eles lerem

Imperativo

Faça (você)
Façamos (nós)
Façam (vocês)

Fuja (você)
Fujamos (nós)
Fujam (vocês)

Vá (você)
Vamos (nós)
Vão (vocês)

Leia (você)
Leiamos (nós)
Leiam (vocês)

Infinitivo impessoal

Fazer Fugir Ir Ler

Infinitivo pessoal

Fazer	Fugir	Ir	Ler
Fazeres	Fugires	Ires	Leres
Fazer	Fugir	Ir	Ler
Fazermos	Fugirmos	Irmos	Lermos
Fazerem	Fugirem	Irem	Lerem

Gerúndio

Fazendo Fugindo Indo Lendo

Particípio

Feito Fugido Ido Lido

Verbos irregulares: ouvir, pedir, perder, poder

Indicativo

Presente			
Eu ouço Você/Ele ouve Nós ouvimos Vocês/Eles ouvem	Eu peço Você/Ele pede Nós pedimos Vocês/Eles pedem	Eu perco Você/Ele perde Nós perdemos Vocês/Eles perdem	Eu posso Você/Ele pode Nós podemos Vocês/Eles podem
Pretérito imperfeito			
Eu ouvia Você/Ele ouvia Nós ouvíamos Vocês/Eles ouviam	Eu pedia Você/Ele pedia Nós pedíamos Vocês/Eles pediam	Eu perdia Você/Ele perdia Nós perdíamos Vocês/Eles perdiam	Eu podia Você/Ele podia Nós podíamos Vocês/Eles podiam
Pretérito perfeito			
Eu ouvi Você/Ele ouviu Nós ouvimos Vocês/Eles ouviram	Eu pedi Você/Ele pediu Nós pedimos Vocês/Eles pediram	Eu perdi Você/Ele perdeu Nós perdemos Vocês/Eles perderam	Eu pude Você/Ele pôde Nós pudemos Vocês/Eles puderam
Pretérito mais-que-perfeito			
Eu ouvira Você/Ele ouvira Nós ouvíramos Vocês/Eles ouviram	Eu pedira Você/Ele pedira Nós pedíramos Vocês/Eles pediram	Eu perdera Você/Ele perdera Nós perdêramos Vocês/Eles perderam	Eu pudera Você/Ele pudera Nós pudéramos Vocês/Eles puderam

Futuro do presente							
Eu	ouvirei	Eu	pedirei	Eu	perderei	Eu	poderei
Você/Ele	ouvirá	Você/Ele	pedirá	Você/Ele	perderá	Você/Ele	poderá
Nós	ouviremos	Nós	pediremos	Nós	perderemos	Nós	poderemos
Vocês/Eles	ouvirão	Vocês/Eles	pedirão	Vocês/Eles	perderão	Vocês/Eles	poderão
Futuro do pretérito							
Eu	ouviria	Eu	pediria	Eu	perderia	Eu	poderia
Você/Ele	ouviria	Você/Ele	pediria	Você/Ele	perderia	Você/Ele	poderia
Nós	ouviríamos	Nós	pediríamos	Nós	perderíamos	Nós	poderíamos
Vocês/Eles	ouviriam	Vocês/Eles	pediriam	Vocês/Eles	perderiam	Vocês/Eles	poderiam

Subjuntivo

Presente							
Que eu	ouça	Que eu	peça	Que eu	perca	Que eu	possa
Que você/ele	ouça	Que você/ele	peça	Que você/ele	perca	Que você/ele	possa
Que nós	ouçamos	Que nós	peçamos	Que nós	percamos	Que nós	possamos
Que vocês/eles	ouçam	Que vocês/eles	peçam	Que vocês/eles	percam	Que vocês/eles	possam
Pretérito imperfeito							
Se eu	ouvisse	Se eu	pedisse	Se eu	perdesse	Se eu	pudesse
Se você/ele	ouvisse	Se você/ele	pedisse	Se você/ele	perdesse	Se você/ele	pudesse
Se nós	ouvíssemos	Se nós	pedíssemos	Se nós	perdêssemos	Se nós	pudéssemos
Se vocês/eles	ouvissem	Se vocês/eles	pedissem	Se vocês/eles	perdessem	Se vocês/eles	pudessem
Futuro do presente							
Quando eu	ouvir	Quando eu	pedir	Quando eu	perder	Quando eu	puder
Quando você/ele	ouvir	Quando você/ele	pedir	Quando você/ele	perder	Quando você/ele	puder
Quando nós	ouvirmos	Quando nós	pedirmos	Quando nós	perdermos	Quando nós	pudermos
Quando vocês/eles	ouvirem	Quando vocês/eles	pedirem	Quando vocês/eles	perderem	Quando vocês/eles	puderem

Imperativo

Ouça (você)	Peça (você)	Perca (você)	Possa (você)
Ouçamos (nós)	Peçamos (nós)	Percamos (nós)	Possamos (nós)
Ouçam (vocês)	Peçam (vocês)	Percam (vocês)	Possam (vocês)

Infinitivo impessoal

Ouvir Pedir Perder Poder

Infinitivo pessoal

Ouvir	Pedir	Perder	Poder
Ouvires	Pedires	Perderes	Poderes
Ouvir	Pedir	Perder	Poder
Ouvirmos	Pedirmos	Perdermos	Podermos
Ouvirem	Pedirem	Perderem	Poderem

Gerúndio

Ouvindo Pedindo Perdendo Podendo

Particípio

Ouvido Pedido Perdido Podido

Verbos irregulares: pôr, preferir, querer, saber

Indicativo

	pôr		preferir		querer		saber
Presente							
Eu	ponho	Eu	prefiro	Eu	quero	Eu	sei
Você/Ele	põe	Você/Ele	prefere	Você/Ele	quer	Você/Ele	sabe
Nós	pomos	Nós	preferimos	Nós	queremos	Nós	sabemos
Vocês/Eles	põem	Vocês/Eles	preferem	Vocês/Eles	querem	Vocês/Eles	sabem
Pretérito imperfeito							
Eu	punha	Eu	preferia	Eu	queria	Eu	sabia
Você/Ele	punha	Você/Ele	preferia	Você/Ele	queria	Você/Ele	sabia
Nós	púnhamos	Nós	preferíamos	Nós	queríamos	Nós	sabíamos
Vocês/Eles	punham	Vocês/Eles	preferiam	Vocês/Eles	queriam	Vocês/Eles	sabiam
Pretérito perfeito							
Eu	pus	Eu	preferi	Eu	quis	Eu	soube
Você/Ele	pôs	Você/Ele	preferiu	Você/Ele	quis	Você/Ele	soube
Nós	pusemos	Nós	preferimos	Nós	quisemos	Nós	soubemos
Vocês/Eles	puseram	Vocês/Eles	preferiram	Vocês/Eles	quiseram	Vocês/Eles	souberam
Pretérito mais-que-perfeito							
Eu	pusera	Eu	preferira	Eu	quisera	Eu	soubera
Você/Ele	pusera	Você/Ele	preferira	Você/Ele	quisera	Você/Ele	soubera
Nós	puséramos	Nós	preferíramos	Nós	quiséramos	Nós	soubéramos
Vocês/Eles	puseram	Vocês/Eles	preferiram	Vocês/Eles	quiseram	Vocês/Eles	souberam
Futuro do presente							
Eu	porei	Eu	preferirei	Eu	quererei	Eu	saberei
Você/Ele	porá	Você/Ele	preferirá	Você/Ele	quererá	Você/Ele	saberá
Nós	poremos	Nós	preferiremos	Nós	quereremos	Nós	saberemos
Vocês/Eles	porão	Vocês/Eles	preferirão	Vocês/Eles	quererão	Vocês/Eles	saberão
Futuro do pretérito							
Eu	poria	Eu	preferiria	Eu	quereria	Eu	saberia
Você/Ele	poria	Você/Ele	preferiria	Você/Ele	quereria	Você/Ele	saberia
Nós	poríamos	Nós	preferiríamos	Nós	quereríamos	Nós	saberíamos
Vocês/Eles	poriam	Vocês/Eles	prefeririam	Vocês/Eles	quereriam	Vocês/Eles	saberiam

Subjuntivo

Presente							
Que eu	ponha	Que eu	prefira	Que eu	queira	Que eu	saiba
Que você/ele	ponha	Que você/ele	prefira	Que você/ele	queira	Que você/ele	saiba
Que nós	ponhamos	Que nós	prefiramos	Que nós	queiramos	Que nós	saibamos
Que vocês/eles	ponham	Que vocês/eles	prefiram	Que vocês/eles	queiram	Que vocês/eles	saibam
Pretérito imperfeito							
Se eu	pusesse	Se eu	preferisse	Se eu	quisesse	Se eu	soubesse
Se você/ele	pusesse	Se você/ele	preferisse	Se você/ele	quisesse	Se você/ele	soubesse
Se nós	puséssemos	Se nós	preferíssemos	Se nós	quiséssemos	Se nós	soubéssemos
Se vocês/eles	pusessem	Se vocês/eles	preferissem	Se vocês/eles	quisessem	Se vocês/eles	soubessem
Futuro do presente							
Quando eu	puser	Quando eu	preferir	Quando eu	quiser	Quando eu	souber
Quando você/ele	puser	Quando você/ele	preferir	Quando você/ele	quiser	Quando você/ele	souber
Quando nós	pusermos	Quando nós	preferirmos	Quando nós	quisermos	Quando nós	soubermos
Quando vocês/eles	puserem	Quando vocês/eles	preferirem	Quando vocês/eles	quiserem	Quando vocês/eles	souberem

Imperativo

Ponha (você)	Prefira (você)	Queira (você)	Saiba (você)
Ponhamos (nós)	Prefiramos (nós)	Queiramos (nós)	Saibamos (nós)
Ponham (vocês)	Prefiram (vocês)	Queiram (vocês)	Saibam (vocês)

Infinitivo impessoal

Pôr Preferir Querer Saber

Infinitivo pessoal

Pôr	Preferir	Querer	Saber
Pores	Preferires	Quereres	Saberes
Pôr	Preferir	Querer	Saber
Pôrmos	Preferirmos	Querermos	Sabermos
Porem	Preferirem	Quererem	Saberem

Gerúndio

Pondo Preferindo Querendo Sabendo

Particípio

Posto Preferido Querido Sabido

Verbos irregulares: subir, trazer, ver, vir

Indicativo

Presente							
Eu	subo	Eu	trago	Eu	vejo	Eu	venho
Você/Ele	sobe	Você/Ele	traz	Você/Ele	vê	Você/Ele	vem
Nós	subimos	Nós	trazemos	Nós	vemos	Nós	vimos
Vocês/Eles	sobem	Vocês/Eles	trazem	Vocês/Eles	veem	Vocês/Eles	vêm
Pretérito imperfeito							
Eu	subia	Eu	trazia	Eu	via	Eu	vinha
Você/Ele	subia	Você/Ele	trazia	Você/Ele	via	Você/Ele	vinha
Nós	subíamos	Nós	trazíamos	Nós	víamos	Nós	vínhamos
Vocês/Eles	subiam	Vocês/Eles	traziam	Vocês/Eles	viam	Vocês/Eles	vinham
Pretérito perfeito							
Eu	subi	Eu	trouxe	Eu	vi	Eu	vim
Você/Ele	subiu	Você/Ele	trouxe	Você/Ele	viu	Você/Ele	veio
Nós	subimos	Nós	trouxemos	Nós	vimos	Nós	viemos
Vocês/Eles	subiram	Vocês/Eles	trouxeram	Vocês/Eles	viram	Vocês/Eles	vieram
Pretérito mais-que-perfeito							
Eu	subira	Eu	trouxera	Eu	vira	Eu	viera
Você/Ele	subira	Você/Ele	trouxera	Você/Ele	vira	Você/Ele	viera
Nós	subíramos	Nós	trouxéramos	Nós	víramos	Nós	viéramos
Vocês/Eles	subiram	Vocês/Eles	trouxeram	Vocês/Eles	viram	Vocês/Eles	vieram

Futuro do presente							
Eu	subirei	Eu	trarei	Eu	verei	Eu	virei
Você/Ele	subirá	Você/Ele	trará	Você/Ele	verá	Você/Ele	virá
Nós	subiremos	Nós	traremos	Nós	veremos	Nós	viremos
Vocês/Eles	subirão	Vocês/Eles	trarão	Vocês/Eles	verão	Vocês/Eles	virão
Futuro do pretérito							
Eu	subiria	Eu	traria	Eu	veria	Eu	viria
Você/Ele	subiria	Você/Ele	traria	Você/Ele	veria	Você/Ele	viria
Nós	subiríamos	Nós	traríamos	Nós	veríamos	Nós	viríamos
Vocês/Eles	subiriam	Vocês/Eles	trariam	Vocês/Eles	veriam	Vocês/Eles	viriam

Subjuntivo

Presente							
Que eu	suba	Que eu	traga	Que eu	veja	Que eu	venha
Que você/ele	suba	Que você/ele	traga	Que você/ele	veja	Que você/ele	venha
Que nós	subamos	Que nós	tragamos	Que nós	vejamos	Que nós	venhamos
Que vocês/eles	subam	Que vocês/eles	tragam	Que vocês/eles	vejam	Que vocês/eles	venham
Pretérito imperfeito							
Se eu	subisse	Se eu	trouxesse	Se eu	visse	Se eu	viesse
Se você/ele	subisse	Se você/ele	trouxesse	Se você/ele	visse	Se você/ele	viesse
Se nós	subíssemos	Se nós	trouxéssemos	Se nós	víssemos	Se nós	viéssemos
Se vocês/eles	subissem	Se vocês/eles	trouxessem	Se vocês/eles	vissem	Se vocês/eles	viessem
Futuro do presente							
Quando eu	subir	Quando eu	trouxer	Quando eu	vir	Quando eu	vier
Quando você/ele	subir	Quando você/ele	trouxer	Quando você/ele	vir	Quando você/ele	vier
Quando nós	subirmos	Quando nós	trouxermos	Quando nós	virmos	Quando nós	viermos
Quando vocês/eles	subirem	Quando vocês/eles	trouxerem	Quando vocês/eles	virem	Que vocês/eles	vierem

Imperativo

Suba (você)	Traga (você)	Veja (você)	Venha (você)
Subamos (nós)	Tragamos (nós)	Vejamos (nós)	Venhamos (nós)
Subam (vocês)	Tragam (vocês)	Vejam (vocês)	Venham (vocês)

Infinitivo impessoal

Subir Trazer Ver Vir

Infinitivo pessoal

Subir	Trazer	Ver	Vir
Subires	Trazeres	Veres	Vires
Subir	Trazer	Ver	Vir
Subirmos	Trazermos	Vermos	Virmos
Subiren	Trazerem	Verem	Virem

Gerúndio

Subindo Trazendo Vendo Vindo

Particípio

Subido Trazido Visto Vindo

Lista de Palavras

Índice de palavras

As principais palavras que aparecem no livro, e no livro de exercícios de audição, estão listadas abaixo. Os números indicam a unidade e a página em que a palavra aparece pela primeira vez.

D

E

P

Q

R

S

T

U

V

W

X

Z